ВИКТОРИЯ ПЛАТОВА

Моему другу, гениальному cocinero
Виталику Гусалову,
без которого эта книга уж точно бы не состоялась,
— с нежностью...

Platova, Viktori

ВИКТОРИЯ ПЛАТОВА

ИЗ ЖИЗНИ КАРАМЕЛИ

Роман

Iz zhizni karameli

АСТ · Астрель
Москва

УДК 821.161.1-31
ББК 84(2Рос=Рус)6-44
П37

Оформление обложки:
дизайн-студия «Дикобраз» (С.: ПС)
дизайн-студия «Графит» (С.: ПС-2)
Художник *Андрей Ферез* (С.: ПС-2)

Платова, В.

П37   Из жизни карамели : роман / Виктория Платова. — М.: Астрель: АСТ, 2009. — 445, [3] с.

ISBN 978-5-17-059434-4 (АСТ) (С.: ПС)
ISBN 978-5-271-23925-0 (Астрель)
ISBN 978-5-17-059433-7 (АСТ) (С.: ПС-2)
ISBN 978-5-271-23924-3 (Астрель)

Ну как, скажите, может сложиться жизнь у человека по прозвищу Рыба-Молот? Не как у всех остальных, нормальных людей — это точно!.. Хотя и Рыба — вполне нормальный парень, может быть — излишне простодушный, но в общем и целом — ничего себе. И к тому же — отличный повар. Вот только истории, с ним происходящие, ни в какие рамки не влезают и ни в какие альбомы не помещаются. Но это просто время такое — странное, смешное, фантастическое и немного людоедское, — и Рыба-Молот здесь совершенно ни при чем...

УДК 821.161.1-31
ББК 84(2Рос=Рус)6-44

Подписано в печать с готовых диапозитивов заказчика 12.03.2009.
Формат 84×108¹/₃₂. Гарнитура Ньютон. Бумага офсетная.
Печать высокая с ФПФ. Усл. печ. л. 23,52.
С.: ПС. Тираж 10 000 экз. Заказ 794.
С.: ПС-2. Тираж 15 000 экз. Заказ 795.

Общероссийский классификатор продукции ОК-005-93, том 2;
953000 — книги, брошюры

Санитарно-эпидемиологическое заключение
№ 77.99.60.953.Д.009937.09.08 от 15.09.2008 г.

ISBN 978-985-16-6938-3 (ООО «Харвест»)(С.: ПС)
ISBN 978-985-16-6939-0 (ООО «Харвест»)(С.: ПС-2)

ЧАСТЬ ПЕРВАЯ

НГЫЛЕКА

***

ГЛАВА ПЕРВАЯ — *в которой читатель знакомится с Сашей Бархатовым, по прозвищу Рыба-Молот, а также его немногочисленным окружением, привычками и пристрастиями, сомнительным настоящим и невнятным будущим*

...Нынешнее бегство Рыбы-Молота было пятым по счету и самым глупым. Глупее не придумаешь. Стоило ли уезжать за тысячи километров от дома в поисках работы, чтобы вернуться обратно несолоно хлебавши всего лишь спустя три дня? Без выходного пособия, с разбитым сердцем и оторванной напрочь мочкой левого уха.

Мочку было особенно жалко.

Хотя она и не отличалась особой красотой и на ней время от времени вырастали два жестких белых волоска. Которые с таким же постоянством вырывались — что символизировало цикличность жизненных процессов вообще и наличие самой жизни в частности. Потеряв мочку, Рыба-Молот тут же стал рассуждать, что мог бы с ней сотворить, останься она при хозяине. На ныне покойный крохотный кусок Рыбьей плоти можно было навесить серьгу. На нем можно было вытатуировать диковинное животное, или рептилию, или кельтский орнамент. Также можно было оправить его в золото или платину и украсить бриллиантами. Ничего, ровным счетом ничего не жаль для такой ценной части организма, коей является чертова усопшая мочка! Хоть бы оторвали правую — так нет же, покусились на левую, любимую. Любимейшую!.. За что теперь Рыба будет хвататься, остужая пальцы? А студить пальцы при его профессии приходится довольно часто.

«Не хрен было шастать по всяким, прости господи, салехардам», — коротко резюмировала Кошкина, первая жена Рыбы-Молота.

«И еще скажи спасибо, что только ухо, а не, к примеру, яйца!» — прислала электронное соболезнование Рахиль Исааковна, вторая жена Рыбы-Молота.

С обеими своими бывшими Рыба-Молот поддерживал самые теплые, чтобы не сказать — родственные отношения. Это было несложно, учитывая, что Кошкина проживала в Москве, Рахиль Исааковна — в Хайфе, а сам Рыба-Молот давно и прочно осел в Питере. До Питера в его пестрой биографии значились: Веймар (город босоногого детства), Шахрисабз (город прыщавого отрочества), Ташкент (город мятежной юности). А также с десяток других, по образному выражению Кошкиной, «муркиных задниц»: населенных пунктов, куда нормальный среднестатистический человек может попасть исключительно по недоразумению. Или (что вероятнее) — с большого бодуна. Отстав от поезда в глухой степи, без денег и документов, с трефовым королем в правой руке и обглоданной куриной булдыжкой в левой.

Впрочем, в карты Рыба-Молот не играл, даже в дурака, а спиртное употреблял вполне умеренно. Без излишней надломленности и высечения негатива. Рыба-Молот вообще был человеком, лишенным каких-либо видимых недостатков. Собственно, именно эта его стерильность и привлекла в свое время Кошкину с Рахилью Исааковной. Но она же и оттолкнула их — спустя довольно непродолжительное время после начала совместной жизни.

— Ты скучный, — заявила на прощание Кошкина.

— Тебе даже изменять не в кайф. Никакого морального удовлетворения, — заявила на прощание Рахиль Исааковна.

Еще одной причиной, по которой женщины сначала льнули к Рыбе-Молоту, а потом отдалялись от него со стонами, воплями и проклятиями, была профессия. На всех бейджах (а их к тридцати пяти годам у Саши Бархатова скопилась целая коллекция) значилось **«ШЕФ-ПОВАР»** —

с незначительными вариациями, касающимися шрифта и языка. В общей сложности «шеф-повар» был воспроизведен на пяти, включая собственно русский, а также грузинский, турецкий, иврит и — совсем уж экзотический бурятский. В Бурятии, в райцентре Кяхта (он же — «Песчаная Венеция», он же — «Забалуй-городок», население 18 тыс. чел., прядильно-трикотажная фабрика, медицинское училище, музей Сухэ-Батора, банно-прачечный комбинат), и состоялось боевое крещение Рыбы в качестве шеф-повара. Оттуда же он бежал — под покровом ночи, не предупредив работодателя и не получив окончательный расчет. Тот первый бурятский побег стал моделью всех остальных побегов Рыбы-Молота, о которых Кошкина с Рахилью Исааковной, а также все остальные, неравнодушные к его судьбе люди говорили: «Вечно ты так, начинаешь за здравие, а кончаешь за упокой».

Связи и браки шеф-повара Бархатова тоже заканчивались за упокой. Как говорилось выше — по причине его профессии. Чтобы ублажить жен и подруг, чтобы привязать их к себе как можно крепче, Рыба-Молот начинал готовить как ненормальный — жарить, парить, тушить и запекать. Сочинять блюда — одно калорийнее другого. Коньком Рыбы-Молота были соусы и сладости, в первую голову — конфеты и шоколад ручной работы. Отказаться от них было невозможно, и потому спутницы молотовской жизни пухли как на дрожжах, раздавались вширь, обрастали лишними сантиметрами на талии (а некоторые, особенно восприимчивые и впечатлительные, так даже двойными подбородками).

— Ну тебя в жопу! С тобой такими темпами скоро в двери пролезать не будешь! — заявила на прощание Кошкина.

— Ну тебя в жопу! С тобой такими темпами скоро грузовая платформа понадобится для передвижения по квартире! — заявила на прощание Рахиль Исааковна.

Нельзя сказать, что обе бывшие сдались без боя. Некоторое время они честно пытались бороться с шоколадно-соусным форс-мажором и искали всяческие компромиссы, при которых можно было бы сохранить и фигуру, и Рыбу-Молота с его растреклятыми вкуснющими конфетами. Так Кошкина после обильных ночных возлияний отправлялась в сортир, на ходу засовывая в рот два пальца. А Рахиль Исааковна всерьез рассматривала вариант с привлечением в организм некоторого количества паразитов — чтобы совместными с глистами и цепнями усилиями противостоять напасти и поднять метаболические и пищеварительные процессы на новый качественный уровень. О таком кардинальном способе корректировки веса она узнала из какой-то телепередачи, оказавшейся впоследствии псевдонаучной и антигуманистической. Вообще Рахиль Исааковна была страстной телеманкой, называла телевизор «иконой» и проводила подле него все свободное и несвободное время — в ущерб многим социально значимым вещам, включая супружеские обязанности. Шутила Рахиль Исааковна в духе «Аншлага» и «Смехопанорамы», политические события в стране и мире рассматривала сквозь призму авторской программы «Однако», а за здоровьем (своим собственным и Рыбы-Молота) наблюдала исключительно с покосившейся пожарной вышки «Малахов +».

В отличие от Рахили Исааковны Кошкина телевизор терпеть не могла, но фанатела от радиостанций FM-диапазона. Особенно тех, которые специализировались на отечественной попсе. Причем тройка любимых исполнителей Кошкиной, как правило, оставалась неизменной:

Валерий Леонтьев

Валерий Меладзе

Валерий Сюткин

Все остальные места в кошкинских топах и чартах тоже принадлежали мужчинам и юношам из наскоро склепанных мальчиковых групп. К женщинам на эстраде Кошкина питала стойкую неприязнь и каждое их появление в радиоэфире встречала презрительным: «О! Кружацца письки!» Очевидно, корни этого выражения восходили к некогда популярной серии альбомов «Кружатся диски». До этого Рыба-Молот допер сам, без пояснений со стороны Кошкиной. Первая жена осталась в памяти Рыбы генератором всяческих неологизмов — они (придуманные, заимствованные, беззастенчиво украденные) изливались в таком изобилии, что ни ее, ни его жизни не хватило бы, чтобы объяснить каждый. Кличку «Рыба-Молот», впоследствии заменившую Бархатову и имя, и фамилию, тоже сочинила Кошкина.

9

При этом она руководствовалась исключительно внешностью мужа, а именно — широко расставленными и максимально приближенными к вискам глазами. Настолько незамутненными, ясными и небесно-голубыми, что первой мыслью каждого, в них заглянувшего, было: э-э, а не дурачок ли ты, часом, милейший? Не даун ли? Не олигофрен?

Идиотизмом, а уж тем более синдромом Дауна, а уж тем более олигофренией Рыба-Молот не страдал. Напротив, в нем присутствовал даже налет интеллектуальности. Во всяком случае, он — единственный из шеф-поваров от Кяхты до хохлацкого Мелитополя — покусился на квазидзэн-буддистскую книжку Р. Баха «Чайка по имени Джонатан Ливингстон». Покушение готовилось три с половиной года, но в самый ответственный момент что-то обязательно мешало ему свершиться. То Рыбу не устраивал формат издания, то переплет (слишком мягкий или, наоборот, слишком твердый — так что и в карман не сунешь). Отсутствие иллюстраций, присутствие иллюстраций, размеры шрифтов; картинка с чайкой на первой странице обложки (слишком натуралистичная), картинка с самим писателем (слишком ненатуральный, перестарались с ретушью!). После того как через руки Рыбы-Молота прошло, как минимум, семь Джонатанов Ливингстонов, у него возникла стойкая уверенность, что книжка вроде бы уже прочитана. Но как отличить прочитанное от непрочитанного? — в дзэн-буддизме рекомендаций по этому поводу нет. А если и есть — то так завуалированы, что без ста грамм не разберешься. А норма непьющего Рыбы не превышала пятидесяти. Единственное, что он знал точно: чайка по имени Джонатан Ливингстон — мужского рода, а не женского. Но по инерции продолжал называть чайку — «она». Так было привычнее и удобнее, и никакими дзэнбуддизмами эту привычку не сковырнешь. Впрочем, Джонатан Ливингстон был единственным проколом: Рыба неплохо разбирался в джазе, автомобильной электрике, комнатных растениях и истории папства в цифрах и фактах. И со временем собирался издать сборник кулинарных рецептов. Название для сборника придумалось само собой: «Из жизни карамели и не только». Сокровенной мечтой о сборнике Рыба-Молот поделился с обеими своими женами — на девятый и сороковой день знакомства соответственно. Кошкина (с самого начала относившаяся к прожектам и начинаниям Рыбы со здоровым скептицизмом) заметила тогда:

— Ну вот, куда конь с копытом, туда и рак с клешней!

— В смысле? — беззлобно удивился Рыба-Молот.

— В смысле, что сейчас все стряпают кулинарные книги. Все кому не лень, я имею в виду. От горе-сочинительниц детективов до артистов, фигуристов и прочих звездюлей. Тьфу, пакость!... Разве что винторогие козлы из зоопарка не отметились. И тигры-альбиносы.

— А при чем здесь тигры-альбиносы? Они и писать не умеют. У них вообще — не руки, а лапы.

— Бедный ты мой! — Кошкина посмотрела на тогда еще потенциального мужа особенным взглядом, в котором смешались презрение и жалость. Впоследствии этот (ставший фирменным) взгляд настигал Рыбу-Молота довольно часто. — Тигры-альбиносы — это художественное преувеличение. Призванное оттенить весь маразм кулинарной вакханалии. Ферштейн?

— Ферштейн, — с готовностью подтвердил Рыба-Молот и больше с Кошкиной на тему сборника «Из жизни карамели» не заговаривал.

Эта тема всплыла много позже, когда он закрутил роман с Рахилью Исааковной. Рахиль Исааковна восприняла известие о еще ненаписанном карамельном талмуде без особого энтузиазма, поскольку считала, что кулинарных шоу на любезном ее сердцу ТВ развелось как собак нерезаных. А это идет в ущерб телеаналитике, телепутешествиям, телевикторинам, а также программам из жизни богатых и знаменитых и программам из жизни членистоногих, чешуекрылых и пресмыкающихся.

— Я и название уже придумал, — сообщил Рыба-Молот, успокоенный снисходительным молчанием Рахиль Исааковны, которое можно было принять за одобрение и поддержку.

— Какое же?

— «Из жизни карамели и не только»... По-моему, здорово. Необычно и свежо. А по-твоему, как?

Стоило ему произнести гипотетическое название, как глаза Рахиль Исааковны остекленели, кончик носа забавно подогнулся, а по краям дотоле чистого лба волнами пошли морщины, почему-то напомнившие Рыбе-Молоту харизматичные морщины физика Альберта Эйнштейна. *И вообще... — тут же подумалось ему, — если состарить Рахиль Исааковну лет на сорок, приклеить ей усы и определенным образом взбить и зачесать волосы — как раз и получится Эйнштейн. Точная его копия. Клон.*

Об Эйнштейне и его научной деятельности Рыба-Молот знал не больше, чем знает простой обыватель, а именно — ничего или почти ничего. Кажется, Эйнштейн был автором фундаментальной теории э-э-э... относительности (докопаться до ее смысла человеку без спецобразования невозможно, это вам не дзэн-чайка по имени Джонатан Ливингстон); кажется, Эйнштейн время от времени показывал язык фоторепортерам и имел проблемы с завязыванием шнурков на ботинках. Кроме того, он был нетерпим к критике, волочился за каждой ладно скроенной и хорошо сшитой юбкой и то и дело наставлял рога своей жене (женам). Вдруг Рахили Исааковне передалась хотя бы часть этих несомненных достоинств?..

Не передалась. А если и передалась — то относительно, без всякой там фундаментальности.

Рахиль Исааковна не носила ботинок, кроссовок и прочей обуви со шнурками: она предпочитала модельные туфли летом и модельные сапоги зимой и в межсезонье. Показать кому-то язык? Фи, это не ее, Рахиль Исааковны, случай — Рахиль Исааковна безупречна. Вне макияжа, укладки, педикюра с маникюром и чисто выбритых подмышек, ног и лобка она не существует. Критика ею приветствуется, но только конструктивная. А лучше — абстрактная, не переходящая на личности. Еще лучше — если критикуют не ее, а гнуснейшие козьи морды из телевизора, имя которым — легион. Изменяла ли она Рыбе-Молоту, будучи замужем за ним? Неизвестно. Скорее всего — нет, разве что в мыслях. Стоя под контрастным душем. Поднимаясь по лестнице на их с Рыбой седьмой этаж, потому что лифт в доме вечно не работает. Рыба-Молот даже вычислил мужской тип, по которому втайне сохла Рахиль Исааковна. Никаких бицепсов, трицепсов и износостойких полиуретановых задниц. Никаких греческих профилей и двуличных ямочек на подбородке. Ничего от Аполлона, но всё — от Винни-Пуха, Квазимодо и Сирано де Бержерака. Чем хуже, тем лучше. Трехдневная щетина — почему бы и нет? Выпирающий кадык — и пес с ним! Перхоть, кариес, волосы в носу — переживем и это, куда деваться, что выросло — то выросло. Главное, чтобы избранник был с ней предупредителен, нежен и мягок, как тесто. Не качал права, не покушался на телевизионный пульт, был в состоянии забить гвоздь и поменять прокладку на кране. А также безропотно сопровождал ее по магазинам в сезон распродаж и давал дельные советы относительно косметики, парфюмерии и шмоток. И — главное — не дергался, как свинья на веревке, при виде других баб. Это у Кошкиной был миллион подруг с миллиардом проблем, и она добросовестно вникала во все, и Рыбу заставляла вникать. А у Рахили Исааковны подруг отродясь не водилось. Была лишь сестра Юдифь Исааковна, двумя годами моложе Рахили. Ничего хорошего о Юдифи Исааковне Рыба-Молот не слышал, а слышал характеристики одна нелестнее и паскуднее другой: Юдифь-де — сластолюбица, нимфоманка и охотница до чужих мужей. Ни рожи ни кожи, а вот поди ж ты — пользуется бешеной популярностью у мужиков, причем семейных, *о чем это говорит?*

— О чем? — всякий раз спрашивал Рыба-Молот.

— О том, что все мужики — козлы. К тебе это, конечно, не относится, *пупочка моя*. Ты у меня — исключение, лишь подтверждающее правило. Ты ведь исключение?

— Вроде того.

— Но если я узнаю, что ты где-нибудь, когда-нибудь, с кем-нибудь...

— Никогда, нигде, ни с кем...

— Смотри у меня! А то все закончится, как в фильме «Музей восковых фигур».

Кровавый финал «Музея восковых фигур» был не единственным вариантом развития событий, имелись и другие, не менее одиозные. Сборная солянка из «Пилы», «Возвращения реаниматора» и «Поворота не туда». Сплошной ужас-ужас-ужас, конченый трэш-трэш-трэш. Ужас и трэш настигали Рыбу-Молота три раза в месяц, в ночь с понедельника на вторник, когда основные телеканалы уходили на профилактику и скорбящая по мерцанию экрана Рахиль Исааковна включала DVD.

Ничего, кроме ужастиков, она не смотрела. Лишь однажды Рыба-Молот заикнулся о том, что неплохо бы разнообразить репертуар какой-нибудь мелодрамой или, на худой конец, лирической комедией — и тотчас же был обвинен в пошлости, отсутствии вкуса и поиске легких путей в искусстве.

Каким образом фильмы ужасов способствуют развитию этого самого вкуса, Рахиль Исааковна не пояснила. Но это не суть важно. Важно то, что **«с-с-страшное кино»** вырабатывает декалитры адреналина, а Рахиль очень нуждается в адреналине. Конечно, она могла бы добывать его другими способами: прыгая с парашютом, например. Играя на бирже, играя в казино, подворовывая шмотки в бутиках и продукты в супермаркетах. Сюда же можно добавить занятия экстремальными видами спорта, стрингерство, дайверство, посещение горячих точек в составе группы правозащитников и полеты рейсовым ЯК-40 по маршруту Дудинка—Воркута. Но такого рода эксперименты над личностью Рахиль Исааковна отвергает напрочь:

а) из-за риска разбиться, разориться, утонуть, быть оплеванной альтернативной группой правозащитников;

б) из-за риска сломать шею;

в) из-за риска сломать ноготь;

г) из-за риска попасть в каталажку, что выглядит бесславным само по себе.

Ночные просмотры подобных угроз не несли, а если кто и страдал, так только Рыба-Молот. В самый ответственный момент расправы над жертвой Рахиль Исааковна крепко зажмуривала глаза и хватала Рыбу за руку. Пронзая кожу острыми и твердыми, как у тираннозавра, когтями экстремальной длины.

— Ну, рассказывай, что там происходит! Только в подробностях! — требовала она.

— Он к ней подходит, — содрогаясь, блеял Рыба-Молот.

— С тесаком?

— С тесаком и с ножом.

— А она?

— Она ничего не подозревает.

— Ну! Не молчи!

— Теперь заподозрила.

— И?

— Бежит.

— А он?

— Бежит за ней.

— А она?

— Кричит как резаная.

— Я и сама слышу, что кричит, не отвлекайся. Чего она делает-то?

— Вызывает лифт.

— Лифт, конечно, застрял между этажами. Старая хохма, могли бы что-нибудь поинтереснее придумать...

— Все, лифт пришел.

— Двери заклинило?

— Открылись.

— И?

— Она уже внутри, но двери не закрываются. Нет, вроде поползли...

— А он?

— Машет тесаком сантиметрах в двадцати от кабины.

— Ну, не идиот ли? Надо было ногу подставить, чтобы кабину заблокировать!..

— Так и сделал...

— Ну, слава богу, дотумкал! Теперь чего?

— Орет и глаза пучит.

— Кто пучит? Он?

— Она.

— Еще бы не пучить, ведь конкретный пипец котенку! Пипец или нет еще?

16

— Почти... Он уже в кабине, рубит по башке.

— Тесаком?

— Угу.

— А нож почему не задействовал?

— Ножом вроде тоже тыркает... Все. Отмучалась, бедняжка...

— Кровищи много?

— Хватает.

— Фу, мерзость!..

Убедившись, что эпизод подошел к логическому концу, Рахиль Исааковна переводила дух, открывала глаза и углублялась в происходящее на экране — вплоть до очередного момента с нападением, расчлененкой и освежеванием туш. После сеанса начинался разбор полетов: каким образом можно было бы избежать столкновения с маньяком, а столкнувшись — спастись (по законам жанра выходило, что никаким). Так же, в жанровых рамках, серьезно обсуждалась проблема повышения маньяческой производительности труда. В одной упряжке с производительностью рассматривалась и многовариантность подхода к жертве: Рахиль Исааковна кляла недостаточно, по ее мнению, изобретательных хламоделов-создателей.

— Ножи, топоры, бензопилы, струны от карниза... Рутина, блин, муть лодейнопольская! Станция Дно, приехали-слазьте! Никакой фантазии! Никакого полета! А ты как думаешь, *пупочка?*

— Полностью с тобой согласен, кисонька, —

всякий раз отвечал Рыба-Молот, с тоской вспоминая Кошкину. Кошкина подобные мясницкие экзерсисы терпеть не могла, предпочитая им авторское кино. Или «артхаус», как она его с придыханием называла. Рыбе хватило пары просмотров, чтобы убедиться: это отнюдь не альтернатива фильмам ужасов, скорее — еще одна их разновидность. Но, во всяком случае, обходилось без зажмуривания и хватания за руки. На арт-хаус Кошкину подсадили две ближайшие подруги — Палкина и Чумаченко. Палкина слыла адепткой европейского независимого кино, а Чумаченко — американского. В этом было их единственное различие, во всем остальном они являлись точной копией друг друга: кошмарные старые девы, разнузданные анархистки, феминистки с уклоном в суфражизм, вегетарианки со стажем, активные борцы за права животных и секс-меньшинств. Больше всего Рыба-Молот боялся, что либеральные шахидки втянут его женушку в какую-нибудь запендю похлеще арт-хауса. Поволокут на митинг протеста против всего на свете, заставят клеить прокламации на водосточные трубы, заседать на антигосударственных форумах в Сети и жрать печеную брюкву вместо медальонов из телятины под соусом бешамель.

Рыбу-Молота Палкина с Чумаченкой терпеть не могли, называли жлобом, бычарой, пейзанином, недотыкомкой и — почему-то — вонючим бюргером. Последнее определение казалось Рыбе особенно оскорбительным: за собой он следил не хуже какого-нибудь метросексуала, брился по два раза на дню, не жалел денег на одеколоны, кремы и гели, а однажды решился даже на депиляцию волос на груди.

Чертова депиляция прошла настолько болезненно, что Рыба едва не отдал концы. Кошкина (ради которой все и затевалось) мужнина подвига не оценила. Напротив, тут же пришпилила ему кличку «бруталь-фаталь», с коей Рыба и проходил до тех пор, пока волосы снова не отросли.

Нет, если кто и был самым настоящим вонючкой, — так это милые кошкинскому сердцу Палкина с Чумаченкой. Палкина, несмотря на весь свой евроатлантический интеллектуализм, никогда не мыла рук ни после туалета, ни до него. А Чумаченко, несмотря на Д. Аронофски[1] и *гори, Голливуд, гори!,* благоухала потными подмышками. И вот с этими монструозными дамочками Рыба-Молот был вынужден делить соседние кресла в Доме Кино, куда Кошкина с завидным постоянством таскала его на арт-хаусную блевотину.

Вылазки в ДК назывались «культурологическим ликбезом» и опускали Рыбу на приличную сумму: за посиделки в местном кинематографическом буфете неизменно расплачивался «жлоб» и «недотыкомка».

— А что же ты хотел, *рыбе́ц мой золотой,* — увещевала мужа Кошкина. — Ты ведь среди нас единственный мужчинка. Тебе и платить.

— Ну, не знаю — единственный ли... Водку твои стервы хлещут так, что призадумаешься, — кто из нас больше мужик.

— Подумаешь, выпили рюмочку-другую для поднятия тонуса. А ты и напрягся не по-детски.

— «Рюмочку-другую», как же! Они по пол-литра на рыло выжирают в один присест.

— Будь великодушен к женским слабостям и тебе зачтется.

— Где это мне зачтется?

— На том свете. Реинкарнируешься в арабского шейха.

— Была охота...

— Тогда в чемпиона Формулы-1. Хочешь быть чемпионом?

— Хочу пореже видеть твоих барракуд. Это возможно?..

Просьба не выглядела запредельной, более того, она была вполне законной, — но Кошкина почему-то воспринимала ее в штыки. Чего только не выслушивал Ры-

---

[1] Американский режиссер. (*Здесь и далее — примеч. авт.*)

ба в такие моменты! — что он черствый, косноязычный, малообразованный и, вместо того чтобы расти над собой, предпочитает тихо разлагаться в собственном невежестве.

А это — чудовищно! *Фу, мерзость!..*

Далее следовал пассаж о том, что если уж судьба послала Рыбе-Молоту умниц, интеллектуалок и просветительниц, то он должен воспользоваться этим шансом на всю катушку, а не кочевряжиться. Не выдрючиваться. Не выделываться, как вошь на гребне.

Воображение у Рыбы было не так чтоб очень богатым и перенасыщенным образами — оттого и выделывающуюся на гребне вошь он представлял в виде сильно уменьшенного в размерах Валерия Леонтьева (иногда — Валерия Сюткина с саксофоном, иногда — Валерия Меладзе с подтанцовкой). Забыть об этих деятелях шоубиза не давала и сама Кошкина. Отправляясь с Рыбой на встречу с фуриями, она наставляла мужа:

— Помнишь, что надо держать рот на замке относительно... сам знаешь кого?

— Угу.

— А про кого можно говорить?

— Про Ива Монтана.

— Еще про кого?

— Про Жака Бреля.

— Еще про кого?

— Про Жоржа... э... как его там...

— Про Жоржа Брассенса, неуч! Повтори три раза!

— Жорж Брассенс, Жорж Брассенс, Жорж Брассенс.

— Смотри, не перепутай! А как называется моя любимая песня у Ива Монтана?

— Э-э... «Ля бисиклетте».

На самом деле у Кошкиной было три любимых песни и все они не имели никакого отношения к французскому шансону: про дельтаплан, про девушек из высшего общества, которым «трудно избежать одиночества». И про часики, где безыскусное «тик-так» рифмовалось с еще более безыскусным «люби просто так». Но заикнуться про гребаные «Часики» в присутствии Палкиной с Чумаченкой смерти подобно. Сразу получишь черную метку и будешь заклеймен, как инфузория, примитив, квинтэссенция пошлости и светоч дурновкусия. Вот Кошкиной и приходилось тщательно скрывать свое истинное лицо — не хуже шпиона, работающего под прикрытием. Зачем ей это нужно и зачем вообще нужны встречи с людьми, с которыми ты не можешь быть самим собой, Рыба-Молот так и не понял. А Кошкина не удосужилась объяснить. Вернее, она честно пыталась это сделать, но логику жены Рыба все равно не постиг.

— Пусть не думают, что я какая-нибудь дура! — вопила она на кухне после возвращения с очередного просмотра очередной кучи дерьма под названием «короткометражное кино Тринидада и Тобаго».

— Никто и не думает, кисонька, — Рыба, как мог, пытался успокоить Кошкину. — Лично я считаю, что ты очень-очень умная.

— А твое мнение вообще никого не волнует, *рыбец*!..

Это была чистая правда. Достаточно обидная для Рыбы-Молота. Будь он не таким мягким и спокойным по характеру, давно бы поставил вопрос ребром: *выбирай, кисонька, — или я, или твои подруги*. Причем речь шла не о всем миллионе кошкинских подруг (женщин, стоящих на разных ступенях интеллектуального развития, но при этом — милых и славных в большинстве своем). Речь шла только об этих двоих вырожденках, биче рода человеческого вообще и женского в частности. Но именно они — к большому сожалению Рыбы — имели на Кошкину влияние: тотальное и совершенно иррациональное по сути. Ноги этого влияния, возможно, произрастали из детства и юности Кошкиной: Палкина с Чумаченкой присутствовали и там, сначала в качестве одноклассниц, а затем — однокурсниц по университету. По словам Кошкиной, за ними ухаживали лучшие университетские умы, которые теперь занимают о-го-го какие должности в государственных и бизнес-структурах. *Только ш-ш-ш* (палец к губам и закатившиеся под веки глаза), *упоминать конкретные имена мы не станем!*

— Ну, и почему никто из этих умов на них не женился? — задавал вполне резонный вопрос Рыба-Молот.

— Потому что... Потому что... — тут Кошкина набирала в легкие побольше воздуха. — Потому что они неординарные. Незаурядные. Блистательные, вот! И любому мужику сто очков вперед дадут. А мужики этого терпеть не могут. Скажешь, нет?

— Нет, конечно. Взять, к примеру, меня...

— Вот только давай не будем брать тебя, — морщилась Кошкина. — Тоже, сравнил писюн с коробкой передач! Вот если бы ты был Нобелевским лауреатом... Знаменитым писателем похлеще Захер-Мазоха... Этим... как его... лидером мнений... Тогда можно было бы отнестись с уважением к тому, что ты там квакаешь... Нет, лучше молчи, не раздражай меня.

— Я и так молчу, кисонька. Скушаешь оладушков?.. Свеженьких напек.

Кошкина, снедаемая душевными муками, с остервенением набрасывалась на оладьи и была в эти минуты так хороша (горящий взор, лоснящиеся губы, зверский аппетит), что Рыба-Молот сожалел обо всем сразу. Что он — не лауреат Нобелевской премии, не писатель Захер-Мазох, не выдающийся ум, который заседает где-то там, в тропосфере, на перисто-кучевых облаках бизнеса и власти. Тогда две прошмандовки Палкина с Чумаченкой сразу бы заткнулись, а авторитет его жены Кошкиной взмыл бы до небес —

во все ту же тропосферу. Или даже — в стратосферу. Или даже — в глубины космоса. И засиял там, затмевая солнце.

У самого Рыбы таких проблем с друзьями не было — по причине отсутствия последних. Имелся, правда, закадычный приятель по армии, Колян Косачёв, но Колян исчез с горизонта лет десять назад. Вроде бы он, спасаясь от свинцовых мерзостей российской жизни, ломанулся в Европу, и не куда-нибудь, а во Францию. И даже поступил в Иностранный Легион, чтобы со временем выцыганить себе французское гражданство. Получилось это у него или нет, история умалчивает. Лишь однажды пришла от Коляна пожеванная открытка с изображением львиного прайда на фоне саванны и стершимся, маловразумительным штемпелем. Послание в четыре строки состояло из сплошного ненорматива, так что понять, хорошо ли Коляну, или он, наоборот, загибается, не представлялось возможным. Более-менее адекватной выглядела концовка:

«Некисло бы увидеться, бля, Санёк, да хер его знаем когда».

«Не кисло бы», — подумал Рыба-Молот, страшно разволновавшийся по поводу нецензурного львиного прайда. Ему тотчас захотелось выпить чего-нибудь слабоалкогольного и предаться воспоминаниям о времени, когда они с Коляном были салагами-первогодками, — времени стремном, жоповатом, но и прекрасном одновременно.

Предаваться воспоминаниям (по любому поводу, а не только связанному с армией и Коляном) Рыба-Молот предпочитал на нейтральной территории, у второго своего приятеля и соседа по лестничной клетке — Людвига Эмильевича, по прозвищу Агапи́т.

Людвига Эмильевича последовательно и совершенно искренне ненавидели обе молотовские жены. И три официальных жены самого Агапита, и четыре гражданских (задерживавшихся у него на сроки, редко превышающие месяц). И еще пара десятков человек — преимущественно женщин. Притом что Агапит был существом тишайшим, нежнейшим, непьющим и некурящим, не лишенным юмора и непритязательным в быту. Своими познаниями об Эйнштейне Рыба-Молот был обязан именно Людвигу Эмильевичу. Он же, как профессиональный физик, попытался скормить Рыбе и теорию относительности во всей ее первозданной красоте.

— Нет уж, Агапитыч, — взбунтовался Рыба. — Эту мутотень я не потяну. Давай уж лучше про своих пионэров шарманку заводи.

«Пионэры» — вот что являлось корнем зла! Вот что отпугивало от Агапита всех поначалу лояльно и оптимистически настроенных женщин. Ведь Агапит был страстным фанатом космической дилогии «Москва—Кассиопея» и «Отроки во Вселенной», выпущенной на экраны страны в далеком и почти уже неправдоподобном 1974 году. В дилогии повествовалось о семерых подростках, отправившихся на звездолете «Заря» к далекой звезде Шедар в созвездии Кассиопеи. Экранные подростки скакали, как козлы, сквозь гиперпространство, вступали в контакт с терпящей бедствие инопланетной цивилизацией, одерживали победу над злодеями-роботами, пели песни под гитару в кают-компании и перманентно выясняли свои, подростковые отношения. Хотя, в общем, любили друг друга. А Агапит любил их — всех вместе и каждого по отдельности. Любил гораздо больше, чем своих жен и родственников из плоти и крови. «Пионэры», а заодно и инопланетяне, а заодно и роботы-исполнители с роботами-вершителями были для него реальностью. А остальной мир — нет. О чем бы ни говорил Агапит, он — рано или поздно — обязательно сбивался на несовершеннолетний экипаж звездолета «Заря». И на размышления о том, в какой точке Вселенной он находится в данный момент.

— А может, твои пионэры и вернулись уже, — беззлобно подтрунивал над Агапитом Рыба-Молот. — Устроились консультантами в НАСА...

— В НАСА — это вряд ли. Они — патриоты родины, — на полном серьезе отвечал Агапит. — И если бы они вернулись — я бы знал. Если бы они вернулись — весь мир изменился бы к лучшему. Потому что они — такие.

— Какие?

— Настоящие.

«Настоящие последние романтики, отважные герои, лучшие представители планеты Земля, чуждые меркантильности, злобе и волчьим законам современного постиндустриального общества». Такую простую мысль пытался донести Агапит до всех, желающих выслушать его. При этом число желающих стремительно приближалось к абсолютному нулю и обязательно достигло бы его, если бы не Рыба-Молот. В отличие от остальных Рыба не считал Агапита сумасшедшим, место которого в психушке; напротив, он рассматривал поклонение «пионэрам» как своего рода религию. Верят же люди в Бога, кем бы он ни был, — Буддой, Иисусом или Кетцалькоатлем, — и никому не приходит в голову бросить в них камень. Рыба-Молот этого уж точно не сделает, он — человек веротерпимый. Толерантный во всех отношениях. Даже к одичавшим сектантам и распространителям брошюрок «Благая весть» он относится без неприязни. Однажды угостил бутербродами и кофе юную представительницу Адвентистов Седьмого Дня, в другой раз прочел лекцию о вреде уличной шаурмы двум сайентологам и обогатил трех кришнаитов рецептом приготовления чечевицы с карри, барбарисом и фенхелем.

Агапита Рыба-Молот тоже подкармливает и ежегодно накрывает поляну в честь киностарта «Отроков». В праздничном меню значатся:

1. Салат из морепродуктов «Звезда Шедар».

2. Шашлыки (любимое блюдо юных космонавтов).

3. Ягодно-йогуртовый торт, выполненный в виде *аннигиляционного релятивистского ядерного* звездолета «Заря».

Прежде чем сожрать торт, Агапит внимательно изучает его, указывая Рыбе не недостаточную проработку деталей. И на несоответствия между реальным звездолетом и его сладкой копией. Нужно отдать должное Рыбе-Молоту: он выслушивает чудика-соседа без раздражения, обещает исправить недостатки конструкции к следующему году и заменить смородину на чернику — потому что на смородину у Агапита аллергия, а с черникой никаких проблем не возникает.

Взамен на бескорыстный интерес к судьбе «пионэров», Рыба-Молот получил от Агапита доверенность на управление его стареньким «Опелем»; бесполезные, но греющие душу знания относительно расположения созвездий на небе: теперь он ни за что не спутает Цефей с Волосами Вероники, а Андромеду с Волопасом. Правда, Кошкина с Рахилью Исааковной остались глухи к поползновениям Рыбы указать им, кто есть кто в мире звезд.

— Только без дешевой романтики, — фыркала в свое время Кошкина.

— Звезды — это совсем другое. Звезды — в телевизоре, а не на каком-то там небе, — фыркала в свое время Рахиль Исааковна.

Подобные высказывания характеризовали их как недалеких самок, а вовсе не как существа высшего порядка. «Существа высшего порядка не могут не стремиться вверх. Ведь там, наверху, на небесах и случается с нами самое главное», — утверждал Агапит, и Рыба-Молот был, в общем-то, с ним согласен. Оттого и приходил к Агапиту поглазеть на роскошную, гигантской величины карту звездного неба, которая была наклеена на потолок в гостиной. Лежа на полу, с банкой дешевого энергетического напитка в руке, он часами мог думать о том, что происходит в его жизни, и что когда-либо происходило, и что еще может произойти.

По всему выходило, что ничего особенного.

Сплошная статика — прямо как на карте над ним, где часть судьбоносного созвездия Кассиопеи заляпана чернилами (недобрая память о первой жене Агапита); где на Млечном Пути проглядывают несанкционированные следы от жженых спичек и майонезные разводы (недобрая память о второй и третьей его женах).

Все-таки чужие странности заразительны, лениво вглядываясь в карту, думал Рыба-Молот. Ничем другим не объяснишь жгучее желание, чтобы карта ожила, втянула его в сильно искривленное пространство, в иную действительность. Где все меняется — ежеминутно, ежесекундно! Где тебя ждут упоительные приключения и такая же упоительная неизвестность.

— Это что, — не раз говорил ему Агапит. — Я могу показать тебе настоящее звездное небо, каким его видит глаз телескопа. Это — очень мощный телескоп, я сам его собирал...

— И где же он, твой телескоп?

— На даче, в Сярьгах.

Несмотря на то что Сярьги находились минутах в двадцати езды от города и считались курортным местом, Агапит не был там лет шесть, а Рыба-Молот — и вовсе ни разу. Когда же они, после полугодичных разговоров и трехмесячных приготовлений, все-таки выбрались на свидание с телескопом, их ожидал полный облом. Дача оказалась прихватизированной третьей женой Агапита, паспортисткой в одном из ЖЭКов Адмиралтейского района.

— Какого хрена приперся, дурак космический? — завопила жена из-за забора.

— Я, собственно...

— Ты, собственно, здесь никто! И проваливай отсюда подобру-поздорову, пока я на тебя собак не натравила!..

— Позволь...

— Тебе позволь только! Вмиг нормального человека до шизофрении доведешь. Еще и с дружком приехал, не постеснялся! Тоже, небось, космонавт из дурки!

— Я попросил бы вас, — Рыба-Молот кашлянул и опустил свой обычный баритон до умиротворяющего (в духе европейского парламентаризма) баса. — Попросил бы вас не устраивать дебош. И пропустить законного владельца на законную территорию.

— Была законная! — демонически захохотала паспортистка. — Да вся вышла. По всем документам теперь значится моей. А если будете хулиганить и искры высекать — живо в ментовку загремите. Уж там вас... это... аннигилируют к чертовой матери!

— Ты был женат на глубоко непорядочной женщине, — заметил Рыба-Молот приятелю. — А проще говоря — на ведьме.

— Чего? — раздалось из-за забора.

— На змеюке подколодной. На стервятнице. На лабораторной крысе.

— Лабораторные крысы — довольно симпатичные животные, — заметил не потерявший самообладания Агапит.

— Вас еще и за оскорбление личности привлекут! Всё, пошла за телефоном...

— Я могу хотя бы забрать свои вещи?

— Не было тут никаких вещей! А если и были — ищи их на свалке!

Агапит схватился за сердце и слегка покачнулся вперед — и наверняка бы упал, если бы Рыба не поддержал его.

— Телескоп... — только и смог прошептать несчастный.

— Телескоп верните, — продублировал Рыба-Молот. — Телескоп... э-э... числится на балансе Пулковской обсерватории. Зарегистрирован в Академии наук! Это — национальное достояние, так-то! Верно я говорю, Аг... Людвиг Эмильевич?

— Мне нужен телескоп...

— Верните прибор, бесчестная женщина! — Чтобы продемонстрировать несгибаемость духа и серьезность намерений, Рыба стукнул кулаком по калитке.

— За «бесчестную» тоже ответите, — пропела паспортистка в ритме экзотической для северных широт боссановы. — Уже набираю номер, набираю номерок. Нолик-нолик-нолик! Двойка-двойка-двойка! Сейчас блюстители придут и вас, мерзавцев, заметут!

— Ну, чего делать будем, Агапитыч? Поворачиваем оглобли или вступаем в неравный бой?

На лице Агапита явственно читались тоска, бессильная ярость и жгучее желание, чтобы сейчас, сию минуту рядом с ним оказалась семерка отроков из глубин космоса. Вооруженная бластерами, аннигиляторами и — главное — обостренным чувством справедливости, которое вызывает к жизни отвагу и стремление защитить всех униженных и оскорбленных. А Агапит с Рыбой-Молотом в данный момент были как раз и унижены, и оскорблены.

— Выбора нам не оставили, — наконец сказал Агапит. — Поворачиваем оглобли.

Некоторое время они посидели на скамейке у дома на противоположной стороне улицы.

— Тебе надо в суд подать на эту тварь, — заметил Рыба-Молот, пытаясь разглядеть, что происходит за жидким забором бывшей Агапитовой дачи.

Там бегали два беспривязных ротвейлера, сушилось исподнее паспортистки и ухал генератор.

— Какой там суд... Она же работает в структурах власти, а там рука руку моет. И ничего нельзя добиться в принципе. — Агапит проявил удивительную для космического отшельника осведомленность в земных делах.

— Телескоп жалко...

— Да ладно, новый соберу... Как-нибудь на досуге.

— Не могла же она его уничтожить!

— Эта? Эта все может, поверь. Хорошо еще, что квартиры меня не лишила. С нее сталось бы...

— И как только ты умудрился вляпаться в такое дерьмо?

— Все мы рано или поздно вляпываемся, разве нет? Вот ты...

— Ну, у меня все по-другому.

— По-другому, да. Только штамп о расторжении брака каждому одинаковый рисуют.

Агапит знал, о чем говорит: две недели назад Рыба-Молот развелся со своей второй женой Рахилью Исааковной и пребывал не в самом лучшем расположении духа. Собственно, благодаря этому разводу и состоялась их поездка в Сярьги. При Рахили Исааковне подкаблучник Рыба ни за что не решился бы отправиться куда-либо с человеком, которого та считала сумасшедшим. Нет, отправиться, конечно, можно было, но потом Рыбу ждала бы лесопилка на дому. Небольшой скандал в стиле худ. фильма «Мамочка-убийца». И настоятельные советы посетить психолога/психотерапевта/психиатра —

с последующей сдачей на анализ крови, мочи и мазка из задницы. Поскольку в какой-то передаче (оказавшейся впоследствии псевдонаучной и антигуманистической) Рахиль Исааковна подцепила дурацкие сведения о том, что сумасшествие заразно. И что существуют специально выведенные в лабораторных условиях штаммы шизофрении, кататонии, истерии, генуинной эпилепсии, старческого слабоумия и многочисленных неврозов. А Рыба-Молот, в силу природной незащищенности и неразборчивости в общении, вполне мог подцепить кое-что из списка.

Кошкину подобные бредовые идеи не посещали, но и она была против «полудурка-Агапита», — особенно после того, как он, приглашенный сердобольным Рыбой на празднование Нового года, явился в костюме инопланетного робота-вершителя. На менее экстравагантную экипировку отроков Агапит даже не покушался — из чистого благоговения перед космическими героями.

— ...Я ведь уезжаю, Агапитыч, — сказал Рыба.

— И куда?

— В Салехард. Пригласили поднять один тамошний ресторан.

— Надолго?

— Как получится. Может, на год. Может — на подольше, если приживусь.

— Не приживешься.

— Посмотрим...

Известие об отъезде в тмутараканный Салехард не удивило Агапита. Те же манипуляции со сменой обстановки Рыба проделал и после развода с Кошкиной — но тогда на повестке дня стоял город Трубчевск Брянской области. Там Рыба-Молот тоже «поднимал ресторан». И вероятно, превратил бы самую обыкновенную местную распивочную в филиал парижского «Максима», если бы ее владельца не пришпилили конкуренты, имевшие свои виды на помещение.

Собственно, и Трубчевск всплыл совершенно спонтанно. Помыкавшись в юности по перифериям, Рыба не собирался покидать Питер, он вполне мог отыскать работу и здесь, — с его-то квалификацией, обстоятельностью и вечным стремлением к перфекционизму. Но, после того как за Кошкиной навеки захлопнулась дверь, его стали донимать звонками Палкина с Чумаченкой. Это были отнюдь не коллективные манифесты, обличающие бычару и недотыкомку, который отнял у драгоценной подруги Пэ-Чэ несколько драгоценных лет жизни, — а ведь эти годы могли быть потрачены на европейское независимое кино, на американское независимое кино, на труды Ортеги-и-Гасета, на музыку Софьи Губайдуллиной, на acid jazz. Палкина и Чумаченко звонили отдельно друг от друга, в темное время суток, иногда даже в два часа ночи и позже. Ни слова о вяжущем рот арт-хаусе — сплошное облако сочувствия несправедливо брошенному, недооцененному мужчине; сплошной фимиам. *Между нами, девочками, ваша жена Кошкина, Александр Евгеньевич, была та еще фря! Неумная, нечуткая, и жлобиха к тому же. Ее культурный уровень всегда равнялся нулю, разве такая женщина вам нужна?*

— Почему же — нулю? — благородно вступался за Кошкину Рыба. — А Жак Брель? А Жорж... э-э... Брассенс, Жорж Брассенс, Жорж Брассенс? А Ив Монтан — «Ля бисиклетте»?

Не смешите, Александр Евгеньевич! Она даже не знала, как переводится «Ля бисиклетте» и про что вообще поется в этой песне! И шлюшонкой она была знатной, так и вешалась на шею всяким проходимцам, к вам это не относится... Вы — жертва обстоятельств.

— Никакая я не жертва, — Рыба-Молот прямо-таки задолбался выступать с бесконечными телефонными опровержениями. — И мне бы не хотелось, чтобы имя моей жены, хоть и бывшей... предавалось анафеме. Да еще со стороны ее близких подруг. Людоедство какое-то... Каннибализм, честное слово! А еще утверждаете, что вы вегетарианки...

Кстати, о вегетарианстве, дражайший Александр Евгеньевич! Говорят, у вас есть прелестнейший рецепт чечевицы с карри, барбарисом и фенхелем... Вы бы не могли поделиться им? Или нет... Было бы волшебно попробовать чечевицу непосредственно из ваших рук. Может, сходим в киношку в ближайшие выходные? Идет чудная американская комедия, с Джимом Керри в главной роли...

Джим Керри, кривляясь и паясничая, выпрыгивал из уст американизированной по самые помидоры Чумаченко, хотя раньше она его иначе как «дешевкой» и «амикошоном» не называла. В случае с Палкиной речь заходила о звезде европейского коммерческого кинематографа Жане Рено, идущего в связке с любителем голливудского бабла Люком Бессоном, «начинавшими вполне пристойно, а потом скатившимися до циничных поделок».

Клеятся, сучки, не иначе! — осенило Рыбу после десятого звонка Палкиной и двенадцатого Чумаченки. — *Вот и верь после этого в женскую дружбу, женский интеллект и вечное сияние чистого разума! Паскуды, ёптить! Харыпьё!..*

«Харыпьём» или «харыпами» он, по сохранившейся с юности шахрисабзско-ташкентской привычке, называл людей недалеких, неумных и попросту жлобов, — тех самых, которых всуе поминали высоколобые кошкинские подруги. «Высоколобые», как же!.. Банальные охотницы за мужскими скальпами, спасу от них нет! Давно пора послать их на три веселых буквы, а не выслушивать мутные ночные откровения. Но Рыба-Молот был человеком мягким, вежливым (с женщинами особенно) и послать кого-то не мог по определению.

И вот, когда общая масса звонков от Пэ-Чэ достигла критического значения, подвернулся Трубчевск. Рыба согласился на пришедшее из глубин Интернета предложение едва ли не с радостью: появляется время и место для зализывания ран после развода — это раз. Появляется возможность избавиться от надоедливого дуэта — это два. В Трубчевск, в Трубчевск — и «арба менга, арба!», что в переводе с шахрисабзско-ташкентского означает *карету мне, карету!*

Обошлось, впрочем, без кареты: Рыба-Молот отбыл в Брянскую область поездом, а провожал его все тот же верный Агапит. И в качестве презента преподнес космическую дилогию на DVD — чтобы Рыба не забывал истоки и не терял связь с прекрасным. Даже в забытом Богом Трубчевске.

Рыба был тронут — несмотря на то, что (под чутким руководством Агапита) просмотрел «Отроков» раз пятнадцать.

Но и шестнадцатый не помешает. И двадцать пятый.

Из трубчевской ресторанной ссылки он вернулся на десять месяцев раньше, чем планировал. И снова возвращение напоминало бегство: на этот раз — по объективным причинам, а не по субъективным, как было всегда. После того как его работодателя нашли в vip-сауне с дыркой в голове, у Рыбы-Молота появились основания опасаться за свою жизнь. Насколько они были серьезными — другой вопрос. Наверняка не слишком.

Рыба вернулся домой с нашлепкой на холодильник (герб г. Трубчевска: крепостная стена с птицей в верхней (синей) части и три созревших плода в нижней (желтой) — то ли **груши. то ли смоквы**). Нашлепка заняла свое место среди других магнитов с изображениями городков и городишек, где Рыба-Молот имел несчастье работать по специальности. От третьих лиц он узнал, что перебравшаяся в Москву Кошкина теперь вроде бы сожительствует с программным редактором одной из радиостанций FM-диапазона. *Сбылась-таки мечта идиотки*, — подумал Рыба и мысленно пожелал своей бывшей счастья.

Палкина с Чумаченкой больше не проявлялись — ни в телефоне, ни (самое главное) в жизни. Пары месяцев им хватило, чтобы выкинуть из головы *дражайшего Александра Евгеньевича* и его неподражаемую чечевицу с карри, барбарисом и фенхелем.

Те же третьи лица, спустя еще некоторое время, познакомили Рыбу с Рахильей Исааковной, и он впал в очередной любовный транс, закончившийся регистрацией брака без свидетелей: практичная дочь своего народа Рахиль Исааковна не любила пышные торжества и неизбежно связанные с этим траты.

Разрыв с Рахильей Исааковной Рыба пережил с не меньшей остротой, чем разрыв с Кошкиной, — разве что обошлось без домогательств подруг (коих, как уже говорилось, не существовало в природе). Один раз, правда, его посетила родная сестра Рахили — Юдифь Исааковна. Это не было личной инициативой — Юдифь Исааковна действовала по поручению своей ближайшей родственницы. Она-де кое-что забыла в доме у Рыбы, а именно: два лифчика, пять пар колготок, комплект постельного белья с видами Мальдивских островов, кофемолку, дорожный набор ниток, набор для приготовления фондю, пудреницу, редкую зубную нить с ароматом дыни, книгу Бориса Виана «А потом всех уродов убрать», сборник сканвордов, карты Таро, фотоальбом со снимками Рахиль Исааковны в разных видах, разном возрасте и с разными людьми (Юдифи Исааковне места на фотках не нашлось).

Краснея от смущения, Юдифь Исааковна протянула Рыбе список подлежащих изъятию предметов, отказалась от чая и творожной запеканки (в тот день на обед у Рыбы-Молота была как раз творожная запеканка с изюмом и цукатами) и сообщила, что у нее всего лишь полчаса времени, *успеет ли Александр собрать все необходимое?*

Рыба сказал, что постарается, и пробежал глазами бумажку; особенно его умилил пункт с дорожным набором ниток, купленным Рахилью Исааковной на ближайшем рынке, в торговой палатке «ВСЁ ПО 10». А также пункт с набором для приготовления фондю — он-то как раз стоил немалых денег и был приобретен самим Рыбой задолго до знакомства с Рахилью Исааковной.

Но вдаваться в рассуждения о крохоборстве Рахили (тем более в присутствии ее сестры) Рыба-Молот не стал. Наоборот, безропотно сунул в принесенный Юдифью Исааковной баул фондюшницу со всеми причиндалами, а к кофемолке добавил упаковку молотого кофе. Книги Виана «А потом всех уродов убрать» почему-то не нашлось и Рыба заменил ее другой, того же автора, — «Я приду плюнуть на ваши могилы». Все остальные вещи в полном составе отправились в баул, после чего Рыба снова пригласил Юдифь Исааковну откушать запеканки и снова получил отказ.

Юдифь напомнила ему трепетное, пугливое животное — но не серну и не газель, скорее — суслика-сурикату. Те же большие голодные глаза, сильно выдвинутая верхняя челюсть и почти полное отсутствие нижней. Подбородок тоже просматривался с трудом. Оставалось загадкой, как с такой затрапезной внешностью ей удается охмурять десятки, если не сотни женатиков. Рыба уж точно бы не клюнул на подобное великолепие!.. Но он ведь теперь и не женат больше.

— Как поживает Рахиль Исааковна? — светски спросил Рыба-Молот.

— Рахиль поживает неплохо. — Юдифь Исааковна, все полчаса подпиравшая входные двери и не сделавшая от них ни шагу, дернула ручку с явным желанием побыстрее покинуть помещение.

— А как ее драгоценное здоровье?

— Здоровье в норме.

— Что же она сама не пришла за вещами?

— Не знаю. Наверное, ей больно видеть вас. Мне было бы больно...

— Как будто это я был инициатором развода! Сама его затеяла, а теперь ей, видите ли, больно.

— Я этого не утверждала. Я сказала «наверное», а это не одно и то же.

— А где она сейчас?

— Два дня назад улетела в Хайфу.

Хайфа — какая неожиданность!

— По турпутевке, что ли? Отдыхать? — удивился Рыба.

Юдифь Исааковна посмотрела на него так, словно он сморозил невесть какую глупость. Рот ее приоткрылся, издав при этом едва слышный металлический лязг: как будто внутри — в области гортани — пришли в движение небольшие, сложно устроенные механизмы.

— Почему же «по турпутевке»? У нас там родственники. Семья маминого брата, он очень хороший гинеколог. Когда у Рахили обнаружили кисту на правом яичнике — он лично ее удалял. А еще есть родственники в Америке и в Германии — тоже врачи. Американские работают в кардиологическом центре, все зовут нас обследоваться, особенно Рахиль. У нее ведь проблемы с левым предсердием, что-то не в порядке с верхней полой веной... А два дяди по отцу, из Аахена, это в Германии, — ортопеды. Те вообще едва ли не крупнейшие специалисты в Европе. В свое время они пользовали Рахиль...

— В каком смысле «пользовали»? — От изумления у Рыбы отвисла челюсть.

— В смысле «лечили». Ведь у Рахили одна нога короче другой, разве вы не замечали?

— Нет.

— Ну, естественно! Теперь-то у нее все в порядке. После того, как нога была благополучно вытянута дядюшками из Аахена.

— Да... Интересно, чего еще я не знаю о своей бывшей жене?

— В детстве она переболела энцефалитом. В ранней юности — дифтерийным крупом с последующей трахеотомией. Это такая операция, когда рассекают трахею и вводят в ее просвет специальную трубку для восстановления дыхания...

Рыба живо представил себе Альберта Эйнштейна с разрезом на шее и вставленной в него трубкой — почему-то в виде большого телескопа Бюраканской астрофизической обсерватории, фотография которого украшала отхожее место в квартире его приятеля Агапита.

Представил — и затрясся мелкой дрожью.

— Увольте меня от подробностей, Юдифь Исааковна.

— Пожалуйста, — согласилась Юдифь. — Но вы же сами просили. Не я начала этот разговор.

Шестеренки внутри гортани Юдифи Исааковны продолжают вращаться, цепляясь зубьями друг за друга: картинка еще более явственная, чем предыдущая, с гениальным физиком и телескопом. Ах, что это за шестеренки! Они сочинены великими механиками прошлого — теми, кто воплотил в чертежах первые, фанта-

38

смагорические модели летательных аппаратов; кто придумал астролябии, секстанты и музыкальные шкатулки. Шестеренки — одна причудливее другой, настоящее произведение искусства! Они сверкают и манят; единственное, чего хочется Рыбе в данный конкретный момент, — побыстрее добраться до чудесного механизма и половчее разобрать его, вплоть до последнего винтика. Желание такое же жгучее, как в детстве, когда в ход шли будильники, радиоточки, заводные зайцы с литаврами, куклы, которые изрекают не только «мама», но и «я хочу пи-пи!».

Вот оно что!

Прелестница Юдифь — не суслик-суриката, существо, слепленное матерью-природой на тяп-ляп. Прелестница Юдифь — вещь рукотворная, сложносочиненная, состоящая из множества деталей. И если нашелся кто-то, кто создал ее, — всегда найдется другой, кто разберет до основания. И соберет заново, нимало не заботясь о первоначальном виде конструкции.

Чертежи-то не предусмотрены!..

— ...А сестра говорила, что вы глубоко порядочный человек! Как же она заблуждалась! Вы пошляк и хамелеон к тому же! Такую мимикрию развести — уметь надо...

Что есть, то есть. Хамелеон. Во всяком случае, язык у Рыбы — точно хамелеоний, такой же немыслимой длины. Еще секунду назад он, липкий и гнусный, шарил во рту у Юдифи Исааковны в поисках шестеренок, шарнирчиков и крохотных подшипников. Попутно руки Рыбы-Молота (такие же липкие и гнусные, как и язык) пытались расстегнуть блузку Юдифи Исааковны, а потом — если повезет — расстегнуть кожу Юдифи Исааковны. Чтобы добраться наконец до сердцевины механизма, разложить на составляющие секстант и астролябию, разломать к едрене фене чу́дную музыкальную шкатулку. Да так, чтобы пружины — вжик! вжик! вжик! — брызнули в разные стороны.

Осуществить задуманное не удалось. Чертова кукла Юдифь выскользнула из объятий Рыбы-Молота и, оставив на память вырванную с мясом пуговицу, быстренько исчезла за дверью. Рыба, для проформы, побился головой о дверной косяк (что должно было означать крайнюю степень раскаяния) и принялся рассуждать о необычной природе Юдифи.

Юдифь — игрушка для взрослых мужчин. Тех самых, что не наигрались в детстве и теперь отираются в дорогущих магазинах радиоуправляемых моделей чего угодно. Тратят там время, а главное, деньги. Оно и понятно: начинка Юдифи куда занимательнее, к примеру, начинки ее болезненной сестры Рахили. А ведь она казалась Рыбе-Молоту здоровячкой — даже гриппом никогда не болела, даже насморк не подхватывала. Могла пробежать за маршруткой целый квартал и не запыхаться. Пульс Рахили Исааковны всегда держался в идеальном для взрослого человека коридоре от шестидесяти до восьмидесяти ударов в минуту. Температура не поднималась выше 36,6°. Интересно, какова температура у Юдифи? — вроде бы она была холодна, как лед...

Размышления Рыбы прервала эсэмэска от второй бывшей: после развода она значилась в контактах как «кисонька № 2». И шла сразу же за восстановленной в правах «кисонькой № 1» — Кошкиной. Причем (хотя обе жены не собирались звонить Рыбе в обозримом будущем) на Кошкиной стояла мелодия песни «Девочка в маленьком "Пежо"», а на Рахили Исааковне — «Девушка-студентка». Обе эти песни исполняла ни разу не виденная Рыбой, но забавная певица по имени Ёлка. И они мало соответствовали действительности: Рахиль Исааковна закончила вуз еще в прошлом веке, а Кошкина никогда не водила «Пежо» и вообще не сидела за рулем. Но «девушка-студентка» рифмовалась со «сладкой конфеткой», а к «девочке в маленьком "Пежо"» по ходу пьесы выстраивалась очередь из желающих познакомиться — такой замечательной она была. И все это характеризовало не столько бывших жен, сколько самого Рыбу-Молота. Вернее, его отношение к ним. А отношение было превосходным, охватывавшим весь спектр: от почтительной влюбленности до такого же почтительного обожания. Каждый раз, когда его волокли под венец, Рыба расслаблялся, думая: *Ну, слава те господи, это уже навсегда! Будем жить в полном счастии до смертного часа, до гробовой доски!* И в том, что союз с обеими пронумерованными «кисоньками» не выдержал испытание временем, была вовсе не его вина.

...«НУ ТЫ И ПОЦ!!!» — высветилось на дисплее.

Неужели Юдифь наябедничала? Вот стерва!.. И когда только успела? Неужели телефонировала в Хайфу сразу после посещения Рыбы?

Второе сообщение было более развернутым и угрожающим:

«ГОРЕТЬ ТЕБЕ В АДУ, КОБЕЛИНА ПРОКЛЯТЫЙ!»

Рыба тотчас вспомнил, что Рахиль Исааковна не пропускала ни одной передачи об экстрасенсах, гадалках и белых колдунах. А где белые — там и черные! Там и вудуисты всех мастей: с петушиными гребнями, куриными лапами и тряпичными куклами, сплошь утыканными булавками. Рахиль Исааковна проявляла к ним интерес даже больший, чем к гадалкам и экстрасенсам. Рыба-Молот не был человеком мнительным, но тут почувствовал себя неважно. Одновременно закололо в области грудины, в паху и в том месте, где у каждого человека находится аппендикс.

«ЭТО НЕ ТО, О ЧЕМ ТЫ ПОДУМАЛА, КИСОНЬКА! ЛЮБЛЮ ТОЛЬКО ТЕБЯ! СТРАДАЮ! ВОЗВРАЩАЙСЯ!» — в отчаянии написал Рыба.

Ответ пришел минут через десять, когда Рыбу скрутило окончательно и к трем первым очагам боли добавилась резь в глазах и в желудке:

«О, ТЫ ЕЩЕ НЕ ЗНАЕШЬ, ЧТО ТАКОЕ СТРАДАНИЯ! НО СКОРО УЗНАЕШЬ — ОБЕЩАЮ!»

«ТЫ, НАВЕРНОЕ, ЗАПАМЯТОВАЛА, ЧТО ЭТО ТЫ МЕНЯ БРОСИЛА. А НЕ НАОБОРОТ», — гласил немедленный ответ Рыбы.

«ВОТ ИМЕННО! НИКОГДА ОБ ЭТОМ НЕ ЗАБЫВАЙ!»

«НИКОГДА! НИ ЗА ЧТО! ПРОСТИ МЕРЗАВЦА!!!»

Реакции на последний вопль Рыбы-Молота не последовало, аппендикс между тем выходил из себя. Перепуганный Рыба занес было руку над телефоном, чтобы вызвать «неотложку», но вовремя вспомнил, что аппендикс ему вырезали в шестилетнем возрасте, в районной больнице города Шахрисабз. Причем одним шрамом местные узбекские коновалы не ограничились, исполосовали тогда еще малютке-Рыбе весь низ живота. Долгое время он страшно комплексовал по этому поводу. Отказывался посещать бассейн — даже под страхом неминуемой двойки в четверти по физкультуре; редко появлялся на пляжах, а если уж и появлялся, то исключительно в натянутых под самую грудь спортивных трусах. И отдыхать Рыба-Молот предпочитал не летом и не у моря (как все нормальные люди), а зимой — в странах Скандинавии, поближе к северным оленям, коим совершенно наплевать на косметические недостатки чьей-либо фигуры. Первые минуты близости с женщинами тоже были отравлены мыслями о распоротом и кое-как зашитом животе. Вдруг им активно не понравится его вид? Настолько активно, что они тут же сделают Рыбе ручкой?..

Кошкина оказалась первой, кто высмеял страхи Рыбы-Молота, назвав их «лилипутскими».

— Ты же не баба, — заметила Кошкина. — Это бабам все идет в минус.

— А мужикам?

— А мужикам все идет в плюс. Вот, к примеру, откуда у тебя этот шрам, *рыбец*?

— Я же говорил тебе, кисонька... Не слишком удачно проведенная операция по удалению аппендицита.

— Ну и дурак! Женщинам, в контексте твоего шрама, нужно втюхивать какую-нибудь героическую лабуду.

— Какую еще лабуду?

— Ну там... Шрам этот ты заработал при задержании особо опасного преступника. Или во время военных действий в составе ограниченного и хорошо законспирированного контингента в одной из третьих стран.

Кристально честный по своей сути Рыба-Молот (всю армию прозаически отслуживший при кухне) и представить себе не мог, что действительность извращается так легко и таким незамысловатым образом.

— И ты бы этому поверила, кисонька?

— Поверила бы, будучи влюбленной.

— А не будучи?

— Сделала бы вид, что поверила.

Когда Кошкина исчезла из его жизни и на смену ей явилась Рахиль Исааковна, Рыба-Молот вспомнил о наставлениях первой жены. И, когда дело дошло до интима и обнажения чресл, попытался втереть очки своей новой избраннице. Он больше не прикрывал безобразный шрам на животе, напротив, как мог выпячивал его. В конце концов, Рахиль Исааковна отреагировала, но совсем не так, как ожидал Рыба.

— Не вздумай сказать, что вступил в схватку с бандитами и они тебя расписали, как матрешку!

43

— Я и не собирался...

— И про то, что служил в горячей точке, — тоже не парь!

— Да нет же! В армии я...

— И про армию не надо. Ненавижу, когда мужики толкают телеги про то, как они служили в армии. Запомни, только им одним это и интересно. После бани с водкой. А бабам, честно говоря, на их армию наплевать.

— Правда?

— Также им наплевать на ваших предыдущих жен и любовниц, на ваши профессиональные праздники, если они есть. И на вашу страсть к русскому шансону вообще и к группе «Лесоповал» в частности.

«Лесоповал» вовсе не был любимой группой Рыбы-Молота, до последнего времени ею числилась забойная команда техно-весельчаков **«Depeche Mode»**. Вдаваться в детали Рыба не стал, вдруг Рахиль Исааковна относится к *дёпешам* еще хуже, чем к приснопамятному «Лесоповалу»? Но Рахиль и сама оставила скользкую музыкальную тему и переключилась на шрам:

— Полостная операция? — со знанием дела спросила она.

— Э-э...

— Погоди, соображу. Аппендицит, да? Резали из рук вон, наверняка в ауле каком-нибудь. Или в кишлаке. На станции Кукуевка.

— Почему же на станции?.. В Шахрисабзе. Это, между прочим, город, а не станция. И не кишлак.

— Ну, хрен редьки не слаще. Видела я твой Шахрисабз на картах Гугл, там даже улицы не просматриваются... Дыра дырой! И не спорь со мной, *пупочка*!

Рыба и не собирался спорить, хотя родной Шахрисабз сиял сквозь туман времен тысячью огней сказочной восточной ночи; переливался шелком и атласом, оглашался павлиньим криком и нежными утренними воплями молочниц: «Маа-лё-ко-оо! Маа-лё-ко-оо!» Но развивать эту тему означало бы подвергнуться очередному граду насмешек со стороны жены. В умении сбить пафос, удавить в зародыше любой романтический порыв и — в конечном итоге — вывернуть все наизнанку Рахиль Исааковна была точной копией Кошкиной.

Каким образом к причалу нежнейшего, не лишенного сентиментальности Рыбы-Молота швартовались одни лишь циничные дамочки, так и осталось загадкой. Противоположности притягиваются, не иначе.

...Стоило Рыбе вспомнить о том, что дурацкий отросток слепой кишки давным-давно покинул его тело, как боль и резь в животе сразу же прошли. Следом за ними исчезли неприятные ощущения в груди и в паху — он снова был здоров. И относительно бодр. Относительно — потому что пожелание Рахили Исааковны «гореть тебе в аду» оптимизма не прибавляло. Особенно в свете предстоящей поездки в Салехард. Вернее, полета...

* * *

ГЛАВА ВТОРАЯ — *в которой Рыба-Молот стоически переносит тяготы полета на высоте 10 000 м, получает покровительство в лице сотового оператора PGN, встречает любовь всей своей жизни, а также духов нгылека, и — в очередной раз — сталкивается с трудностями первого этапа организации ресторанного бизнеса*

Летать Рыба-Молот боялся всегда.

Боялся до тошноты, поэтому (подстраховки ради) всегда выпрашивал у бортпроводниц дополнительные бумажные пакеты. В разное время он летал с Библией,

Кораном, Торой и Бхагавадгитой; с водкой и коньяком; с кубиком Рубика и детским тетрисом; с бессменной дзэн-чайкой по имени Джонатан Ливингстон, главное преимущество которой состояло в наличии крыльев. В зависимости от времени полета Рыба впадал то в ступор, то в легкий анабиоз, то в тяжелый неадекват. Взять его тепленьким не составляло труда: дарственная на квартиру — пожалуйста! заявление о вступлении в ряды анархо-синдикалистов, а также КПРФ, РНБП и партии любителей пива — да ради бога! подпись под воззванием в защиту американских индейцев и пигмеев Руанды — базара нет! заключение контракта на передачу тела для медицинских исследований — говно вопрос, берите все органы, за исключением вырезанного аппендикса!.. Хорошо еще, что соседями Рыбы оказывались сплошь приличные люди, а не какие-нибудь прощелыги, ловкачи и аферисты.

На приличных людей Рыба-Молот надеялся и в этот раз, но больше — на приличное техническое состояние самолетного парка. От него одного зависело, доберется ли Рыба до пункта назначения или...

гореть тебе в аду, кобелина!..

В «Пулково» его привез Агапит. Уже в районе метро «Фрунзенская» Рыба-Молот стал выказывать признаки беспокойства. Беспокойство усиливалось и, на момент выезда из города, приобрело характер полномасштабной паники.

— Вот, улетаю, — как заведенный, ныл Рыба-Молот.

— Что ж, дело хорошее, — живо откликался Агапит. — И я бы улетел... Сам знаешь куда! Только не приглашает никто.

Под «сам знаешь куда» имелась в виду созвездие Кассиопеи, где до сих пор болтались славные отроки. Самолеты же волновали Агапита мало: последний раз он

46

летал по маршруту Ленинград—Сочи еще ребенком, во времена СССР. И ничего, кроме карамельки «Взлетная», из того полета не запомнил.

— Может, и не свидимся больше, Агапитушка, — нагнетал обстановку Рыба.

— Да ну, с чего бы это?

— Ни с чего. Просто так.

— Да будет тебе известно, что автокатастрофах людей гибнет не в пример больше, чем в авиационных... Статистические данные говорят как раз в пользу авиации...

На Рыбу этот аргумент подействовал мало, и Агапит переключился на обсуждение событий в близлежащих и отдаленных галактиках: чего там убавилось, чего прибавилось, как ведут себя молодые наглые звезды высокой светимости, облака ионизированного водорода и холодный молекулярный газ. Были упомянуты IC 2948 (туманность Бегущий Цыпленок), NGC 6960 (туманность Ведьмина Метла), а также туманности Лисий Мех и Подбитый Глаз. В другое время Рыба слушал бы истории из жизни звезд, разинув варежку, но сейчас они не затронули ни одну из струн его души.

Перед регистрационной стойкой Агапит троекратно облобызал приятеля, четырежды перекрестил и всучил пакет с очередным экземпляром дилогии на DVD.

— Это чтобы ты не забывал истоки, — заявил он.

— И не терял связь с прекрасным, — продолжил Рыба.

— Именно!.. Я там тебе еще кое-что положил... Дернешь перед посадкой — и весь полет будешь спокоен, как удав.

Вместо ожидаемого мерзавчика с коньяком, в пакете оказались «Новопассит» и настойка валерианы. Рыба выжрал их в туалетной кабинке, предварительно смешав оба успокоительных средства в пластиковом стаканчике, и стал ждать прихода. Но приход так и не наступил, вместо него всплыла очередная эсэмэска от Рахили Исааковны:

«ВЧЕРА ГАДАЛА НА ТЕБЯ, КОБЕЛИНУ! ПРОГНОЗ НЕУТЕШИТЕЛЬНЫЙ. ВОЗДЕРЖИСЬ ОТ ПОЕЗДОК КУДА БЫ ТО НИ БЫЛО, ВОЗМОЖЕН НЕБЛАГОПРИЯТНЫЙ ИСХОД».

Сообщение застало Рыбу-Молота в автобусе, мчащемся по летному полю. И без того находившийся на грани нервного срыва Рыба забился в падучей. И наверняка рухнул бы на пол, если бы его не поддержали сердобольные соседи.

— Неважно себя чувствуете, молодой человек? — поинтересовалась пожилая матрона с бакенбардами, густо разросшимися на щеках.

— Да уж, неважно... Мне бы вернуться... А можно остановить автобус?

— Это вряд ли, — меланхолично заметил мужик средних лет. — Багаж сдавал?

— Сдавал, — подтвердил Рыба.

— Ну так и рыпаться бесполезно. Никто тебя не выпустит.

— Я не полечу...

— Куда ж ты денешься? Раньше нужно было думать, — с каким-то даже сладострастием продолжил издеваться мужик. — Теперь-то что... Поздно пить «боржом», когда почки отвалились.

Лучше бы почки отвалились, — подумал Рыба, — *чем идти на воздушное заклание вместе со стадом баранов и бараних с бакенбардами.* И Рахиль тоже хороша, не могла прислать сообщение вчера, когда состоялся сеанс гадания. Или хотя бы час назад, до того, как дорожный чемодан Рыбы уехал на ленте транспортера. Тогда еще все можно было переиграть, а теперь... Теперь несчастный и еще довольно молодой А.Е. Бархатов обречен. Если, конечно, не случится чудо.

Чудес с Рыбой-Молотом не случалось никогда, а ведь известно, что они случаются со всеми, хоть раз в жизни. Пусть этот «раз» наступит сейчас, сию минуту! В ущерб возможному выигрышу ста миллионов долларов в лотерею в близком будущем; в ущерб возможному созданию мирового кулинарного бестселлера «Из жизни карамели» в чуть более отдаленном будущем; в ущерб возможной канонизации Рыбы как святого и покровителя всех шеф-поваров, кондитеров и корабельных коков — в глобальной перспективе. Пусть, пусть!..

Рыба бросил все свои умственные усилия и энергетические посылы на приманивание чуда. Оно могло предстать в нескольких вариантах:

— небо над Салехардом внезапно закрылось, оно будет закрыто еще месяц, как минимум, — и всех возвращают в аэропорт;

— поставщики авиакеросина внезапно не сошлись с перевозчиком в цене, рейс отменяется, — и всех возвращают в аэропорт;

— командир экипажа внезапно почувствовал себя плохо (инфаркт, инсульт, почечная колика), заменить его некем, — и всех возвращают в аэропорт;

— всех возвращают в аэропорт просто так, потому что случилось чудо.

Но проклятый автобус и не думал сворачивать к зданию аэропорта, и тогда Рыба стал мечтать о компромиссном чуде поменьше:

— он полетит в Салехард на самолете президента РФ, с таким самолетом ничего дурного не может произойти по определению;

— на самолете губернатора СПб;

— на самолете олигарха рангом не ниже Абрамовича;

— на сверхзвуковом «Конкорде» с высочайшей степенью надежности;

— на новехоньком «Эйрбасе» с очень высокой степенью надежности;

— на «Боинге» с высокой степенью надежности;

— на...

Автобус, между тем, остановился рядом с банальным отечественным ТУ-154. Выглядела «тушка» довольно обшарпанно, и Рыбу затрясло с новой силой. Пропустив всех, кого можно было пропустить, он вскарабкался по трапу и оказался рядом с бортпроводницей.

— Я бы хотел отказаться от полета, — прошелестел Рыба.

— Чё? — Бортпроводница даже подалась вперед, чтобы получше расслышать сказанное.

— Я бы хотел отказаться от полета... Неважно... вот именно — неважно... себя чувствую.

— И чё?

— Не могу лететь сейчас. Физически...

— Вот только дурака валять не надо, гражданин. Проходите в салон. Вы всех задерживаете.

Раз уж никакого чуда не произошло, придется брать свою собственную судьбу в свои же собственные руки, до сих пор не отличавшиеся особой крепостью. Бежать — и немедленно!.. Но, пока Рыба раздумывал, как бы половчее соскользнуть с трапа, бортпроводница втянула его внутрь. И подтолкнула к салону, прошипев напоследок:

— Слышь ты, чудила! Иди на свое место и без фокусов. А будешь выдрючиваться и вносить нервозность в обстановку, сдам тебя соответствующим органам как террориста. Понял меня?

Рыба кивнул и обреченно поплелся к указанному в посадочном талоне креслу 8В.

Во всем виновата его простодушная, граничащая с идиотской внешность. Обладай он другими внешними данными, никому бы и в голову не пришло обращаться с ним подобным образом. И еще это слово – «выдрючивайся»! Его нередко употребляла Кошкина, но змея-бортпроводница вовсе не была похожа на Кошкину.

Она была похожа на гестаповку.

Начальницу зондеркоманды. Главу секретного отдела, проводившего опыты над живыми людьми. Любительницу папок и кабинетных ламп, обтянутых человеческой кожей.

Рыба так и видел черную пилотку у нее на голове, стек в руках, кожаную портупею на торсе и Железный крест на груди. И не простой (какой вручают рядовому составу), а рыцарский – с алмазами, мечами и дубовыми листьями. «За особую жестокость» было выгравировано на внутренней стороне креста.

«Ничего, гестаповская морда, недолго тебе радоваться! Наши все равно победят и водрузят красное знамя над рейхстагом», – попытался успокоить себя Рыба-Молот, но успокоение не приходило.

Перед глазами (вперемешку с клочьями какого-то розового тумана) проплывали обрывки жизни – несправедливо короткой, по мнению Рыбы. Шахрисабз, Ташкент, метеостанция Ую, на которой он кашеварил ровно полтора месяца; декольте Кошкиной, аппетитный зад Рахили Исааковны; Палкина и Чумаченко, жрущие водку; драка на дискотеке, где Коляну Косачеву выбили клык, а Рыбе сломали два ребра; другая драка на другой дискотеке, обошедшаяся без последствий; звездный потолок в квартире Агапита; снова декольте Кошкиной и зад Рахили Исааковны; травля тараканов в столовке райцентра Кяхта; открыточные виды города Трубчевск, а также городов Париж и Сантьяго, где Рыба отродясь не бывал; снова – зад и снова – декольте; рецепт утки по-пекински, парящий в виде гигантского плаката над

Стрелкой Васильевского острова... Затем в ход пошли события, напрямую к Рыбе не относящиеся: покорение Северного полюса норвежским исследователем Руалем Амундсеном, бомбардировка Хиросимы, взятие Зимнего революционной матросней, переход Суворова через Альпы, прибытие Великого Посольства в Амстердам... Венчал слайд-шоу хрестоматийный кадр: Мэрилин Монро на вентиляционной решетке — но не полностью Мэрилин, а с инородными вкраплениями в виде декольте Кошкиной и зада Рахили Исааковны.

На *Мэрилин-Кошкиной-Рахили Исааковне* Рыба потерял сознание.

Будь его, Рыбы-Молота, воля — он пришел бы в себя только после того, как шасси хлипкой воздушной этажерки коснулись взлетно-посадочной полосы аэропорта города Салехард. Но мнением Рыбы ни высшие, ни низшие силы никогда не интересовались. И потому очнулся он в тот самый момент, когда стало угодно судьбе, року, Провидению. А именно — на высоте десяти тысяч метров над землей, пристегнутым к креслу 8В, выходящему в проход.

Рыба хорошо помнил, что не успел пристегнуться до того, как впал в небытие. Следовательно, кто-то его пристегнул; скорее всего — гестаповка-бортпроводница, которой по должности положено следить, чтобы с пассажирами все было в порядке.

Точно, она.

Это ее шипящий, змеиный голос он слышит сейчас. Исполненный такого презрения и ядовитого сарказма, что подавать признаки жизни и открывать глаза не стоит. Лучше вообще прикинуться мертвым, дать ей возможность выплеснуть порцию яда и спокойно уползти, скрипя портупеей. И только потом...

Потом...

— Вот ненавижу таких мужиков, — продолжила спич гестаповка. — Убивала бы на месте. Душила в колыбели. Хуже баб, чесс-слово!.. Тряпки, тру́сы, ничтожества... От таких всего можно ожидать.

— А уж как я ненавижу...

Невидимая собеседница гестаповки находилась справа от Рыбы-Молота, очевидно, она занимала кресло по соседству — то ли 8А, то ли 8Б.

— Он там не помер, случайно? — Змея неожиданно выдавила из себя каплю сострадания.

— Жив...

Второй голос был гораздо занятнее голоса стюардессы. Нет, не занятнее — интереснее... Нет — не интереснее... Значительнее. Нет — не значительнее... Богаче? Вот-вот, он был богатым, этот голос. Супербогатым. Сверхобеспеченным, ворочающим миллионами Уолл-Стрит. Занимающим верхние строчки в рейтинге миллиардеров журнала «Форбс» — по соседству с Биллом Гейтсом и султаном Брунея. Живьем таких голосов Рыбе-Молоту слышать еще не приходилось. Разве что по телевизору, по каналу «Культура», когда шли старые мхатовские постановки со мхатовскими же корифеями в главных ролях. Глыбами-стариками и мощными старухами, имен которых Рыба не знал. Не успевал посмотреть в титрах, поскольку королева пульта Рахиль Исааковна с возгласом «Опять нафталин гонят!» тотчас переключала канал на что-нибудь более гламурное.

Те старики чрезвычайно нравились Рыбе-Молоту. *Те старики* «служили в театре», а не работали в нем; с непередаваемым шиком произносили «в четверррьг и больше никогда», и в друзьях у них ходили не мелкотравчатые Палкина с Чумаченкой, а... А птицы высокого полета — военачальники, академики, политические деятели международного масштаба, и, возможно, даже Иосип

53

Броз Тито. Присутствие в этом пафосном списке юго-славского маршала объяснялось просто: Рыба-Молот втайне мечтал стать личным поваром какой-нибудь выдающейся особы, чтобы следом за ней, прикрываясь супницами и соусниками, пролезть во всемирную историю и остаться там навсегда.

Мысли о мощной мхатовской старухе, сидящей по соседству, не давали Рыбе покоя. Особенно когда она положила пальцы ему на шею — чтобы прощупать пульс, не иначе. Пальцы у старухи оказались такими же властными, как и голос. И — опасными, что ли? Вот-вот, они были опасными, эти пальцы. Как бандюхаи-романтики Буч Кэссиди и Санденс Кид, вместе взятые. Как гангстер Аль Капоне. Как все остальные гангстеры, наемные убийцы и партизаны сельвы. Как медведь-шатун, задравший повара с метеостанции Ую, на место которого и прибыл в свое время Рыба-Молот. Сам Рыба застал медведя только в виде шкуры, но говорили, что это был страшный зверь. Страш-шный!.. Да здесь и говорить особенно не пришлось, хватило беглого взгляда на огромную медвежью башку и чудовищные клыки. Конечно, если выбирать между медведем, сидящим в кресле, и мхатовской старухой-гангстершей, сидящей в кресле, — предпочтение отдается старухе. Пусть даже и вооруженной пистолетом, мини-гарпуном и мачете, величиной с весло.

Рыба-Молот дернул кадыком и приоткрыл ближний к старухе глаз.

Старухе, как же!..

Это была совсем не старуха. И уж тем более не медведь-шатун. Это была девушка. Вроде бы — совершенно обычная, если не брать в расчет некоторую смуглость кожи и цвет волос, подпадающий под расхожее определение «вороново крыло». Все это указывало на восточные корни незнакомки, возможно, даже пошедшие в рост где-то поблизости от исторической родины Рыбы-Молота. «Поблизости» означало не конкретное географическое место типа Шахрисабза или Ташкента, скорее — нечто эфемерное. Существующее в виде старинного рукописного текста. В виде средневековой миниатюры. В виде предания, легенды, передающейся из уст в уста; обычно такие легенды сопровождаются нежными звуками дутара и зурны и начинаются словами: «Ни на небе, ни на земле, а где — нам неведомо, жила-была прекраснейшая пери...»

— Полегчало? — спросила пери своим богатым (на миллиард долларов) голосом.

Вместо ответа Рыба-Молот неожиданно икнул.

— Господи! Бывают же... —

продолжать она не стала, но посыл был ясен и без того: *«Бывают же такие мудаки, которые одним своим присутствием способны испортить любой пейзаж, исказить до неприличия светлую картину мира».* Рыба-Молот набрал в легкие побольше воздуха, чтобы опровергнуть дискредитирующий его посыл, но вместо этого снова икнул. А потом — еще и еще. Лавина икоты накрыла его с головой — и спасателей или хотя бы сенбернара с флягой согревающей жидкости ждать не приходилось. Так он и погибнет, несчастный Саша Бархатов, и это будет вторая по бесславности гибель (первая принадлежала мл. сержанту Чудинову из армейской юности Рыбы — тот по пьяни утонул в выгребной яме).

Пери, видимо, решила взять на себя функции душки-сенбернара и нажала кнопку вызова стюардессы. Змея-гестаповка появилась секунд через пятнадцать — она и не отползала далеко, и никому ее помощь особо не требовалась.

— Очухался? — спросила змея у пери, а вовсе не у Рыбы-Молота.

— Вроде того...

— Мне бы водички, — выдавил из себя Рыба.

«Смолы тебе горячей, а не водички», — читалось в немигающих глазах змеи. Но она сдержалась и спросила только:

— С газом или без?

— Если можно — без газа... — У Рыбы мелькнула мысль попросить бумажный пакет для непредвиденных реакций организма, но он воздержался от просьбы.

Принесенная змеей вода лишь ненадолго облегчила страдания Рыбы-Молота — спустя пару минут он снова начал икать.

— Поездом нужно ездить. Или вообще дома сидеть... А не гадить другим людям полет, — подвела черту пери и уткнулась в журнал.

Пока Рыба соображал, как бы подостойнее ответить на замечание, в недрах его куртки зазвонил мобильник.

Удивительным и совершенно невероятным было не то, что он сработал на высоте десяти тысяч метров над землей, куда, как известно, вход сотовым операторам заказан. Удивительным и совершенно невероятным был сам рингтон.

Тут следует отступить от повествования и рассказать об этом самом рингтоне и о том, какую роль он сыграл в судьбе Рыбы-Молота. Или (сложись жизненные обстоятельства по-другому) мог бы сыграть. Сразу оговоримся — ничего сверхвыдающегося в этой музыкальной заставке не было. Так, припев попсовой песенки, скачанный в свое время Рыбой на одном из бесплатных МР3-порталов. Песенку исполняла певица по фамилии Милович, гораздо менее раскрученная, чем даже певица Ёлка. По ящику Милович крутили не часто, а если крутили — то глубокой ночью, когда Рыба, как и подавляющее большинство населения, спал сном праведника. Но однажды, незадолго до мартовского равноденствия, ему вдруг выдалась бессонная ночь. Бессонницей Рыба не страдал никогда — и потому взволновался: должны же быть какие-то к ней предпосылки и объективные/субъективные причины! Между тем причин и предпосылок не было. Уже потом Агапит объяснил ему, что именно на эту ночь пришелся так называемый *марафон Мессье,* в течение которого астрономы-любители всего Северного полушария занимались наблюдением ста десяти небесных объектов из знаменитого каталога французского астронома XVIII века Шарля Мессье, переходя от одного к другому. Марафон длился строго определенное время — от заката до рассвета. И то, что Рыба-Молот бодрствовал в эти часы, характеризует его как латентного астронома-любителя и вообще — человека не приземленного и не чуждого звездной стихии.

Рыба принял версию Агапита, как одну из возможных. Была и вторая — певица Милович со своим клипом, показанным около трех ночи, в самый разгар молотовской бессонницы. Клип выглядел миленько, но малобюджетно; сама же Милович, напротив, произвела впечатление женщины высокобюджетной — из тех, что ездят делать педикюр в Лондон, а шоколадное обертывание — в Ниццу и Сен-Тропе. Про *таких дамочек* волюнтаристка Кошкина, всегда следовавшая в фарватере якобинок Палкиной и Чумаченки, говорила: «Ну вот, насосала себе на карьеру (машину, квартиру, педикюр в Лондоне)». Как ни прискорбно, но в большинстве случаев Кошкина вместе с якобинками оказались правы.

Но не в этом.

Слишком умное и дерзкое лицо было у Милович: *такая дамочка* сама кого угодно заставит сосать. В предбаннике лондонского салона, где делают педикюр. И во всех остальных предбанниках, прихожих, гостиных, вестибюлях и кабинах лифта. Определенно, Милович была не просто высокобюджетной женщиной, а высокобюджетной женщиной с «перчинкой». Констатировав это, Рыба-Молот сосредоточился на песне, которую она исполняла. Запев был так себе, но припев оказался неожиданно волнующим:

«прекрасна, ранима, опасна, ревнива. изящная птица, коварная львица» —

пела Милович, очевидно — про себя.

Тут она, конечно, преувеличивала. При всей холености и энном количестве кайенского перца в организме (плюс душистый, плюс белый, плюс черный горошком) назвать Милович «прекрасной» можно было с большой натяжкой. Зато Рыба-Молот неожиданно получил точные характеристики существа, которое мог бы страстно и самоотверженно, до дрожи в чреслах, полюбить на всю оставшуюся жизнь. Таким оно (вернее — она) и закрепилось в воображении:

ПРЕКРАСНА
РАНИМА
ОПАСНА
РЕВНИВА
ИЗЯЩНАЯ ПТИЦА
КОВАРНАЯ ЛЬВИЦА

Из шести основных параметров по меньшей мере три внушали некоторую тревогу (*насколько опасным может быть существо? Насколько ревнивым и коварным?*). Но Рыба-Молот с готовностью смирился с издержками — ведь из песни, как известно, слов не выкинешь. Хочешь прекрасную, изящную и ранимую — получай к ней прицеп с ревностью и коварством.

После двухчасового бдения в Интернете Рыба нарыл-таки психоделический зонг про птицу-львицу, ужатый до размеров рингтона. И закачал рингтон в свой мобильник — в надежде, что столь желанное существо рано или поздно появится. И каждый его звонок будет напоминать Рыбе-Молоту, что птица с львицей находятся в зоне доступа.

Но вместо существа появилась Кошкина. А после Кошкиной — Рахиль Исааковна. И хотя Рыба любил их и был готов любить всю жизнь, но дрожи в чреслах почему-то не чувствовал. К тому же любопытная Рахиль Исааковна влезла в его мобильник, где пылился так и не востребованный музыкальный файл, прослушала его и устроила скандал: какую это, на хрен, львицу имел в виду ее дражайший муженек? Уж не первую ли свою жену Кошкину?

— Почему же Кошкину? — удивился Рыба.

— Потому что львы принадлежат семейству кошачьих, и ты, кобелина, таким завуалированным образом намекаешь именно на нее! — Рахиль Исааковна была мастером выстраивания иррациональных логических цепочек.

— Помилосердствуй, кисонька! При чем здесь моя первая жена?

— При том! Только тут ты выдаешь желаемое за действительное! Видела я ее фото на сайте «одноклассники. ру»! Пугало она огородное! Братская чувырла!

Рыба-Молот — из чувства справедливости — хотел вступиться за Кошкину, которая вовсе не была чувырлой, а была симпатичной молодой женщиной с умопомрачительной грудью. Хотел — но промолчал. Кошкина, в конце концов, пройденный этап, а с Рахилью Исааковной ему жить до гробовой доски, если на то будет воля Божья.

— Вообще-то, я имел в виду тебя, кисонька...

— Не надо лгать! — тотчас взвилась Рахиль Исааковна.

— Почему же сразу «лгать»?

— А вот давай я тебя наберу и мы вместе послушаем, что за мелодию сыграет твоя мобила!..

— Да ну... Не стоит... — струхнул Рыба. — Я просто еще не успел поставить... Вот как раз сегодня собирался...

— Не вздумай! И вообще — удали эту дурацкую попсятину из телефона. Мне она не нравится.

Под давлением Рахили Рыба стер «прекрасную и ранимую», а потом, уже после ее ухода, и вовсе поменял телефон. И вот теперь, на высоте десяти тысяч метров, в его кармане раздалось:

«прекрасна, ранима, опасна, ревнива. изящная птица, коварная львица».

Поскольку состояние Рыбы было далеким от нормального, он поначалу никак не отреагировал на звонок. И лишь спустя некоторое время, когда львица с птицей стали наматывать второй круг, очнулся и опустил руку в карман куртки.

— Телефоны в полете надо отключать! — недовольным голосом заметила пери, не отрывая глаз от журнала.

— Да-да, конечно, — пробормотал Рыба.

— Не хватало еще, чтобы из-за вашей дурацкой мобилы вышла из строя электроника!

Но сейчас Рыбу нисколько не волновала электроника. И то, что он находится в самолете, летящем (по эсэмэс-утверждению Рахили Исааковны) прямо в тартарары. К черту в зубы. К волку в пасть. К худощавой даме в капюшоне и с косой. Его волновал только звонок и восемь заученных когда-то наизусть слов. Теперь эти слова в строгом армейском порядке, одно за другим, карабкались по пальцам Рыбы, вбивали крюки в запястья и предплечья и поднимались все выше и выше. Овладев наконец высотой, обозначенной на картах как «Сердце Рыбы-Молота», они телеграфировали в штаб, что задача выполнена. И сели перекурить.

— Ответьте уже, — посоветовала из-за журнальных страниц пери.

— Да-да, конечно...

Вместо номера абонента на дисплее высветилось сообщение от некоей, неведомой Рыбе-Молоту сети PGN. Открыв его, Рыба прочел:

«ЭТО ОНА. БУДЕШЬ ИДИОТОМ, ЕСЛИ УПУСТИШЬ!»

Сразу после того, как смысл послания дошел до Рыбы, телефонный дисплей погас. Трясущимися руками Рыба снова привел телефон в чувство, но сообщение исчезло, как будто его никогда и не было. Последними во «Входящих» числились апокалиптические эсэмэсы Рахили Исааковны. В музыкальных файлах следов львицы тоже не обнаружилось, а все существующие на территории РФ сотовые операторы впали в летаргию и обещали активироваться только на земле. Если, конечно, ничего экстраординарного, нашептанного Рахилью, не произойдет.

Привидится же такое, — мрачно подумала вменяемая ипостась Рыбы-Молота.

Да нет, привидеться такое не могло! Все так и есть! Вот и пери... Она тоже слышала звонок! — парировала невменяемая его ипостась.

Еще какое-то время две ипостаси Рыбы мутузили друг друга, как боксеры на ринге. Победа по очкам была присуждена невменяемой ипостаси (гипюровая майка и трусы в цветочек). А вменяемая ипостась (красная майка, красные трусы с белым кантом, эмблема общества «Спартак» на груди) осталась не у дел. С удовлетворением восприняв результаты боя, Рыба-Молот сосредоточился на мыслях о PGN-послании:

Неужели случилось чудо, пусть и не то, о котором он просил?

Неужели существо (женщина) его жизни находится где-то неподалеку?

Если это так, то нужно вычислить его (ее) методом исключения.

Старуху с бакенбардами, сидящую в соседнем ряду, он отмел сразу. Равно как и трех других нимф, вышедших из детородного возраста. Затем из списка претенденток на звание «женщины жизни» были последовательно вычеркнуты:

две телки с двумя примачованными спутниками,

женщина с ребенком лет пяти,

женщина с ребенком лет одиннадцати,

женщина с неподдающимся подсчету количеством детей,

семипудовая корова, вывалившая ляжку в проход,

азиатка в очках с диоптриями,

пятнадцатилетняя соплячка с PSP в руках,

нечто откровенно гомосексуальное, а может, даже транссексуальное — в кудряшках и с татуированными веками.

Остальные претендентки терялись в хвостовой части лайнера, а также скрывались в бизнес-классе, отделенном от основного салона видавшей виды шторой песочного цвета. А гестаповку-бортпроводницу Рыба отмел в первую голову, поскольку никогда не был поклонником фильма «Ночной портье», где во всех подробностях живописалась противоестественная связь между мучителем и жертвой.

Следовательно, речь в послании шла о пери. И ни о ком другом.

Открытие потрясло Рыбу до самых потрохов: ну естественно, по воле провидения они не могли не встретиться. Вот и встретились! И где — в самой романтической обстановке из всех возможных обстановок, почти что на небесах!

Это ли не перст судьбы?

И ее восточные, утонченные черты лица — тоже перст судьбы! В шахрисабзской школе, где в свое время учился Рыба-Молот, была пара девочек подобного калибра.

Они никогда не ездили с классом на уборку хлопка, никогда не выращивали тутовых червей и имели законное освобождение от уроков физкультуры.

А в будущем их ожидали завидные женихи рангом не ниже министра сельского хозяйства, народного поэта Узбекистана и культурного атташе посольства в Исламабаде.

О таких девочках даже мечтать приходилось с осторожностью: того и гляди, в мечты проникнут их многочисленные братья, дядья, зятья с финками и деверья с кастетами. И разделают ничтожного, покусившегося на святое харыпа под орех. А юный Рыба (как, впрочем, и зрелый Рыба) не очень-то любил разборки, предпочитая договариваться еще до того, как затрещат ребра, — оттого и запретил себе грезить о чудо-девочках вообще. И вопрос о первой любви всегда заставал его врасплох — по той причине, что любви этой так и не случилось.

Связи были — это да. Но не любовь в ее первозданном смысле.

И вот теперь все может измениться! Окрыленный этой неожиданно открывшейся истиной, Рыба-Молот повернулся к незнакомке и вперился в нее глазами. И чем больше он смотрел на нее, тем очевиднее становился вердикт сети PGN: *это она!*

«Это она» всплывало на всех развешанных и растыканных по самолету табличках и инструкциях. В какой-то момент даже загорелось табло, где вместо привычных **«НЕ КУРИТЬ! ПРИСТЕГНУТЬ РЕМНИ!»** возникло сакраментальное:

«НЕ БУДЬ ИДИОТОМ!»

Но и без понукающей надписи все было ясно: в каждом органе Рыбы-Молота (включая вырезанный во времена оны аппендикс) бушевали фейерверки и взрывались петарды; вдоль арыков, наполненных венозной и артериальной кровью, шли духовые оркестры, оркестры народных инструментов и — специально выписанный из Шотландии сводный оркестр волынщиков; их сопровождали ликующие толпы с транспарантом «ХУШ КЕЛИБСИЗ!»[1]. В легких Рыбы парили воздушные змеи, в животе кувыркались бипланы, истребители последнего поколения и самолеты-перехватчики, а в голове...

Впрочем, в голове-то как раз ничего особенного не происходило. Там царила абсолютная пустота. Зато обнаглевшее воображение Рыбы-Молота рисовало картинки одна соблазнительнее другой: вот он хлопочет на кухне, смешивая разные сорта шоколада для будущих конфет. Вот он украшает торт засахаренными фруктами и марципанами. Вот он снимает пробу с только что придуманного соуса, а предмет его обожания...

— Прекратите трястись! — сказал предмет обожания, глядя на Рыбу с откровенной злостью.

Только тут Рыба заметил, что не просто трясется сам по себе, а заставляет ходить ходуном весь ряд. И кто после этого скажет, что это — не дрожь в чреслах, о которой он так мечтал?

— Простите, ради бога, — пролепетал Рыба, сведя колени и вцепившись в подлокотники так, что побелели костяшки пальцев. — Вы... тоже летите в Салехард?

— Нет. В Гонолулу!..

Ответ был исчерпывающим, и Рыба-Молот надолго замолчал: очевидно, знакомство надо начинать совершенно по-другому. Но как именно?.. Бегло промотав отношения с другими женщинами, в том числе с бывшими женами, Рыба пришел к неутешительному выво-

---

[1] Добро пожаловать! (*узб.*)

ду: инициатива во всех случаях исходила вовсе не от него. Он лично никого не заинтересовывал в себе, не увлекал интеллектуальным разговором, удачной шуткой, широким жестом и неординарным поступком. За него все делали (или не делали) другие. С Кошкиной он познакомился в небольшом ресторанчике грузинской кухни, где работал поваром. Заседавшая с компанией Кошкина изрядно приняла на грудь и, находясь в самом веселом расположении духа, потребовала вызвать «шефа, так чудесно сварганившего чахохбили, а уж она-то знает толк в чахохбили, сациви и жареном сулугуни, ее принимал у себя дома известный певец Зураб Соткилава и вообще у нее в роду были грузинские князья».

Вышедшему в зал Рыбе пьяная Кошкина влепила поцелуй и пообещала широко разрекламировать его заведение. Это оказалось таким же трепом, как и история о грузинских князьях и Зурабе Соткилаве, но через неделю Рыба-Молот обнаружил себя на свидании, а еще через две — в постели, с последующей регистрацией брака в районном загсе.

Знакомство с Рахильью Исааковной прошло по схожей схеме, с той лишь разницей, что работал Рыба уже в ресторанчике еврейской, а не грузинской кухни. И Рахиль Исааковна появилась там не случайно, а с подачи Бориса Пельца, шапочного знакомого Рыбы и Кошкиной. Борис Пельц шепнул Рыбе-Молоту, что сочувствует семейной дра-мм-ме, его постигшей, но... жизнь не стоит на месте. И всегда готова предложить новый вариант в лице роскошной, совершенно свободной и лишенной предрассудков женщины.

— А это ничего, что я не еврей? — простодушно спросил Рыба.

— Я же сказал, она лишена предрассудков...

Рахиль Исааковна, следуя траекторией упорхнувшей в Москву и совершенно неизвестной ей Кошкиной, затащила Рыбу сначала в постель, а затем в загс. И никаких сверхчеловеческих усилий от него не потребовалось.

Теперь — все совсем не так. И ему предстоит напрячься, если уж он решил завладеть вниманием прекраснейшей из всех женщин, смуглолицей пери. Проинспектировав интеллектуальный багаж, Рыба-Молот обнаружил в нем «Ля бисиклетте» Ива Монтана; все, когда либо выходившие на DVD, части фильмов «Пила» и «Восставшие из ада», Сюткина с Меладзе, Петросяна с Малаховым; дзэн-чайку Джонатан Ливингстон, парящую над революционно-короткометражным кинематографом Тринидада и Тобаго; рекламу памперсов, прокладок и дезодорантов экономкласса; немецкое атлетическое порно, кассеты с которым он прятал на антресолях и от Кошкиной, и от Рахили Исааковны. А также отрывок из кулинарной книги Е. Молоховец, начинавшийся словами: **«Если пришли гости, а в доме нечего есть, пошлите горничную в погреб за бараньей ногой...»**

Не густо.

Но дело ведь не в количестве информации, а в умении правильно ею воспользоваться. Почему бы не представить, что он, Рыба-Молот, и объект его внезапно вспыхнувшей страсти находятся на светской вечеринке? В качестве приглашенных vip-гостей, а не кого-нибудь еще (последнее замечание относилось исключительно к Рыбе, принадлежность же к vip'ам прелестной незнакомки и вовсе никем не может быть оспорена). Смокинг, туфли из крокодиловой кожи, бокал мартини в руках... Под мартини любая тема проканает!..

— Вы любите кино? — спросил Рыба-Молот у пери.

Сейчас она скажет «да», потому что кино любят все. И может быть, подумает: а почему этот парень спросил про кино? — наверняка не просто так. Наверняка он имеет отношение к кино. Он режиссер. Или продюсер, что по нынешним временам даже круче... или нет... он — представитель отборочной комиссии ведущих европейских фестивалей, следовательно, человек влиятельный, почти что всемогущий. И надо бы внимательнее к нему присмотреться...

— А вам какое дело? —

не очень дружелюбно ответила пери после продолжительной паузы. За время которой Рыба-Молот успел побывать режиссером, продюсером и всемогущим членом отборочной комиссии. А также — выпить два бокала воображаемого мартини, сопреть в воображаемом смокинге и натереть пятки воображаемыми туфлями из крокодиловой кожи.

— Просто интересно... Например, я... не пропускаю ни одной арт-хаусной премьеры... Вот!.. Арт-хаус — это такое направление...

— Знаю. Направление назло Голливуду. Я его ненавижу. Голливуд я тоже не люблю. И Болливуд не жалую.

— А...

— А-зиатское кино ничуть не лучше всего перечисленного. Еще вопросы будут?

— Литература! — осенило Рыбу-Молота.

Сейчас она скажет «да», потому что книжки любят все. Или делают вид, что любят. И не какое-то там бульварное чтиво (кто в здравом уме и трезвой памяти признается, что пользует бульварщину?). Речь идет о высоком. Издающемся тиражом не более 5 тыс. экземпляров, на хорошей бумаге и в хорошем переплете. С восторженными отзывами на последней странице обложки — от «Таймс», «Ридерс дайджест», «Обсервер» и

67

*«Эсквайр»; от высоколобых мужских журналов и низ-
кожопых женских; от экуменических организаций,
правозащитных объединений, ассоциации стрелков, ассоциации производителей молока и от сообщества юзе-
ров портала «Всем сосать!». Сейчас она скажет «да»!
И может быть, подумает: а почему этот парень спросил про литературу? — наверняка не просто так. Наверняка он имеет отношение к литературе.* Он... он... Конечно, на писателя Рыба-Молот не тянет, на издате-
ля — тем более, но можно представиться... гм... Можно
представиться переводчиком! Да-да, это отличная
идея! Он — переводчик и в его активе — перевод книжки Р. Баха «Чайка по имени Джонатан Ливингстон».
Перевод сделан совсем недавно, но уже успел стать
культовым, — что признал и сам автор книжки. В этом
переводе дзэн-чайка летает выше, чем во всех других
переводах; меньше гадит, глубже копает, складнее звонит, ядренее философствует и смелее обобщает. А еще
она...

— Ненавижу, — с чувством произнесла пери.

— Что?

— Литературу.

Вот как! Это даже интересно.

— А музыку любите?

— Терпеть не могу.

— Путешествия?

— Презираю.

— Звездное небо? — в Рыбу как будто бес вселился.

— Не выношу.

— Животных?

— Кому они нужны?

— Растения?

— Кому они нужны, часть вторая.

— Открытки с экзотическими видами?

68

— Рву, не рассматривая, — очевидно, в случайную попутчицу Молота вселился тот же бес.

— Изделия из драгметалла?

— Сразу отдаю на переплавку.

— Бриллианты?

— Игнорирую их существование.

— Вкусно поесть? — выложил свой основной козырь Рыба.

— Вкусно поесть без последствий не получается. Так что — в отстой.

— Мужчины?

— Плюю на них с высоты десятого этажа.

— Женщины?

— Плюю с высоты Эйфелевой башни. А еще я ненавижу, когда типы, подобные вам, пытаются завязать разговор.

— Я вас понимаю... Все это время я выглядел неприглядно...

— Почему «выглядел»? Вы и сейчас выглядите так же.

— Да? — искренне расстроился Рыба.

— Честно говоря, вы вообще похожи на идиота.

— Вот прямо на идиота?

— Ну, и еще на дауна.

— А это — неравнозначные вещи? — спросил Рыба только для того, чтобы хоть как-то поддержать разговор.

— Даже не знаю, что хуже.

— Для кого?

— Для вас, разумеется.

После этого замечания разговор скукожился и сошел на нет. И возобновился лишь тогда, когда принесли ужин.

— Я бы не рекомендовал, — шепнул Рыба очаровательной соседке, наблюдая, как змея-бортпроводница вместе с парнишкой-стюардом распихивают по рядам пластиковые контейнеры. — Горячее здесь весьма сомнительного качества и может плохо повлиять на работу желудка... Все остальные продукты, включая всякие там пирожные и кексы, вполне вероятно — просрочены... Поверьте, я знаю, о чем говорю... Все то, что готовится поточным методом, без вкладывания души, идет во вред организму...

— Ясно, — коротко ответила пери.

И, дождавшись, когда гестаповка с подручным приблизятся, сообщила им:

— Вот тут мужчина утверждает, что ваши продукты просрочены. И вредны для здоровья.

— Какой мужчина? — для порядка уточнила бортпроводница.

— Вот этот. — Пери кивнула в сторону Рыбы-Молота.

— Это не мужчина. Это негодяй и клеветник. — Взгляд змеи сфокусировался на Рыбе, не предвещая ничего хорошего, а предвещая судебные иски авиакомпании-перевозчика к гражданину Бархатову. С суммой с шестью нулями в качестве компенсации за моральный ущерб и подрыв деловой репутации.

— Я не утверждал, — тут же поджал хвост Рыба. — Я просто... высказал предположение. Такое уже случалось... Изредка.

— На рейсах нашей компании?

— Д-другой... Другой компании, не вашей. Я дико извиняюсь... И беру свои слова назад.

— Видели такого негодяя? — обратилась бортпроводница к пери с риторическим вопросом. — Трусливого, жалкого негодяя!

— Еще не приходилось.

Швырнув на столик Рыбы контейнер, бортпроводники вместе со своей тележкой покатили дальше.

— Вообще-то, это спорный тезис... Насчет негодяя. Тем более — трусливого...

— Слушай, отстань от меня, а? — жалобно попросила пери, уставившись в покрытую фольгой кюветку («с курицей», как было торжественно объявлено гестаповкой). Так и не рискнув отведать курицы, она переключилась на плавленый сырок, лежащий на листе салата, — но и сырок не внушил ей доверия. Оставался кекс «Весенний», сомнительная упаковка которого больше всего подходила под определение «просроченный продукт». Рыба тут же вспомнил историю с ночным посещением одного из крупных сетевых супермаркетов, где прямо у него на глазах бесстыжие продавцы меняли ценники с датой выпуска на фасованном курином филе. И другую историю — с палкой сырокопченой колбасы, казавшейся относительно свежей. Но только до тех пор, пока Рыба-Молот не заглянул под бумажное кольцо, — там колбаса была густо покрыта зеленой плесенью! Кроме того, он знал 133 (или 1330) способа реанимации безнадежно испорченной красной икры, растительного масла, пива живого брожения, творожной массы и кунжутной халвы.

Но кому нужны эти гастрономические истории с душком?

Пери уж точно нет. А какие тогда ей нужны?

Что-нибудь героическое в стиле Джека Лондона, Руаля Амундсена и армейских будней одной мотострелковой дивизии... э-э нет, героизм нынче — неконвертируемая валюта.

Что-нибудь конъюнктурное и высокооплачиваемое в стиле бывших менеджеров и рекламных агентов, переквалифицировавшихся в писатели! Но он никогда не был менеджером и агентом, следовательно — и карьера преуспевающего писателя ему не светит. К тому же Рыба ненавидит щетину на лице, а без многозначительно-культовой щетины путь в литературу заказан.

Что-нибудь модное, с элементами ненорматива и стёба — в стиле «live journal» или — как их там?.. интер-нет-блогов. Или это — одно и то же? Рыба-Молот не в курсе, завести свой сетевой дневник он так и не сподо-бился. Кошкина была против Интернета (вдруг ее не-стойкий муж погрязнет в пучине порносайтов?). Рахиль Исааковна была против Интернета (вдруг ее нестойкий муж погрязнет в пучине сайтов знакомств?). Сам Рыба был против, поскольку стыдился собственной безгра-мотности, отсутствия юмора и неумения сколько-ни-будь адекватно донести мысль.

И он не знает ни одной приличествующей случаю убойной цитаты ©, за исключением: «Кто эти люди, ко-торые запрещают нам ковыряться в носу?»

Положительно, Рыбе-Молоту совершенно нечем за-интересовать прелестницу-пери.

Придя к этому неутешительному выводу, Рыба сник и сжался в своем кресле в позе эмбриона. За час до посадки ему пришло еще одно сообщение от сети PGN:

«ТЫ —ИДИОТ»,

улучшению настроения явно не способствующее. Сообщение сопровождалось музыкальным парафразом на тему основательно забытой советской песни про клен — «а любовь, как сон, стороной прошла».

Не судьба, — решил про себя Рыба и немного успоко-ился. И то правда — ничего общего между ним и смугло-лицей дивой (кроме соседних кресел в самолете) нет и быть не может. Она слишком хороша для Рыбы-Молота. Кошкина с Рахилью Исааковной тоже были «слишком», но — объективно — не дотягивали по красоте до пери процентов восемьдесят—восемьдесят пять. Чего уж при таких раскладах веслами махать? И пить «боржом», ког-да почки отвалились?..

Посадка ознаменовалась аплодисментами и непроизвольным падением держащихся на соплях столиков на колени пассажиров. Кроме того, с полок посыпалась ручная кладь. Сидевший у прохода Рыба принял на себя удар маленького дорожного саквояжа: судя по кокетливому виду и умопомрачительному запаху кожи, он принадлежал соседке.

— Это ваш? — спросил он у пери.

— Мой.

— Возьмите, пожалуйста...

Пери протянула руку к саквояжу, а Рыба-Молот, между тем, вовсе не торопился расстаться с чудесной вещицей. Напротив, вцепился в кожу мертвой хваткой. *Чего это на меня нашло?* — внутренне содрогнулся он, но хватку не ослабил.

— Дайте его мне!

— Пожалуйста, пожалуйста...

— Дайте же!

— Сию минуту!..

И от саквояжа, и от пери пахло нежнейшими цветочными духами. Руки у пери были тонкими, пальцы — длинными, а косточки на запястьях могли свести с ума кого угодно. Тупо глядя на все это великолепие, Рыба понял, что пропал окончательно. Что мысли о случайной попутчице будут преследовать его всю оставшуюся жизнь — подобно мини-гарпунам. Да нет, какие тут «мини»? — речь идет о полноценных гарпунах, массой около центнера, со ввинченной в головку гранатой. Запустить их в цель можно только с помощью гарпунной пушки; а целью, естественно, является Рыба-Молот (пора бы уже начать оправдывать свое дурацкое прозвище!). Так он и будет болтаться по волнам — с гарпуном в башке или в других, более чувствительных и уязвимых частях тела. А над ним, громко матерясь и пересмешничая, закружит дээн-чайка по имени Джонатан Ливингстон. И другие чайки, гораздо менее продвинутые... Картинка, возникшая в воображении Рыбы, была настолько яркой, что на глаза его навернулись слезы — от безысходности ситуации и от жалости к самому себе.

— Да что же это, в конце концов, происходит?! — в сердцах воскликнула пери.

Ну же! Пока у тебя в руках ценная вещь, пери ничего не остается, как выслушивать любые глупости, пришедшие в пораженную гарпуном любви голову!.. Вперед, *рыбец*! **Avanti!** — как говорили бойцы гарибальдийских бригад, чьим любимым блюдом, по агентурным сведениям Рыбы-Молота, была паста под соусом болоньезе.

— Ослеплен вашей красотой, — промычал Рыба.

— Сумку верните!!

— В жизни не встречал такой прекрасной женщины...

— А я — такого идиота! Убери лапы от моих вещей, скотина!..

Силы в пери оказалось намного больше, чем можно было предположить, исходя из ее хрупкой конституции. Оттого и борьба за саквояж закончилась быстро: поверженный Рыба выпал в проход. А пери, переступив через него и пронзив щиколотку правой Рыбьей ноги острым каблуком, мгновенно исчезла в толпе выходящих из самолета. Следом за ней двинулся бесцветный мужчина лет сорока, который занимал место 8А у иллюминатора и, кажется, проспал весь полет. Двигался мужчина чрезвычайно осторожно, бесшумно и даже грациозно — как какой-нибудь солист балета. Или энтомолог, охотник за редкими видами насекомых.

Вот кого он напомнил Рыбе — энтомолога! Время от времени представители этой экзотической профессии мелькали в ящике — в передачах канала «Animal Planet», ужастиках про взбунтовавшихся сороконожек, а также в

74

криминальных новостях, если кто-нибудь из них попадался на нелегальном вывозе насекомых из тропических стран.

Этот не попадется, почему-то решил про себя Рыба, глядя на пассажира из кресла 8А снизу вверх, этот вполне способен нелегально вывезти откуда угодно не только насекомых, но и атомный реактор. По частям. И вовсе он не бесцветный. Скорее — бесстрастный. Представить его накалывающим жуков на булавки Рыбе-Молоту не составило особого труда. Правда, на месте жуков неожиданно оказались Палкина с Чумаченкой, зав. метеостанцией Ую, гнобивший Рыбу все полтора месяца работы, и еще с пяток недругов и недоброжелателей. Рыба-Молот приплюсовал к ним гестаповку-бортпроводницу с булавкой в лобной кости.

Превосходное, восхитительное зрелище!..

Не менее захватывающее, чем шрам под подбородком *пассажира 8А,* мелькнувший и исчезнувший так же быстро, как и он сам. Этот шрам по затейливости и разветвленности вполне мог поспорить со шрамом Рыбы.

Нога, протараненная каблуком незнакомки, нестерпимо болела, но Рыба-Молот был даже рад этому обстоятельству: какая-никакая, а все-таки память. Журнал, который читала пери, он тоже заберет с собой!.. Рыба вытащил журнал из сетки и готов был уже свернуть в трубочку и сунуть в карман, как из его недр выпал небольшой прямоугольный кусок мягкого картона.

Посадочный талон!

На талоне значился номер рейса Санкт-Петербург—Салехард (тот самый, которым летели Рыба-Молот и пери), место (8Б) и — главное! — имя пассажира:

АНУШ ВАРДАНЯН

Итак, его до сих пор безымянная пери — прямой потомок сильфов, эльфов и нимф — обрела вполне реальные паспортные очертания. Хотя и не перестала быть незнакомкой, — ведь совершенно ясно, что они никогда больше не встретятся.

Рыба-Молот похромал к выходу, раздумывая о природе странного имени Ануш. Склоняется ли оно, как, к примеру, слова «тушь» или «гуашь»? Или оно все-таки ближе к слову «туш», что означает короткое музыкальное произведение в виде приветствия?

Его уж точно никто не будет встречать в Салехарде с оркестром — дай бог, чтобы просто встретили. Опыт прошлых приездов во всевозможные тмутаракани и «муркины задницы» подсказывал ему — не расслабляйся, рассчитывай не на лимузин, а на такси за свой счет и телефон для сверки координат. Хотя наличие транспорта оговаривается заранее: деликатно, интеллигентно, с многократным, почти медитативным употреблением частицы «бы»:

«хорошо бы»,

«неплохо бы»,

«было бы замечательно, если бы»,

«не были бы вы так любезны», и прочая, прочая.

Чрезмерно мягкий характер Рыбы-Молота проявляется не только в телефонных разговорах с работодателями, но и сквозит в строчках электронных писем и резюме. Как ему удается выползать на всеобщее обозрение — загадка.

Вряд ли имя Ануш склоняется.

Оно — армянское, вопреки среднеазиатским ожиданиям Рыбы-Молота. Но это даже и хорошо, армяне — очень древний библейский народ. Популярная певица Шер — армянка, популярный певец Азнавур — армянин. Популярное блюдо долма (мясо и овощи в виноградных листьях) — тоже армянское. Армяне много страдали в своей истории. В чем именно заключались страдания армян, Рыба-Молот, к стыду своему, припомнить не мог, но это — дело поправимое. Достаточно почитать статью в какой-нибудь энциклопедии, чтобы быть в курсе всех дел, происходящих в Армении и с Арменией.

Ах, да — коньяк!..

Армянский коньяк — вещь, что надо. И хотя Рыба-Молот относится к коньяку неоднозначно (от него бывает изжога и непонятная тяжесть в груди и на сердце) — придется полюбить и его. А также певицу Шер и певца Азнавура.

Добравшись до трапа, Рыба-Молот неожиданно вспомнил еще одно армянское имя — Мартирос Сарьян. Мартирос Сарьян был художником, и репродукция его картины, густо засиженная тараканами, висела в зале столовки райцентра Кяхта вместе с еще несколькими, не бог весть какого качества репродукциями. От избытка чувств Рыба неожиданно воскресил в памяти и название — «Долина Арарата». И тотчас представил себе, как он с прекрасной Ануш прогуливается по предварительно очищенной от тараканов долине Арарата, — срывая тучные плоды слив, персиков и инжира. А следом за ними бродят, как привязанные, серны, антилопы, королевские олени, пумы и гепарды с (во избежание эксцессов) затупленными зубами и обстриженными когтями. И прочее зверье — помельче. В воздухе носятся птицы и порхают бабочки; на возвышенности стоит казан с пловом и долма, приготовленные Рыбой в промежутках между прогулками и срыванием плодов. А рядом с казаном топчется единорог, символ чистоты и девственности, альтер-эго красавицы из красавиц Ануш Варданян...

— Шевели плавниками, — бесцеремонно ворвался в грезы Рыбы голос гестаповки-бортпроводницы.

— Да пошла ты! — с достоинством ответил ей Рыба, прикрытый с тыла сернами и единорогом, но — в большей степени — пумами и гепардами.

— Попадешься ты мне на обратном пути...

— И не мечтай!

Так, согреваемый видениями горы Арарат, Рыба-Молот (последним из пассажиров) вошел под своды салехардского аэропорта. Внешний вид здания и особенно внутренности приятно поразили его европейским, и даже каким-то британским лоском, хотя Рыба и не бывал в аэропортах Европы, и уж тем более в Британии. Но именно такими мнились ему крупнейшие аэровокзалы мира: обилие стекла и мрамора, прозрачный соборный купол и приветливо светящиеся табло, которые сообщают, что восемь из десяти рейсов задерживаются. А оказавшись в зале прилета, Рыба-Молот и вовсе возликовал: его встречали!

Встречающих было двое: высокая монументальная блондинка и крохотный черноволосый парнишка с плоским, как блин, лицом и раскосыми глазами: типичный представитель коренных народностей Севера. В руке блондинки был зажат самопальный плакат с надписью:

«Господин БАРХАТОВ, г. Санкт-Петербург».

— Господин Бархатов — это я, — сообщил Рыба-Молот, приблизившись к блондинке и ее спутнику.

— Александр Евгеньевич? — уточнила она.

— Все правильно.

— Тогда давайте знакомиться. Я — Вера Рашидовна Родригес-Гонсалес Малате́ста, хозяйка ресторана. А это мой муж, Николай.

Рыба-Молот совсем не политкорректно и отнюдь не толерантно выпучил глаза. Мало того что имя, отчество и несколько фамилий блондинки находились в состоянии полнейшего несоответствия друг с другом и такой же полной разбалансировки. Так еще и коротышка-муж, которого Рыба-Молот поначалу принял за мальчугана лет тринадцати! А между тем, это вполне полово-зрелая особь, отхватившая себе лакомый кусок, коим, безусловно, является Вера Рашидовна. Хорошо еще, что Рыба не задал глупейший вопрос: «Это ваш сынок?» — то-то было бы конфузу!

Через десять минут они уже сидели в новехоньком джипе: Вера Рашидовна за рулем, ее муж Николай на переднем пассажирском сиденье, а Рыба-Молот — на заднем.

— Ну, рассказывайте, Александр Евгеньевич... Как долетели? — спросила Вера Рашидовна, трогаясь с места.

— Долетел э-э... хорошо.

— А как вам наш аэропорт?

— Выглядит замечательно.

— Город у нас тоже замечательный. Не Питер, конечно... Но со временем будет не хуже Питера.

— Не сомневаюсь, — с готовностью ответил Рыба, рассматривая пролетающие мимо хибары, одноэтажные бараки и вагончики различных конфигураций — от строительных до железнодорожных. Венцом же градостроительной мысли выступали цистерны с вываренны-ми автогеном окошками. Неужели в них тоже живут лю-ди? Судя по занавескам на окошках — еще как живут!..

— В последние годы много чего строят. Ледовый дворец построили... Катаетесь на коньках?

— Как-то не приходилось...

— А на лыжах?

— И на лыжах не приходилось.

— Ничего, дело наживное. В тундру вот с Николаем поедете. Там красиво.

Перспектива отправиться в хрестоматийно стылую тундру с мужем Веры Рашидовны не слишком-то обрадовала Рыбу-Молота, и он попытался увести разговор подальше от северных красот:

— Хотелось бы побольше узнать о профиле вашего ресторана. Какой кухне вы отдаете предпочтение?

— Где не воруют. За воровство в бараний рог сверну, — неожиданно подало голос переднее пассажирское кресло.

— Думаю, господин Бархатов совсем другое имел в виду, — осторожно возразила мужу Вера Рашидовна.

— Это я так, Верунчик... Чисто предупредить.

Рыба хотел было обидеться за совершенно необоснованные — с порога в зубы — подозрения, что он что-то там собирается стащить, пользуясь служебным положением. Но, представив недомерка из тундры, сворачивающего его, довольно рослого мужика, в бараний рог, обижаться раздумал.

— Вообще-то я специалист по средиземноморской кухне, я уже вам писал. Испанская, итальянская...

Рыба специально сделал упор на испанской и итальянской кухнях, хотя мог назвать еще французскую, арабскую (с нюансировкой, касающейся стран Магриба и стран Аравийского полуострова), да еще грузинскую с еврейской. Но испано-итальянские корни работодательницы... Они наверняка не останутся равнодушными к Средиземноморью!

Корни соображали ровно минуту.

— А попроще?..

— Попроще? — Рыба на секунду задумался. — Можно немецкую, но лично меня немецкая не вдохновляет.

— И меня. Не люблю немцев, — снова отозвался Николай.

— Опять ты за свое! Чем тебе немцы-то не угодили?

— Фашисты они проклятые...

— А к... еврейской как относитесь? — стал сбрасывать козыря Рыба-Молот. — Или... там к грузинской?

— Грузинские хари — наглые-носатые — видеть не могу. Ни по телевизору, ни по радио, ни на базаре. А жиды — те же фашисты, — ксенофобская сущность Николая никак не хотела успокоиться. — Вон как арабов мочат!

— Так, может, арабскую? — осенило Рыбу. — В знак солидарности, так сказать... Со страдающим народом Палестины.

— Не-а... Арабы сами нарываются. Вот и получают по рогам.

Логики в словах карликового мужа Веры Рашидовны было не больше, чем в иных высказываниях иррациональной Рахили Исааковны, а до этого — иррациональной Кошкиной. Но не только отсутствие логики смущало Рыбу-Молота: его еще можно пережить, но что делать с людоедскими настроениями мужа потенциальной благодетельницы? А ничего. Не скажешь ведь, находясь на его территории, в его городе и в его машине: «Сударь, вы подлец! Где у вас здесь выход? Где прокуратура? Где правозащитные организации?!.» Пацифистскую сущность Рыбы скрючило — да так, что он всерьез стал подумывать о том, как бы вернуться туда, откуда приехал. Но об этом и речи быть не могло, причем сразу по нескольким причинам:

— авиабилет, по которому Рыба десантировался в Салехард, заказан по Интернету Верой Рашидовной и ею же оплачен, следовательно — человек рассчитывал на сотрудничество и обманывать его ожидания *не есть хорошо;*

— лететь обратно, да еще самолетом, да еще в компании со змеей-гестаповкой он не в состоянии. Может быть, потом, спустя какое-то время (декаду, месяц, квартал) — но не сейчас;

— в крайнем случае, можно отправиться домой поездом, хотя поезда ходят и не от самого Салехарда, а от станции рядом, странное название которой напрочь вылетело из головы, но — опять же... Расписание поездов Рыбе неизвестно, вдруг следующий будет только через декаду (месяц, квартал?);

— в город Салехард, неизвестно какими судьбами, залетела ИзящнаяПтица — вдруг они еще встретятся?

Последнее обстоятельство перевесило все остальные, и Рыба-Молот решил не нарываться и *не высекать*. В конце концов, все еще может повернуться светлой стороной, а поспешные выводы часто бывают ошибочны.

— Ну, ты совсем парня запутал, Николаша! — мягко попеняла мужу Вера Рашидовна. — Давайте-ка вопрос о кухне перенесем на завтра. И другие организационные вопросы тоже. Встретимся утром на точке и там все решим. Человек ведь с дороги, не забывай. Ему отдохнуть надо, с местностью ознакомиться. Сейчас устроится, а ты проследишь за этим, а потом покажешь ему город... Как договаривались.

Перспектива остаться один на один с расистом-недомерком ужаснула Рыбу и он поспешил дистанцироваться:

— Вообще-то, я привык знакомиться с новыми местами сам. Для чистоты, так сказать, эксперимента. Не стоит утруждать себя...

— А Николаше не трудно. Правда, Николаша?

— Не трудно, — подтвердил недомерок. — Заодно выясним твои взгляды на жизнь.

— Чего их выяснять? — удивился Рыба-Молот. — Я же поваром к вам приехал работать. И мои взгляды, какими бы они ни были, на качестве кухни не отразятся. Уверяю вас.

— Все правильно, — после небольшой паузы заметила Вера Рашидовна. — Но и Николашу понять можно! Он у нас депутат Городской думы, потому и смотрит на все под политическим углом зрения. Он — человек идейный. Правда, Николаша?

— Идейный, — эхом откликнулся Николаша. — Вот ты — каких убеждений придерживаешься?

— Каких еще убеждений? — странный разговор тяготил Рыбу-Молота все больше и больше.

— Левых. Правых. Или ты — центрист?

— Я магниты на холодильник собираю.

— Магниты, положим, все собирают. Ты не увиливай.

Несмотря на то, что Рыба прожил на свете уже тридцать пять лет и успел насмотреться на метаморфозы Великой Империи (а может — именно благодаря этому), никаких ярко выраженных политических предпочтений у него не было. И активной жизненной позиции тоже. В разное время он считал себя либералом, почвенником, сторонником крепкой руки, сторонником максимального сближения с Западом, сторонником максимального от него отторжения с последующей автаркией; анархистом, экологическим радикалом, славянофилом, славянофобом; противником и власти, и оппозиции, живущим под лозунгом «Чума на оба ваши дома!». Что же касается принципов (не путать с убеждениями!) — их у Рыбы-Молота было немного:

1. Женщин, детей и стариков нельзя обижать.

2. На женщин, детей и стариков нельзя обижаться.

3. Каждый человек достоин уважения.

4. Каждого человека нужно как минимум, выслушать.

5. Увидел нищего — подай копеечку.

6. Увидел слепого — переведи через дорогу.

7. Увидел инвалида-колясочника — спроси, не нужна ли помощь.

8. Увидел проститутку — иди себе мимо.

9. Увидел сволочь — разберись, не сходя с места.

10. Не жри на ночь и чисти зубы после еды.

В основном Рыба-Молот видел нищих и проституток — и поступал с ними согласно своему катехизису. Инвалидыколясочники попадались редко, сволочи — еще реже: ведь сволочи предпочитают темную сторону бытия, а Рыба-Молот старался держаться поближе к светлой. Но как-то и он — находясь на границе света и тьмы — спас хорошенькую девушку от приставания сволочей. Девушка с жаром поблагодарила его, но номер телефона не дала, очевидно Рыба оказался не в ее вкусе. А может, у нее уже был парень... Еще один раз Рыба снял с парапета Кантемировского моста потенциального самоубийцу и потратил на него полдня, приводя в чувство, — что в какой-то мере соответствовало пункту № 4 — «каждого человека нужно как минимум выслушать». Вот Рыба и слушал — и не только того бедолагу. Но и алкашей у соседнего магазина «24 часа», дворников, таксистов, уборщиц, официантов и младший персонал во всех ресторанах, в которых работал (в основном это были женщины, отягощенные не очень-то благополучными семьями). А также непосредственных начальников, если тем вдруг приспичивало затеять откровенную беседу. Что уж говорить о собственных женах и контуженном на всю голову Агапите с его отроками!..

И все эти люди были хоть и со своими тараканами, но никто не прижимал Рыбу-Молота к стене вопросом: «Ваши политические взгляды?» Пожалуй, его еще можно было вытерпеть от ИзящнойПтицы и даже попытаться ответить на него, тщательно следя за тем, чтобы нимб революционного романтика — на манер Че Гевары — потуже сжимал голову. Но карлики (возможно, даже политические) не имеют на этот вопрос никакого права.

Впрочем, Николаша вовсе не был политическим карликом.

— Я представляю партию власти, — с апломбом заявил он.

— Ну и на здоровье, — меланхолично ответил Рыба.

— Опять ты за свое! — по-голубиному нежно цыкнула на мужа Вера Рашидовна. — Может, не стоит грузить парня? Дай ему осмотреться и в себя прийти.

Странная все-таки это была пара — госпожа Родригес-Гонсалес Малатеста и ее вырвавшийся из тундры муж с простым русским именем Николай Николаев. И что-то эти высокие отношения смутно напоминали Рыбе-Молоту.

— Жилье для вас мы сняли, Александр Евгеньевич...

— Сняли, сняли, — поддакнул жене Николаша. — Но на благотворительность не рассчитывай.

— В каком смысле? — Рыба, углубившийся в мысли об эксцентричном симбиозе салехардских фриков, не сразу понял о чем идет речь.

— Да погоди ты, Николаша! В том смысле, дорогой мой, что мы оплачиваем только первый месяц проживания. Впоследствии стоимость аренды будет вычитаться из вашсго жалованья. Вы не против?

— А у меня есть выбор? — Несколько фамильярное выражение «дорогой мой» поразило Рыбу в самое сердце.

— Все это оговорено в контракте, который, я надеюсь, завтра будет подписан.

— Нужно еще посмотреть, что он за специалист!

— Он хороший специалист, Николаша, хороший. Ты же читал его резюме.

— Р-ррьезюме-еее... Понапридумывают тоже! На бумажке можно что угодно написать. Выставить себя этой... английской королевой. Или этим... Филиппом Киркоровым.

— Я не понимаю. — Разговор с парочкой нравился Рыбе все меньше. — Вам шеф-повар нужен или английская королева с Киркоровым?

— Шеф-повар, конечно! — с жаром уверила его Вера Рашидовна. — Вы на Николашу не обижайтесь, но и он где-то прав. Резюме — одно...

— А то, как обстоят дела на практике, — совсем другое, — закончил вместо нее Рыба.

— Вот именно!

— Что ж, я готов. Завтра вечером можем провести дегустацию. Стандартный вариант — несколько блюд плюс десерт. И еще кое-что в качестве бонуса.

— «Кое-что» — это что? — поинтересовался Николаша.

— Увидите, — пообещал Рыба-Молот.

Под местоимением «кое-что» имелись в виду конфеты ручной работы. Обычно Рыба лепил их только для женщин — своих и пришлых, никогда не включая в ресторанные меню (работа — одно, а личная жизнь — совсем другое, капля сладости ей не повредит). Но тут не удержался и ляпнул.

И дело было совсем не в Вере Рашидовне, хотя она и представляла собой достаточной яркий и даже броский типаж *«либен клейне Габи, где твой хиртенкнабе»*[1], часто эксплуатируемый немецким атлетическим порно. Дело было в...

— Ну вот, приехали, — сообщила Вера Рашидовна, остановив джип возле вполне приличной, относительно новой и выкрашенной в голубой с белым девятиэтажки. Девятиэтажка, хоть и была панельной, выглядела не в пример лучше, чем вагончики и уж тем более цистерны. Но несравненно хуже собственного дома Рыбы, оставшегося в далеком Питере. И любого из домов в жилом массиве, мелькнувшем на горизонте несколько минут назад. Рыба-Молот втайне понадеялся, что они свернут именно туда, к башенкам со шпилями, — и напрасно.

---

[1] Милая крошка Габи, где твой пастушок? (*иск. нем.*)

— Николаша вас устроит, а завтра с утра я за вами заеду.

— Ясно. До завтра.

Рыба-Молот выпрыгнул из машины и вынул из нее чемодан, попутно оценив внутренности багажника: несколько огромных кусков мороженого, но уже начавшего подтаивать мяса, несколько небольших картонных коробок в яркой, подарочной упаковке; коробка побольше, плоская и длинная, с таинственной надписью «Kleineisenbahn»[1] на торце. Надписи сопутствовали рисунки: рельсы, вагончики, малютка-тепловоз, — из чего Рыба-Молот сделал вывод, что в коробке томится железная дорога, предмет вожделений любого мальчишки. *Вожделение*, ммм... Со словом «вожделение» лучше всего монтировался образ порочной сестры Рахили Исааковны — Юдифи. Юдифь неожиданно выплыла из глубин подсознания в *либенклейне*-прикиде «ню», затем ее сменила собственно Габи-Вера Рашидовна в том же прикиде, — и Рыба почувствовал нехорошее жжение и вибрацию в нижнем отделе живота. Затем (из тех же подсознательных глубин) неожиданно поднялась, балансируя на хвосте, змея-бортпроводница. Но не голая и не одетая, а покрытая блестящей чешуей. Из чешуи, на уровне груди, торчала огромная английская булавка с бейджем и надписью на бейдже: «СДОХНИ!» Было ли это пожеланием, а если пожеланием, то кому? Наверняка самому Рыбе. Вибрация от этого не только усилилась, но и переместилась выше, в карман куртки.

Сообщение, — допер наконец Рыба.

Сообщение было от все той же сети PGN, решившей, видимо, окончательно свести Рыбу с ума:

«НЕ О ТОМ ДУМАЕШЬ, ИДИОТ!»

---

[1] Миниатюрная железная дорога (*нем.*).

Не о том, все верно.

Не о той!

Волевым усилием Рыба-Молот заставил себя отрешиться от низменного и заглянул в салон. Сквозь стекло ему было хорошо видно, как Вера Рашидовна склонилась над пассажирским сиденьем, скрывавшим Николашу.

Сопли она ему вытирает, что ли? — непроизвольно подумал Рыба, потому что представить какие-либо другие — взрослые и серьезные — действия по отношению к уменьшенной (масштаб 1:2) копии мужчины оказалось весьма проблематичным.

Наконец и Николаша покинул джип. И, не глядя на Рыбу-Молота, направился к подъездной двери, вертя на пальце связку ключей. Рыба последовал за ним.

...Квартирка, снятая для столичного шеф-повара, оказалась небольшой, довольно уютной и хранившей следы прежних, неизвестных Рыбе хозяев: хлипкая сборная мебель времен оттепели, внушительные залежи каких-то рекламных проспектов, буклетов и агитационных материалов, гробовидный телевизор «Электрон» и холодильник «Днепр» с резинкой, прижимавшей дверцу к камере. Из эксклюзива присутствовали огромная медная ступа, в которой лежали шапка из полуистлевшего шелка, меховые рукавицы и колотушка. А также шаманский бубен на стене и наполовину лысая шкура какого-то животного на полу.

— Холодильник работает? — спросил Рыба.

— Работает.

— А без резинки?

— Без резинки — нет. Дверца не закрывается, понимаешь...

— Ясно. А телевизор?

— Это не телевизор. Это мини-бар.

— Мини-бар?..

Баром лишенную телевнутренностей коробку можно было назвать весьма условно: внутри не оказалось ни одной бутылки со спиртным — скорее, воспоминания о них в виде темных, правильных кружков числом около двух десятков. Поверх пятен, в самом дальнем углу, валялись две картонных подставки для пива и обертка от детского гематогена.

— Можешь пользоваться, — великодушно разрешил Николаша.

— Так здесь же нет ничего!

— Заполнить не проблема. У тебя есть чего кирнуть?

— Нет.

— Так-таки ничего и не привез? Никакого привета из Питера?

— Нет.

— А если хорошенько поискать?

— Да нет же, говорю тебе.

— А в чемодане?

— Нет — значит нет. В глобальном смысле, — терпеливо объяснил Рыба коротышке-депутату.

— Можно сбегать, — после глубокого, пятиминутного раздумья предложил альтернативный вариант Николаша.

— Зачем?

— Не зачем, а за что. За встречу на земле Салехарда. И вообще...

— Ну, я не знаю... — Рыбе-Молоту вовсе не улыбалось пить с совершенно незнакомым и мало симпатичным ему человеком.

— Или ты не русский? — подначил Николаша.

— Русский.

— Или ты поганый клеветник из Европы?

— Русский. Я — русский.

— Раз русский — тогда дуй за пузырем. Лучше за двумя.

— А сам?

— Депутаты по гадюшникам не ходят, — резонно заметил Николаша.

До сих пор у Рыбы-Молота не было ни одного знакомого депутата никакого уровня — начиная от федерального и заканчивая местным, оттого он и не знал, где депутатам позволительно являться без ущерба для репутации, а где — нет.

— Все так серьезно?

— Не, несерьезно, — успокоил Рыбу Николаша. — Я, конечно, мог бы и сам... Но продавщица, падлюка, обязательно Верке настучит...

— Верке?

— Жене моей, Вере Рашидовне. Мне, конечно, фиолетово. Только Верка попрекать начнет.

— Я тоже не люблю, когда пилят мозг, — вставил Рыба.

— Не, Верка не пилит. Верка передо мной на коленях стоит денно и нощно. Но когда ей что-то не нравится, она начинает сопли распускать. А я этого не люблю. У меня от этого зубы шататься начинают. Вот так.

Последнюю реплику Николаша произнес горделивым шепотом, непроизвольно оглядываясь на дверь. Больше всего он был похож сейчас на третьеклассника, который тайком курит в школьном туалете и, в случае опасности, готов сунуть непотушенный окурок в карман. Вот кого Николаша все это время смутно напоминал Рыбе-Молоту — третьеклассника, ребенка. А Вера Рашидовна, соответственно, исполняла роль матери третьеклассника: любящей, готовой завалить подарками и выстроить ради драгоценного чада **eisenbahn**[1] прямо до луны, и не какую-нибудь klein, а самую настоя-

---

[1] Железная дорога (*нем.*).

щую, сверхскоростную. Из телевизионного а также
иностранно-книжного опыта (но больше из экзистен-
циальных бесед Палкиной-Чумаченки о Фрейде и по-
следователях) Рыба-Молот знал, что такая всепогло-
щающая материнская любовь имеет и оборотную сторону. И эта — оборотная — сторона заключается в дес-
потизме, крайнем эгоизме и стремлении поставить
объект приложения любовных сил под тотальный кон-
троль.

— Несладко приходится? — прозорливо спросил Рыба.

— Сладко, но сироп иногда в горле застревает. Не туда и не сюда, — доверительно сообщил Николаша. — Вообще, Верка баба что надо. Лучшей и желать нельзя...
Скажешь, нет?

— Не скажу.

— Всем хороша.

— Всем.

— Только сука редкостная. Железная Леди, бля-нах.
Маргарет Тэтчер Ямало-Ненецкого автономного округа. Ты готовься, она с тебя за работу три шкуры драть будет. Вход в Веркин бизнес рубль, а выход — три рубля.
Еще и должен ей окажешься.

Рыба-Молот неожиданно почувствовал себя зверем,
попавшим в капкан. А в полуметре от капкана стоял совершенно свободный, обласканный судьбой Николаша.
Стоял и ухмылялся.

— А с каких пирогов я окажусь ей должным? — удивился Рыба.

— Она найдет с каких. Любого об колено переломает.
Верка — она такая, всех в кулаке держит. А я — ее. Так кто
в этой жизни главный?

— Кто?

— Смекай, морда твоя гастрономическая. А пока сме-
каешь, неплохо было бы и в магазин слетать...

Это был простой человеческий разговор — хотя и не совсем приятный, но без политических завихрений и обсуждения идейной платформы партии власти. *Может, пронесет*, — подумал Рыба, отправляясь в магазин за бухлом.

Посещение магазина заняло гораздо больше времени, чем он предполагал. А все потому, что Салехард, в отличие от Питера, был городишкой небольшим, и каждый новый человек воспринимался в нем, как событие. То же самое происходило и в Трубчевске, и в Кяхте, и в других малозначительных населенных пунктах. Каждый раз, возвращаясь в свой хмурый мегаполис, Рыба напрочь забывал об этом, — поэтому очередная встреча с аборигенами выглядела, как откровение. Откровением оказалась и продавщица из магазина, куда (по наущению Николаши) Рыба заглянул за водкой.

— Что-то я тебя раньше никогда не видела, — сообщила продавщица после того, как Рыба озвучил заказ и положил на прилавок деньги. — Приезжий?

— Вроде того.

— А откуда?

— Из Питера.

Стоило ему упомянуть о культурной столице, как продавщица разразилась десятиминутной тирадой, из которой Рыба узнал, что:

сама продавщица («зови меня Натальей, не ошибешься») хоть и никогда не бывала в Питере, но имеет к нему самое непосредственное отношение, — вроде бы (так гласит семейное предание) ее, продавщицын, род ведется от личного садовника императрицы Екатерины Великой, выписанного прямиком из Германии... а родственники ее первого мужа по материнской линии пережили блокаду — и как только живы остались?.. а племянница ее второго мужа и сейчас там обитает, зацепилась за Питер после института, *мандалэйла*, окрутила какого-то местного лося, быстренько у него прописалась, а лосиную мать траванула грибочками, и теперь живет себе припеваючи в трехкомнатной квартире на проспекте Стачек, *есть там у вас такой проспект?*

— Есть, — подтвердил Рыба.

— Значит, не врала, *мандалэйла*, — расстроилась «зови меня Натальей, не ошибешься». — Вот всегда так: стервам все самое лучшее достается, а приличные люди последний хер с солью доедают. Ты-то сам женат?

— Разведен... Мне бутылку водки, пожалуйста. — Рыба попытался подтолкнуть «зови меня Натальей, не ошибешься» к исполнению профессиональных обязанностей.

— И правильно. И не женись больше. От баб все зло! Верно я говорю, Вань?.. — крикнула продавщица куда-то в темноту подсобки.

— А? Чего? — откликнулась темнота толстым мужским басом.

— Верно я говорю, что от баб все зло на свете?

— Куда уж вернее!

— Вот и Ваня, хи-хи, так думает, — подытожила «зови меня Натальей, не ошибешься».

По неожиданно всплывшему опыту прошлых лет Рыба-Молот знал: нельзя углубляться в дебри, нельзя вступать в дебаты и уж тем более нельзя спрашивать у продавщицы, что это еще за скрывающийся во тьме «Ваня» — истина в последней инстанции, что ли? И — заодно — нельзя спрашивать, что означает слово «мандалэйла»: то, о чем подумал Рыба, или что-то другое?..

— А надолго ты сюда?

— Как получится... — состорожничал Рыба-Молот. — Если получится... Если понравится... Может, и задержусь.

— Не понравится. Вам, питерским, что подавай?

— Что?

— Культур-мультур, вот что. А здесь с культур-мультур напряги. Здесь народ дикий. Вчера вот своими глазами видела, как в одном дворе с собаки шкуру заживо снимали.

— С какой собаки? — Рыба и не хотел, а втянулся в дурацкий разговор.

— С обыкновенной. С дворняги... Слышь, Ванька! — снова обратилась к темной подсобке «зови меня Натальей, не ошибешься». — Вчера-то чего видела! С собаки шкуру заживо снимали!

— И чего? — До сих пор не проявившийся Ванька отнесся к страшной новости равнодушно. — Сняли?

— Кто ж его знает... Сняли, наверное. Иначе зачем затеваться было?

— А собака? — содрогнувшись всем телом, спросил Рыба.

— А что собака? С тебя шкуру содрать — что бы с тобой было?..

— Две. Две бутылки водки! — потребовал Рыба, но продавщица снова проигнорировала его покупательский порыв:

— А как губернатор ваш поживает?

— Какой губернатор?

— Не какой, а какая... У вас же баба губернатор?

— А-а... Вроде того... Хорошо, наверное, поживает.

— Да уж! Поживают они — не нам чета... А правду говорят, что дочь ейная обкурилась и восемнадцать человек насмерть задавила, еле отмазали?

— Вообще-то, у нее сын.

— Да какая разница — дочь, сын! Главное — обкурилось чадо и восемнадцать душ насмерть... Правда это?

— Не слыхал.

— ...и что она... То есть — он... Самолет угнал в Швецию, прямо с пассажирами, а летели-то они в Якутск. А как в Швецию прилетели, так никто обратно в Якутск не захотел, дураков нету. Попросили политического убежища и вся недолга. А Путин после этого вызвал мамашку на ковер и сказал: приструни своего беспредельщика, иначе полстишь у меня с поста вверх тормашками...

— Вот так прямо и сказал? — изумился Рыба.

— Ну... прямо ли... криво... А ходят такие слухи.

— Где ходят?

— В народе ходят. Циркулируют... А еще говорят...

— Наташ! Поди сюда, — воззвала подсобка, но продавщица только рукой махнула:

— Да погоди ты! Мне тут питерский человек про тамошние нравы рассказывает... Дай послушать! Так чего там у вас слышно?

— Пока все спокойно.

— Как же — спокойно? А свадьба Волочковой?

— Не присутствовал. — Рыбе-Молоту очень хотелось потрафить продавщице, но все никак не вытанцовывалось, — вот и с балетной примой получился облом.

— Хи-хи! Ясно, что не присутствовал, по морде видно! А если бы присутствовал, то знал бы, что они всю царскую посуду перебили — в том месте, где фонтаны... Как его?

— Петергоф, — подсказал Рыба.

— Точно. Петергоф! А говоришь, что не в курсах... Посуду кокнули — раз. Пугачиху петь не пригласили и она обиделась смертельно — два. Ракеты в воздух запускали и полдворца вынесли на хрен — три. А еще — культурная столица!.. Стыдобища!

— Наташ! Сколько тебя ждать-то? — снова проклюнулась подсобка.

— «Наташ, ссы на карандаш», — передразнила «зови меня Натальей, не ошибешься». — Вот ведь припекло!.. А ты в гостинице остановился или где?

— На квартире... Здесь, неподалеку.

— И сколько за квартиру платишь?

— Пока не знаю. Расчет в следующем месяце.

— Что ж ты сразу не выяснил, *культурная столица*? Такие вещи на самотек пускать нельзя, а то у нас со столичных шкуру дерут почище, чем с давешней собаки. Знаешь, что? Мужнина племянница тоже квартиру собралась сдавать — может, у нее поселишься?

— Это которая в Питере, на проспекте Стачек живет?

— Это которая другая. Нынешнего моего мужика, а он третий по счету... Это которая из Салехарда никуда не выезжала и осталась человеком. Она и возьмет недорого, а я уж за этим прослежу по-родственному, не сомневайся.

— Да я уже здесь договорился. Не стоит беспокойства, хотя спасибо, конечно.

— Ну, мое дело предложить... Точно не надо ничего?

— Две бутылки водки надо.

— А на закусь что?

— По вашему усмотрению...

— Может, сразу три возьмешь? Чтобы потом не бегать догоняться...

— Нет, — твердо заявил Рыба. — Двух будет вполне достаточно.

Пока «зови меня Натальей, не ошибешься» подбирала к водке достойный продуктовый аккомпанемент (капуста квашеная, огурцы бочковые, норвежская сельдь, французские корнишоны, сырик-колбаска, кирпич ржаного хлеба и двести грамм строганины в качестве бонуса), Рыба-Молот продолжил размышления об этимологии слова «мандалэйла». Продвинутые Палкина с Чумаченкой нашли бы здесь парафраз на тему персидской романтической легенды «Лейла и Меджнун», но вряд ли продавщица из приполярного Салехарда когда-нибудь слыхала о ней. Она могла слыхать о струнном щипковом инструменте мандолина, что тоже было созвучно «мандалэйле», — это да. Сама же продавщица больше походила на гитару: все в ней было фигурно, плавно и округло, ни одной резкой линии. В отличие от расклешенных глаз Рыбы-Молота, глаза продавщицы были почти вплотную сведены к переносице, губы завязаны на винтажный бантик, а на щеках играл природный свекольный румянец. Рыба почему-то решил, что ноги у «зови меня Натальей, не ошибешься» кривые, с сильными легкоатлетическими икрами и относительно тонкими щиколотками. И что она держит весь дом в ежовых рукавицах. И сама определяет, пить ли мужу на наспех склепанный праздник Дня примирения и согласия или все же дождаться старорежимного, давно почившего в бозе, но такого понятного Дня седьмого ноября-*красный день календаря*. А дети продавщицы...

Бедные дети! Хорошо еще, если у нее сын. А если дочь или две дочери? Им-то она наверняка жрет плешь относительно племянницы, которая не осталась в Салехарде, а перебралась в столичный Питер и сочинила себе трехкомнатную сказку на проспекте Стачек. *И вам тоже свезет*, — увещевает дочерей «зови меня Наталья, не ошибешься», — *если не будете мандалэйлами!*

...Расплатившись за водку с закусью, Рыба-Молот вернулся к Николаше, после чего начался форменный алкогольный содом с гоморрой. Воспоминания о нем отдавались весь последующий период пребывания в Салехарде спонтанными и бьющими прямо в виски приступами стыда. И сколько ни анализировал впоследствии тот вечер Рыба, он так и не смог понять, как на него, человека малопьющего, нашло вдруг такое помрачение.

Во всем был виноват Николаша. Вернее, злые ненецкие духи *нгылека,* использовавшие крохотное тельце депутата Городской думы в качестве штаб-квартиры. Очередная вылазка из нее произошла незаметно для посторонних глаз, где-то после третьей рюмки, когда выпили за приезд вкупе с Питером, за начало сотрудничества вкупе с Салехардом, а также за мужскую солидарность вкупе с партией власти. Рыбу-Молота удивило такое оперативное совмещение тостов, на что Николаша ответил вполне здраво:

— Тостов много, а водки мало. А теперь выпьем на брудершафт и за отсутствующих здесь дам, чтоб им пусто было!

— Так мы вроде уже давно на «ты». Или нет?

— Закрепим документально!..

— Ага, понял. Только вот женщин я бы все-таки выделил в автономный тост.

— Ты думаешь? — Наполненная рюмка застыла у рта Николаши. — Не. Много чести им будет. Пусть вообще спасибо скажут, что мы за них пьем...

— Ты не прав, Николаша.

— Депутат от партии власти всегда прав!

Черт дернул Николашу вспомнить о своем депутатстве и черт дернул Рыбу-Молота неадекватно отреагировать на это. Нет, Рыба не стал поливать грязью руководящую и направляющую нынешней России, — он просто сказал:

— Что же ты за свою партию отдельно не выпил? Свалил все в кучу. Вот и получилась она у тебя с маленькой буквы. Уж извини за прямоту.

— Как это «с маленькой»? — оторопел Николаша и вместо водки сунул в пасть французский корнишон.

— А вот так. С ма-алюсенькой. — Большим и указательным пальцами Рыба-Молот точно воспроизвел размер съеденного Николашей корнишона.

— Это намек?

— Какой же это намек? Констатация факта.

Только тут Рыба заметил, что с Николашиным лицом творится что-то неладное. И без того плоское, оно стало еще площе; сначала с его поверхности — как будто стертые невидимым ластиком — исчезли глаза. Затем настал черед носа и губ — и перед Рыбой-Молотом наконец предстало вполне себе материальное воплощение блина, коих он за свою долгую жизнь в профессии испек тысячи. *Сметанки бы к нему,* — подумал Рыба, — *нет — лучше икорки, а то от корнишонов со строганиной и сыриком радости русскому человеку никакой... Во!! Завтра буду кормить всю эту салехардскую кодлу блинами!..*

Блин, между тем, вспучило и из него поперла некая, неизвестная Рыбе субстанция.

...И расстегаями, — решил вдогонку Рыба-Молот, — *расстегаи — самое то. Перед расстегаями никто не устоит!*

Составив прикидочное меню, он совсем успокоился и уже отстраненно стал наблюдать за метаморфозами Николашиного лица. Расстегаем оно побыло не дольше, чем блином, а выползшая субстанция оказалась не мясной и не рыбной — скорее, сакрально-мистической. Примерно так выглядело рождение континентов по версии не так давно реанимированной программы «Очевидное-невероятное», которую Рыба не смотрел по причине позднего и крайне нестабильного выхода в эфир. В горных разломах и океанских впадинах кипела еще неоформившаяся жизнь, происходила борьба видов и подвидов, синхронно отпадали какие-то хвосты, росли какие-то плавники и зубы, вытягивались и сжимались челюсти, одно чудовище пожирало другое, другое —

третье, пятое и двадцать шестое. На смену морям приходили леса, на смену болотам — равнины; и вот по равнинам забегали стада животных и существа, похожие на людей. Определенно, это были люди!..

Впору было изумиться происходящему на доисторической арене депутатской физии, но Рыба-Молот почему-то не изумился. И даже устроился поудобнее на продавленной тахте — в надежде не только просмотреть во всех подробностях историю планеты от динозавров до наших дней, но и заполнить лакуны в образовании.

История схлопнулась при первых признаках культовых сооружений, датируемых V—III веками до н.э. Рыба-Молот еще успел увидеть нечто величественное, напоминающее то ли пирамиду, то ли курган. И нечто антропоморфное, напоминающее то ли скифскую бабу, то ли статую с острова Пасхи. После этого лицо Николаши снова приняло свой обычный вид. И только красные сполохи в глазах напоминали о произошедшем цивилизационном безобразии.

Как ушло, так и пришло, — отметил про себя Рыба-Молот, — *и слава богу.*

Но все оказалось совсем не слава богу.

— Ты прав, — сказал Николаша. — Ну ее к чертям, эту партию власти! Наливай!

— Ты прав, — согласился Рыба, разливая водку. — Кто эти люди, которые запрещают нам ковыряться в носу?

— О-о, как ты прав! Никто!

— И пить за них мы не будем. Ни за кого!

— Ни за кого! — подтвердил Николаша. — Пошли они!..

— Так за кого тогда мы будем пить?

— Сказано же — ни за кого! Пить мы будем просто так!

И Рыба-Молот с Николашей выпили еще. И, без остановки, — еще и еще. Сполохи в узких глазах Николаши то затухали, то разгорались с новой силой. А потом с коротких и жестких Николашиных ресниц посыпались... Не слезы, нет! А крошечные человечки — совсем не зеленые, не хвостатые и не рогатые. И снова Рыба не удивился. Он только прищурил левый глаз, а к правому поднес рюмку с водкой, игравшую в данном случае роль увеличительного стекла.

Человечки приблизились.

Теперь уже можно было разглядеть, что одеты они в длинные парки-малицы из оленьих шкур, вооружены копьями и луками, а некоторые даже охотничьими ружьями. Человечки вроде бы не собирались применять оружие против Рыбы и — тем паче! — против прародителя Николаши, они вообще вели себя мирно. Лишь иногда терялись в складках одежды, чтобы тут же появиться снова. И, как только они появлялись, у Рыбы замирало сердце.

— Мне, пожалуй, достаточно, — осторожно произнес Рыба, стараясь не смотреть на копья и ружья в руках самоедских крошек.

— Чего? — вскричал Николаша.

— Достаточно. *Инаф. Суфисьенте. Кванто баста!*

— Чего?

— Мне больше не наливать.

— Шутишь, что ли?!.

Человечки, еще секунду назад не собиравшиеся покидать хозяйские охотничьи угодья, неожиданно отделились от тела Николаши и полетели в сторону Рыбы-Молота, на ходу выстраиваясь в журавлиный клин.

Надо же, заглючило! Паленую водку подсунула, гадина, не иначе! Траванупь меня решила, харыпка, мандалэйла! Пропал я не за хрен собачий.. —

обрывки панических мыслей скачут в голове Рыбы-Молота, задирают ноги и трясут юбками, как кордебалет: то ли Мулен-Ружа, то ли Фридрих-Штадт-Паласа.

И музычка звучит соответственная, пошло-кафешантанная.

Канкан, о да!

Маленькие человечки тоже подчиняются ритму канкана. Но трясут они совсем не юбками (юбок, понятное дело, у них нет) — потрясают оружием. Бряцают им. Приближаются к лицу Рыбы-Молота, увеличиваясь в размерах. Причем — не целиком, разбухают только головы, покрытые меховыми капюшонами. Теперь уже можно в подробностях разглядеть их физиономии, но лучше этого не делать:

физиономии страсть какие неприятные, омерзительные!

Такие бывают у оборотней, не единожды описанных во всех мыслимых культурологических источниках. Оборотней большинство, но есть и волки в чистом виде. Они кажутся выписанными прямиком из провинциального зоопарка, лишенного финансирования, и потому готовы загрызть любого. Галерею образов завершает нечто среднее между голым черепом и маской конвейерного убийцы из такой же конвейерной серии ужастиков «Крик», Рахиль Исааковна к ним особенно благоволила. Но та, киношная маска была статичной (такой же статичной, как и череп), а эта... Эта скалится и выражает отнюдь не положительные эмоции: гнев, ярость, исступленную злость.

Пропал я не за хрен собачий... кошачий... буйволиный... — внутренне содрогнулся Рыба-Молот, не в силах отмахнуться от кошмарных рож. Их очертания и плотность, между тем, кардинально изменились: теперь это был всего лишь дым — то ли сигаретный, то ли пиротехнический. Дымные, но по-прежнему оскаленные пасти легко проникли в глаза и ноздри Рыбы-Молота, заползли в рот, в ушные раковины. И...

102

...растворились где-то в глубинах организма.

Или — в глубинах некрепкого Рыбьего мозга, где до сих пор складировались кулинарные рецепты, наброски ненаписанной книги «Из жизни карамели и не только», таблицы мер и весов для сыпучих продуктов, тоска по Кошкиной, тоска по Юдифи... тьфу ты, холера! — по Рахили Исааковне; ноты к песне «Ля бисиклетте», всевозможные рингтоны во главе с самым главным — про ИзящнуюПтицу, смыслоуловители и бластеры отроков, созвездие Волосы Вероники, заляпанное чернилами и майонезом, помет дзэн-чайки Джонатан Ливингстон. И много чего еще — ненужного, неважного, несудьбоносного, карликового, лилипутского...

Кстати, о лилипутах.

Проклятый Николаша, что за дрянь он выпустил из себя и впихнул в Рыбу?

— А-а! — тихо произнес Рыба-Молот. — Это что? Это как?

— Это водка, — пояснил Николаша. — И мы ее пьем. Пьем или нет?

«Пьем, пьем, пьем!» — хором проскандировали зловредные волки и оборотни, полностью завладевшие тушкой Рыбы.

— Пьем! — в унисон духам подпел Рыба, поражаясь собственному безволию.

— Нажремся вусмерть?

— Легко!..

Для того чтобы нажраться «вусмерть», двух бутылок было явно недостаточно. И, когда они кончились, Рыба побежал к «зови меня Наташей, не ошибешься» за очередной порцией спиртного. «Зови меня Наташей, не ошибешься» встретила Рыбу, как старинного друга: нагрузила водкой и очередной порцией слухов о происходящем в Кремле, Белом доме, Пентагоне, на мысе Канаврал и на Даунинг-стрит. Пояснила значение слова «мандалэйла» (оно оказалось банальным производным от слова «манда»). А на смиренную просьбу показать ноги отреагировала вполне адекватно: вышла из-за прилавка и слегка приподняла синий форменный халат. Как и предполагал Рыба, ноги оказались кривыми, щиколотки тонкими, а икры — легкоатлетическими.

— Ну как? — поинтересовалась произведенным эффектом продавщица.

— Блеск!

— Ты с Николашей гуляешь, *культурная столица?*

— Точно. С ним.

— Смотри там, поосторожнее...

— В смысле?

— Он — человек непростой.

— И что это значит?

— Непростой — значит непростой.

— Да знаю... Депутат он.

— Депутат... Депутат — дело пятое.

— А четвертое с третьим?

— Говорят, шаманствует он... — «Зови меня Наташей, не ошибешься» понизила голос. — По настроению может такого нагнать... Век не расхлебаешь!

— Не верю я во все эти мистические штучки, — соврал Рыба.

— Ну, не веришь так не верь. Мое дело — предупредить...

...Все последующие события (точнее было бы назвать их бесчинствами) Рыба-Молот помнил смутно. Кажется, он нарядился в облысевшую напольную шкуру и, рыча, бродил по квартире. Николаша при этом без продыху бил в шаманский бубен, размахивал колотушкой и выкрикивал что-то нечленораздельное. Затем они поменялись ролями, и теперь уже в бубен бил Рыба-Молот. А Николаша изображал из себя тотемное животное — то ли медведя, то ли росомаху. И странное дело — ничтожная, траченная молью и временем шкура, стоило прикоснуться к ней Николаше, моментально видоизменилась. Теперь это был полноценный мех — блестящий, свеженький, переливающийся самыми разнообразными волшебными оттенками. За одно прикосновение к нему гламур обеих столиц поубивал бы друг друга, повыдрал бы все волосы и сломал все ногти конкурентам. Когда же Николаше надоело ходить в шкуре и он сбросил ее на пол, та приняла свой обычный, затрапезный и занюханный вид.

— Шаман, ёптить! — возопил Рыба-Молот, падая ниц перед депутатом Городской думы. — Как есть шаман! Волшебник Изумрудного города!..

— Вот только про Изумрудный город не надо, — помрачнел Николаша. — Давай все выбросим отсюда на хрен!

— Что именно?

— Все!

— Заметано! А куда будем выбрасывать?

— В окно, куда же еще?

Первыми в окно полетели рекламные проспекты, агитационные материалы, микроволновка и импровизированный мини-бар. Затем настала очередь стульев, тахты, деталей стенки и холодильника. Вошедший в раж Рыба чуть не выпихнул вместе с наивным «Днепром» самого Николашу: в самый последний момент тот удержался за резинку, висевшую на дверце.

Потом они синхронно мочились, стоя на подоконнике и определяя попутно, у кого длиннее струя. Длиннее, намного длиннее оказалась у Николаши — и в этой, поистине невероятной длине снова проступило его шаманство.

— Давление тридцать атмосфер, как в пожарном брандспойте, — горделиво заметил Николаша.

— А в брандспойте тридцать атмосфер? — удивился Рыба. — Мне казалось, что меньше.

— В любой момент могу увеличить до тридцати. И даже до сорока. При дальности полета сто километров. Нет, двести! Нет, триста шестьдесят пять!

— А до полюса достанешь?

— Запросто.

— А... до Луны?

— Все может быть.

— А до звезды Шедар в созвездии Кассиопея?

— Это еще что за хрень?

— Это... м-м.. звезда! Просто звезда.

— Наверное, могу и туда, если постараться. Постараться?

Рыба представил несчастных отроков, болтающихся где-то возле звезды Шедар. И представил струю Николаши, способную (в этом Рыба нисколько не сомневался) улететь за многие парсеки от дома и сбить звездолет «Заря» с заданного курса. И кому от этого будет радость? Никому.

— Нет, не надо стараться. Я верю.

— А то давай!

— Я верю, верю! — Рыба, как мог, пытался отвести опасность от отроков. — Пошли лучше водку пить.

— Всегда! — воскликнул Николаша, приложив одну руку к сердцу, а другой застегивая штаны.

Остатки водки привели Рыбу в самое минорное расположение духа: он расплакался и сообщил, что ему никогда не везло с женщинами, хотя он и был дважды женат. И что его женщины были...

— Сучками? — предположил Николаша.

— Нет.

— Меркантильными тварями, которым только бабло подавай?

— Нет.

— Изменяли тебе?

— Тоже нет. Они были приличными женщинами, порядочными. Наверное, все дело во мне...

Пропустив самокритичный пассаж Рыбы-Молота мимо ушей, Николаша погрозил кулаком пустому углу, в котором еще недавно стоял холодильник «Днепр»:

— У-у, жабы!.. Давай напустим на них Нга!

Едва лишь странное буквосочетание было произнесено, как тусклая сорокаваттная лампочка под потолком начала мигать, из углов поползли черные тени, а перед глазами Рыбы, напротив, заиграли ослепительные в своей яркости вспышки, больше похожие на салют в честь регионального питерского праздника выпускников «Алые паруса». Параллельно со вспышками в оба молотовских виска задолбило изнутри. Долбеж был узкоточечным, как если бы кто-то невидимый, сидящий в голове Рыбы, использовал для своего грязного дела пики и дротики...

Или копья.

Или стрелы!

«Кто-то невидимый», как же! Рыба-Молот догадывался — кто.

— Что есть Нга? — спросил он у Николаши полузадушенным голосом.

— Нга — это Нга! — таким же полузадушенным голосом ответил Николаша. — Нга никого не пощадит. А можно не только твоих баб... Но и всех остальных...

Нга, должно быть, что-то темное, страшное (исходя из мигания лампочки, леденящих душу теней и долбежа в виски). Дежурными фильмами ужасов здесь не отделаешься. Дежурные фильмы ужасов — детский лепет! От внезапного осознания угрозы, нависшей над хрупким женским миром, над декольте Кошкиной, над задом Рахили Исааковны, а также другими, неизвестными Рыбе задами и декольте, он даже протрезвел. Черт бы с ними, известными и неизвестными, но ИзящнаяПтица!.. Она ведь тоже женщина, следовательно — опасность угрожает и ей. А этого Рыба допустить не может, ни при каких раскладах.

— Давай обойдемся без Нга. Не будем никого тревожить...

— Точно? — Видно, Николаша и сам был не рад, что в запале упомянул *темное и страшное*, и теперь с облегчением давал задний ход. — Смотри... Я хотел как лучше. Хотел, чтобы моему другу было хорошо.

— Мне и так хорошо.

Это была чистая правда — виски наконец отпустило, лампочка перестала мигать, черные тени съежились и исчезли. А блаженное состояние алкогольного опьянения, наоборот, вернулось. И завладело Рыбой с новой силой. Обрадованный Рыба снова пустил слезу и поведал Николаше, что не далее как сегодня встретил любовь всей своей жизни — ИзящнуюПтицу, чтобы тут же потерять ее, возможно — навсегда.

— Херня! — заявил Николаша. — Мы ее найдем!

— Каким же образом?

— Имя-фамилию знаешь?

— Как будто знаю...

— Завтра... Нет, сегодня... Отправлю депутатский запрос. Позвоню кому следует. Никуда она от нас не денется, увидишь! Из-под земли достанем, из-под оленьей цыцки!..

И снова Рыба представил себе — теперь уже Изящную Птицу, бьющуюся в силках партии власти и подчиненных партии институтов, в том числе силовых. Представвил и ужаснулся: совсем не таким образом он надеялся отыскать любовь, совсем не таким. Категорически!

— К-категорически... Категорически возражаю.

— Против чего? — не понял Николаша.

— Не нужно никакого официоза. Я сам... сам все сделаю. Сам найду.

Николаша с сомнением посмотрел на Рыбу:

— Ты? Не, ты точно не найдешь.

— Пусть так. Но и помощь какой-то там партии мне тоже не нужна.

— Ладно. Обойдемся своими силами. Без привлечения...

Начать поиски было решено со ставшего Рыбе родным магазинчика. Там Рыба с Николашей ненадолго тормознулись, еще выпили (на этот раз — вместе с таинственным Ваней из подсобки, несмотря на устрашающее родимое пятно в пол-лица, оказавшимся простым и милым парнем). Николаша, расчувствовавшись, рассказал присутствующим о неразделенной любви своего друга, Рыбы-Молота. В интерпретации Николаши выходило, что Рыба страдает и ищет возлюбленную пятнадцать лет кряду, а может, и больше. А ИзящнаяПтица трансформировалась в сознании депутата в нечто похожее на скифскую бабу или статую с острова Пасхи: «Жопа — во! Сиськи — во! Как такую не любить? Я бы и сам не отказался, прости меня, Вера-блять-Рашидовна! А вы смотрите у меня, сцуки, ничего Верке не говорите, а то прикрою вашу торговлишку к чертовой матери!..»

После магазинчика они еще долго шатались по городу, ломились в какие-то двери, подожгли помойку, едва спаслись от стаи бродячих собак, разбили несколько подвернувшихся под руку носов и окон и зачем-то полезли купаться в фонтан, называвшийся «У трех муксунов». Солировал в этом заплыве Молот, страстно обнимавший изваяния ни в чем не повинных рыб и кричавший что есть мочи:

— Братья! О, мои братья!..

Николаша же, обратив свой взгляд строго на юго-запад, туда, где за тысячи километров заседал по его мнению политсовет партии власти, орал:

— Кто эти люди, которые запрещают нам ковыряться в носу?!

Это была последняя фраза, которую зафиксировал Рыба-Молот, прежде чем разум его померк и наступила темнота.

***

ГЛАВА ТРЕТЬЯ — *в которой Рыба-Молот знакомится с Яном Гюйгенсом ван Линсхоттеном, узнает кое-что о ненецкой мифологии и особенностях местного общепита, мужественно противостоит любовным поползновениям со стороны Веры Рашидовны и, помимо своей воли, становится хозяином духов нгылека*

...Это было самое диковинное пробуждение в жизни Рыбы-Молота.

Во время всех без исключения прошлых пробуждений он всегда знал, где и с кем находится. Утренний ландшафт соответствовал вечернему, то же можно было сказать о женщине рядом. Как правило, речь шла о собственной квартире, собственной кровати и собственной женщине Рыбы, а ночевать вне дома и на всю катушку использовать случайные связи он терпеть не мог. В обычных обстоятельствах на едва продравшего глаза Рыбу сразу же накидывалась толпа самых разнообразных, никак не связанных между собой мыслей:

- • не пора ли менять долларовую заначку на заначку из английских фунтов, евро и юаней?
- • не пора ли менять работу?
- • не пора ли менять страну проживания?
- • не пора ли менять рубашку или сегодня еще можно походить во вчерашней?
- • не пора ли менять зубную щетку и пасту заодно?
- • не пора ли совершить что-нибудь такое (этакое), что заставит жену посмотреть на него другими (восхищенными и изумленными) глазами?

В силу инертности и прикладного характера Рыбьего мышления большинство из этих вопросов не находили ответа, а решались только незначительные — насчет рубашки и зубной щетки с пастой. И то не сразу, а после длительного обдумывания в туалете, ванной и за кухонным столом.

В это утро все было по-другому.

Хотя бы потому, что, проснувшись, Рыба-Молот не обнаружил у себя в голове ни одной мысли, даже самой ничтожной. Причинно-следственные связи, идентификация личности, воспоминания — все оказалось стертым, сорвавшимся с якоря и унесенным в открытый океан в неизвестном направлении.

Океан, — подумал Рыба, — *океан — это такая штуковина, в которой плещется много воды. Вода в океане соленая... Я знаю, что такое «океан», что такое «вода» и что такое «соленый»*, — уже хорошо. Отбросив «воду» и «соленый», он сосредоточился на океане и спустя непродолжительное время увидел над волнами чайку.

Оп-паньки, да это же всемирно известный Дзэнатан... тьфу ты, холера!.. Джонатан Ливингстон! Привет тебе, привет!..

Я знаю, что такое «холера» и что такое «дзэн», не путать с «дзынь», а также с «дзынь-дзынь»! Ситуация проясняется.

Поглазев на океан еще немножко, Рыба заметил наконец живописную группу божьих тварей, резвящихся на волнах аккурат под чайкой Джонатан Ливингстон. Рептилии? Пресмыкающиеся? М-м... млекопитающие? Да нет же, это рыбы!

Ры-бы!

Рыб было ровно четыре штуки — три муксуна (привет вам, привет!) и еще одна, напоминающая акулу, со странной головой в виде кузнечного молота.

Так это же я! — обрадовался Рыба. — *Точно я! Я и есть Рыба-Молот!*

После самоидентификации дела пошли веселее: Рыба вспомнил, что зовут его Александр Евгеньевич Бархатов, что ему тридцать пять лет от роду, что его первой женой была Кошкина, а второй — Рахиль Исааковна, что армяне — древний библейский народ, что рафинированное подсолнечное масло не годится для салатов и лучше заправлять их оливковым; что живет он в Питере и только что покинул его и уехал...

Куда это он уехал?

В «муркину задницу», как говаривала Кошкина, или, по-простому, в город Салехард, где нет даже железнодорожной станции, зато есть много водки, кривоногие продавщицы, горящие помойки и шаманы, способные струей из своего пениса столкнуть с орбиты любую зазевавшуюся звезду.

Скудные мысли о Салехарде особой радости не принесли, и Рыба-Молот попытался задвинуть их в дальний угол, заслонить другими —

об ИзящнойПтице.

Со вчерашнего дня Рыба-Молот влюблен, он влюбился еще до Салехарда, но уже после Питера... он влюбился в самолете, точно! С ИзящнойПтицей он летел одним рейсом, но она почему-то сказала, что направляется в Гонолулу. Гонолулу — это где? В Северном полушарии, в Южном? Или Гонолулу вообще не существует, как Атлантиды или Эльдорадо? *Не существует для него* — вот оно что!.. В те украшенные манго, лаймом и папайями небеса, где парит ИзящнаяПтица, вход рыбам-молотам заказан!

Чем так рвать сердце — лучше думать о Салехарде.

В Салехарде Рыба-Молот скотски напился — впервые в жизни. И видимо, совершил кучу гнуснейших (таких и этаких) поступков. Количество водки, которое он влил в свой почти что дистиллированный организм, не поддается исчислению. После подобных возлияний должна дико болеть и раскалываться голова и перманентно возникать рвотные позывы. Так гласят все самые мудрые книги на земле, все своды правил, кодексы и руководства по эксплуатации.

Но голова у Рыбы-Молота не болела, а блевать и вовсе не тянуло. Он чувствовал себя прекрасно, вернее — не чувствовал никак. Все органы, большие и малые, маскировались, как могли, сидели тихо, не курили, не чихали, не покашливали, — и поэтому определить их местоположение не представлялось возможным. Рыба попытался прощупать пульс (тот не прощупывался), приложил руку к груди — туда, где, по уверениям медиков, находится сердце (сердце тоже не стучало). В довершение ко всему, рука оказалась легкой, почти невесомой.

НЕУЖЕЛИ ПОМЕР?

Особой радости это открытие Рыбе-Молоту не принесло, но и огорчения тоже. К тому же оставался открытым вопрос, куда это он переместился, — если факт скоропостижной кончины действительно имел место. Рыба приподнялся на локте, пошире распялил глаза и огляделся.

Открывшееся перед ним пространство представляло собой расхожий вариант «детской», какой ее обычно изображают в заграничных фильмах средней паршивости. Обои персикового цвета, украшенные фигурками персонажей книги «Винни-Пух и все, все, все»; мягкие игрушки самых разных размеров — в отдалении и в непосредственной близости от Рыбы; гоночные машины и пластмассовое оружие, сваленные на полу; футбольные мячи, баскетбольные мячи и мячи для игры в регби; детские лыжи — беговые и горные, терриконы из деталей конструктора «Лего»; причудливые скелеты наполовину разобранных механизмов, стойкие оловянные солдатики... Но самым главным в «детской» была, безусловно, железная дорога.

Железная дорога вместе с сопутствующими ей приятными мелочами (мосты, фермы, будки обходчиков, переезды со шлагбаумами и без, автотранспорт, лесные массивы, фигурки людей) занимала весь центр комнаты.

Если, конечно, это была комната, а не что-нибудь другое. Чистилище, например.

Рыба-Молот не имел ни малейшего представления о том, как выглядит чистилище. И рай с адом заодно. *У каждого по-разному,* — полагал он, что русскому здорово — то немцу смерть, что немцу здорово — то французу кариес, что французу здорово — то испанцу лоботомия. Одному кажется раем именно то, что для другого ад кромешный, придет времечко — все и прояснится.

Но вожделенная ясность не наступала. Вместо нее нагрянули вчерашние волки и оборотни, закамуфлированные под охотников-самоедов в меховых парках. Не больше спички, почти бесплотные, они встали в круг на груди у Рыбы-Молота и принялись синхронно сучить ногами и махать руками. Вчерашнего страха перед малютками Рыба в себе не обнаружил, что еще больше склонило его к версии об аде-рае-чистилище.

— Пляшете? — спросил он у человечков. — Ну-ну.

В то же самое мгновение где-то в середине головы гулко застучали барабаны, и эта музыка совсем не понравилась Рыбе.

— А что-нибудь другое можете сбацать? Помелодичнее... Танго, там, или краковяк?

Человечки остановились и грохот в молотовской голове прекратился тоже.

— Ладно, пошутил я насчет танго. Отдыхайте. Не до вас.

Как ни удивительно, спокойно-пренебрежительный тон Рыбы подействовал на охотников и они, взлетев и выстроившись в уже знакомый журавлиный клин, исчезли из поля зрения. И Рыба-Молот тотчас забыл о них, потому что заработала не только железная дорога, но и включился плазменный телевизор на стене.

По телевизору передавали криминальные новости города Салехарда, из чего Рыба сделал вывод, что с адом-раем-чистилищем придется повременить. И что он все еще находится на грешной земле. У Полярного круга, потому что если бы он находился в другом месте, то и новости были бы другие.

Не салехардские.

«8 августа гражданка Ханытпек Любовь Ивановна, 1966 года рождения, покинула свой чум в стойбище Верхнее Пэртя и ушла в тундру в неизвестном направлении. Была одета в плащ-болонью синего цвета, вязаную кофту розового цвета, красный байковый халат, красный берет из мохера и резиновые сапоги. Всем, кто знает о местоположении гражданки Ханытпек или видел ее после 8 августа, просьба позвонить по указанным телефонам», — скорбно сообщил диктор, и на экране высветился номер «02».

Исчезновение чумработницы Ханытпек оказалось главной, но не единственной новостью выпуска. Далее были детально освещены три пьяные драки, поножовщина в общежитии рыбоконсервного завода, кража магнитолы из салона автомобиля «Москвич-2141», кража оленьей упряжи и потеря документов в маршрутке. Рыба-Молот ждал, что будут упомянуты его собственные полуголовные деяния, — ничего подобного!..

Потеряв интерес к телевизору, он сосредоточился на созерцании железной дороги. Маленькие тепловозы тащили маленькие вагоны, маленькие семафоры переключались с красного на зеленый и наоборот, маленькие шлагбаумы исправно поднимались и опускались. Картинка была до того ладной, веселой и идиллической, что Рыбе в какой-то момент захотелось уменьшиться до размеров малюток-охотников, оседлать тепловоз и мчаться по кругу, приветствуя всех радостным гудком.

Зато в тихом вое, который неожиданно раздался из дальнего угла «детской», радости не ощущалось. Спустя секунду к вою присоединился методичный глухой стук — как будто кто-то невидимый выискивал под персиковыми обоями «Винни-Пух и все, все, все» что-то ценное. Заинтригованный стуком Рыба перелез через кучу мягких игрушек и, осторожно, стараясь не нарушить график работы железнодорожного транспорта, пополз к другой куче игрушек, лежавшей в противоположном углу. Оттуда и раздавались все вышеозначенные звуки.

За гигантским плюшевым слоном в слюнявчике и пантерой с усами из рыболовной лески Рыба-Молот обнаружил мужа работодательницы, потомственного шамана, депутата Городской думы и вчерашнего своего собутыльника Николашу. Николаша выл и с чувством бился головой об стенку. При виде Рыбы-Молота он замолчал и оставил стенку в покое.

— Ты кто? — спросил он у Рыбы после секундного замешательства.

— Рыба-Молот. Повар. Мы вчера водку пили...

— А я кто?

— Николаша.

Просветления, на которое (произнося имя депутата) рассчитывал Рыба, у Николаши не наступило.

— А еще кто?

— Больше никого, — сказал Рыба, оглядываясь по сторонам. — Здесь только мы с тобой.

Николаша затряс головой и даже попытался оторвать ее от шеи, ухватившись обеими руками за черные жесткие волосы.

— Голова болит? — Голос Рыбы был полон сочувствия.

— Что такое «болит»?

— Болит — значит больно.

— А-а... Наверное, болит. — Николаша повалился набок и стал шептать что-то бессвязное и неудобоваримое вроде «нгылека».

«Опять шаманствует, — решил про себя Рыба, — только бы *темного и страшного* не упоминал. С бодуна чего только в больную голову не придет!»

— Нгылека! — еще раз требовательно повторил Николаша. — Куда подевались, гады?!

— Понятия не имею... Ну, вспомнил меня?

— Рыба-Молот. Повар. Мы вчера водку пили... А я кто?

— Николаша.

— А еще кто?

— Только мы вдвоем... Ну и еще этот... Ваня из магазина. Но он так... Сбоку-припеку, только компанию поддержал.

То ли от упоминания меченого Вани из магазина, то ли от общего нездоровья Николашу вывернуло прямо на пол.

— Это что такое? — Поморщившись и вытерев рот пантерой, Николаша указал на отвратительного вида и запаха жижу с кусками корнишонов и непереваренной колбасы.

— Блевотина. Ты что, не блевал никогда?

— Нет.

И чему это я удивляюсь? — подумал Рыба. — *Я ведь и сам по пьянке не блевал никогда, а самолеты не считаются.*

— Ну, соображай быстрее! Ты — Николаша. Депутат Городской думы. А я повар. Вчера приехал из Питера, буду у вас работать. В ресторане у твоей жены, Веры Рашидовны. Вспомнил?

Имя жены произвело ни с чем не сравнимый эффект.

— Верка! — замычал Николаша и снова попытался оторвать себе голову. — Верка меня живьем сожрет. Обещал ведь ей... расписку писал... Ни-ни, в рот ни капли... Вспомнил! Ты повар из Питера.

— Точно! — обрадовался Рыба.

— Будешь у нас работать, если подойдешь.

— Точно!

— А зачем ты меня напоил?

— Ты сам меня напоил.

— А почему это ты со мной на «ты»? С депутатом Городской думы?

— Так мы вроде пили с тобой на брудершафт.

Николаша бросил наконец сражаться с собственной головой и напустил на себя надменный вид:

— Что-то не припомню.

— Да неважно... Я тоже могу не вспоминать.

— И не вспоминай.

— Остальное тоже не вспоминать?

118

— Остальное — тем более. Не было ничего.

— Не было так не было, — согласился Рыба. — А чего не было?

— А ничего. Просто говорили о наболевшем. О судьбах Родины. Это если Верка докапываться начнет. Понял меня?

— Что уж тут не понять...

Не успел Рыба-Молот закончить фразу, как Николаша дернулся всем телом и забаррикадировался слоном, при ближайшем рассмотрении оказавшимся одного размера с депутатом.

— Чую, Верка идет по наши души!.. Давай, отползай! Ты меня не видел, а я тебя.

И правда, не прошло и минуты, как в детскую ворвалась Вера Рашидовна.

Белокурые волосы Веры Рашидовны клубились, как грозовые тучи, рот свело в немом крике, а глаза нестерпимо сверкали и метали молнии. Больше всего Вера Рашидовна напоминала сейчас вступившую на тропу войны греческую богиню Афину Палладу или (исходя из итальянской составляющей ее фамилии) — римский аналог Афины — Минерву.

Просканировав молниями пространство детской, Афина-Минерва наконец остановила взор на единственном достойном ее гнева объекте — Рыбе-Молоте.

Рыба сидел в кресле с открытой прямо на середине книжкой «Приключения Чиполлино» — и выглядел вполне невинно.

— Где?! — голосом, не предвещающим ничего хорошего спросила Вера Рашидовна.

— Кто?

— Муж!

— Чей?

— Мой. Где Николай?

— Понятия не имею.

— Пили?

— В меру.

— Дебоширили?

— Просто говорили о наболевшем. О судьбах Родины.

По мере приближения к креслу Рыбы-Молота Вера Рашидовна теряла сходство с Минервой. Приобретая при этом гораздо более опасное для жизни и здоровья сходство с Медузой Горгоной. В какое-то мгновение Рыбе даже показалось, что в волосах работодательницы закопошились змеи.

— Вы ведь врете, Александр Евгеньевич.

— Не вру.

— И как после этого я смогу доверить вам свой ресторан?

— С легким сердцем.

— Вы алкоголик?

— Честно говоря, я вообще не употребляю.

— А ну, дыхните.

Просьбу (вернее — приказ) невозможно было не выполнить, поскольку подкреплена она была тяжелым гипнотическим взглядом, от которого у Рыбы отнялись конечности и побежали мурашки по спине. С трудом поднявшись, он приблизил лицо к лицу Веры Рашидовны и сделал глубокий выдох. Вопреки ожиданиям Рыбы, блондинка даже не поморщилась.

— Еще раз! — потребовала она.

Рыба дыхнул во всю силу легких.

— Странно. Очень странно. Алкоголем не пахнет.

— Вот видите!

— Этого быть не может...

Не может. Ведь после вчерашних возлияний — по всем законам химии, биологии и прочих естественных наук — Рыба должен был не только валить с ног восприимчивые к запахам существа, но и изрыгать огонь.

— Я же видела вас ночью. Вы на ногах не держались!

— А это точно был я? — обнаглел Рыба.

— Очень странно, — еще раз повторила Вера Рашидовна.

Наверное, она удивилась бы еще больше, если бы увидела то, что видел сейчас Рыба:

маленькие охотники-оборотни!

Еще более бесплотные, чем обычно, еще больше похожие на дым. Охотники некоторое время покружили над головой Веры Рашидовны, образуя нечто похожее на нимб. Затем парочка наиболее отчаянных из них с двух сторон подлетела к губам Николашиной жены и приподняла их кончики.

Теперь Вера Рашидовна улыбалась!

Самой открытой, самой обворожительной улыбкой:

— Что ж, я рада, что нам предстоит сотрудничать, Александр Евгеньевич!

Эта фраза настолько не монтировалась со всеми предыдущими, что Рыба опешил. Он-то уже собирался смотать из Салехарда и только прикидывал как бы:

а) добраться до железнодорожной станции Лабытнанги, откуда ходят поезда на большую землю;

б) разжиться магнитом на холодильник, который будет напоминать ему о недолгом пребывании у Полярного круга.

Сведения о Лабытнанги и о паромной переправе, ведущей к ней, Рыба-Молот почерпнул из вчерашнего разговора с «зови меня Наташей, не ошибешься», а про магнит придумал сам. Теперь же события разворачивались на сто восемьдесят градусов. Или на сто восемьдесят пять с половиной, учитывая следующую реплику салехардской благодетельницы:

— О какой сумме мы с вами договаривались?

— Речь шла о пятидесяти тысячах рублей, — сказал Рыба, разом повысив стартовую цену своих услуг на десятку.

Стараниями маленьких охотников улыбка Веры Рашидовны стала еще шире.

— Это без надбавок и премиальных. И без этого... как его... северного коэффициента. И я сегодня же приступаю к работе.

— Что ж. Цена кажется мне вполне приемлемой.

— Хотелось бы еще обустроить квартиру. Условия там не слишком комфортные. — Рыба неожиданно вспомнил о мебели, выброшенной ночью из окна.

— Я посмотрю, что можно сделать.

— Холодильник тоже не мешало бы...

— Считайте, он уже там.

— Микроволновку, тостер и миксер. — Происходящее с Верой Рашидовной начинало все больше занимать Рыбу.

— Решим и эту проблему.

— Хлебопечку. Посудомоечную машину...

— Без вопросов.

Хлебопечка, а тем более посудомоечная машина не нужны были Рыбе и даром, но уж очень хотелось посмотреть, до какого предела дойдет Вера Рашидовна в своих уступках.

— Джакузи. Домашний кинотеатр.

— Заметано.

— Итальянская сантехника. Испанская душевая кабинка. Пол с подогревом...

— Будет сделано.

— Массажное кресло. Это когда под обивкой шарики бегают в разных режимах... Очень полезная штука.

— Я в курсе. Нам как раз завезли такие.

— Ковер.

— Завтра же доставят.

— Персидский.

— Тогда через неделю-две. Его еще заказывать надо.

— А в довесок к персидскому ковру можно заказать мебель в колониальном стиле?

— Можно. И даже нужно — для гармонии, разумеется.

— Конечно, для гармонии. Для чего же еще?

На мебели в колониальном стиле скудная фантазия Рыбы-Молота иссякла. Улыбка же Веры Рашидовны продолжала сиять, нисколько не тускнея. Вернее, это был самый настоящий транспарант с надписью «Что желает мой господин?», который поддерживали по краям дымные самодийские охотники. Очевидная сюрреалистичность происходящего заставила Рыбу (оборзевшего в своей наглости) произнести совсем уж непозволительную вещь:

— По воскресеньям мы с вами будем ходить в театр. А потом ужинать у меня дома.

— У нас нет театра.

— Тогда будем ходить в кино. Все остальное без изменений.

— Это очень лестное предложение...

— Вот и отлично. Значит, договорил...

Фраза так и осталась незаконченной. Кто-то больно ударил Рыбу под колени и он, не удержав равновесия, рухнул на пол.

— Ах ты, гад! — зашелся в крике Николаша, совершивший вероломное нападение на столичную штучку стоимостью пятьдесят тысяч целковых. — Домашний кинотеатр, да?! Джакузи?! Пол с подогревом?! Еще и жену мою решил заграбастать?!

Рыба и сам чувствовал, что перегнул палку. И поэтому защищался молча, стараясь не бить вчерашнего своего дружбана Николашу по круглой кукольной физиономии, а просто блокировать по возможности его удары.

Драка закончилась так же внезапно, как и началась: Вера Рашидовна просто ухватила мужа за шиворот и оторвала от Рыбы. Николаша повис на руке жены, как котенок, беспомощно болтая ногами в воздухе.

— А я тебя все утро ищу, — сообщила она мужу ледяным голосом. — А ты вот где, оказывается, окопался.

— Где ж мне еще быть, как не дома? — просипел Николаша.

— Уже и на работу тебе звонила...

— И что?

— Сообщили, что ты на внеочередной сессии. Это там наливают?

— На сессии не наливают...

— А что ж от тебя несет за три версты? — Для убедительности Вера Рашидовна помахала перед носом свободной рукой. — Ф-фу, вонь какая! Вы уж простите, Александр Евгеньевич...

— Это вы меня простите, — произнес Рыба покаянным тоном. — Я в некотором роде являюсь виновником произошедшего...

— Бросьте. Вы здесь ни при чем.

— Еще как при чем! — тотчас вылез с обвинениями полузадушенный Николаша. — Гад! Оппортунист! Он мне такое говорил...

— Цыц! — прикрикнула на мужа Вера Рашидовна. — Еще раз — примите искренние извинения.

— Я, пожалуй, пойду...

— И пусть идет! — опять встрял Николаша. — Пусть катится до своего сраного Питера! Я его с говном смешаю, вот увидишь!

— Заткнешься ты или нет?!

Единственным желанием Рыбы было побыстрее свалить с томной семейной вечеринки, но где искать девятиэтажку, в которую его заселили, он не знал. И ключей от квартиры у него тоже не было. Может быть, они остались у Николаши. А может, безвозвратно пропали во время их ночных передвижений по городу.

Проблема рассосалась сама собой, когда Вера Рашидовна бросила терзать Николашу («с тобой я позже разберусь») и, подхватив Рыбу-Молота под локоток, вывела его из детской.

— Еще раз простите за безобразную сцену, Александр Евгеньевич, — сказала она.

— В жизни всякое случается. Я вот ключи где-то потерял...

— Ключи?

— От квартиры.

— У меня есть запасные. Но вам, наверное, лучше остаться здесь. Пока ваш дом не будет приведен в порядок.

— Здесь? — удивился Рыба столь неожиданному гостеприимству. — Не знаю, будет ли это удобно. С точки зрения вашего мужа.

— Честно говоря, я плюю на точку зрения своего мужа. И вам советую делать то же.

Все происходящее было неправильным. С любых точек зрения. Будь Вера Рашидовна свободной от воздействия мелкотравчатых оборотней, она вела бы себя иначе. Но не станешь же хватать ее за руки и нашептывать интимно: вами манипулируют, душенька, **caution!**[1] Тем более, что все манипуляции почему-то (черт знает почему!) происходят в пользу Рыбы.

Лучше принять все, как есть, а там видно будет.

— Не хотелось бы вас стеснять...

— Никого вы стесните. Займете гостевую комнату, там вас никто не побеспокоит. Идемте, я провожу вас.

---

[1] Осторожно! (*англ.*)

Провожание много времени не заняло, так как гостевая комната находилась здесь же, в конце коридора.

— Чувствуйте себя, как дома, — распахивая дверь в нее, произнесла Вера Рашидовна. С таким эротическим подтекстом, что у Рыбы-Молота неприятно засосало под ложечкой. — Я загляну к вам чуть позже.

— Да-да, увидимся, — промямлил он на прощание.

...Оставшись один, Рыба огляделся.

Его нынешнее пристанище коренным образом отличалось от предыдущего и больше всего смахивало на гостиничные апартаменты класса «люкс». Апартаменты включали в себя собственно комнату (напоминающую поле для игры в гольф), ванную (напоминающую поле для игры в мини-гольф) и гардеробную (напоминающую поле для игры в крокет). Рыба даже огляделся в поисках мини-кара и сумок с клюшками, но ничего этого не было. А были:

дизайнерская кожаная мебель в стиле фьюжн,

дизайнерский стол со стульями в стиле хайтек,

дизайнерские светильники в виде фламинго, пожирающих лягушек,

дизайнерский телевизор, состоящий из десятка экранов разной величины,

старинные гобелены со сценами взятия Иерусалима крестоносцами в 1099 году,

современные гобелены со сценами взятия автографа Мадонны поклонниками в 1999 году,

резная деревянная кровать под балдахином,

два миниатюрных комнатных фонтана: один с фигуркой Конфуция, другой — с фигуркой Микки-Мауса,

два книжных шкафа с фолиантами, при ближайшем рассмотрении оказавшихся муляжами.

Вкуса и характера хозяйки столь причудливая обстановка никак не проявляла, зато проявляла ее финансовые возможности. Рыба немного посидел во фьюжн-креслах и за хайтек-столом, повалялся на кровати с балдахином, попил воды из фонтанчика с Конфуцием, показал «фак» Микки-Маусу (которого никогда не любил) — после чего решил принять душ.

Поле для игры в мини-гольф резко контрастировало с трехметровым закутком из девятиэтажки, где нашлось место только для сидячей ванны и раковины. К тому же *та ванна* была покрыта неприятным сизым налетом с пятнами ржавчины, а *та раковина* — вообще расколота. Здесь же было полно всякой затейливой сантехники, царила стерильная чистота и витали цветочные и амбровые ароматы.

Приняв душ в роскошной, похожей на рубку космического корабля душевой кабине и облачившись в белый махровый халат с надписью «**Prince Consort**»[1] на нагрудном кармане, Рыба почувствовал себя счастливым.

Или — почти счастливым.

Полному счастью мешала странная боль в правой щиколотке. Боль не была ярко выраженной, лишь немного саднящей. От нее было достаточно легко отмахнуться, но отмахиваться Рыба не стал. Он вернулся в комнату, снова устроился на кровати и принялся за детальное изучение источника беспокойства.

Приблизить внешнюю сторону щиколотки к глазам оказалось довольно сложно: когда же Рыба сделал это, приняв позу, достойную женщины-змеи из второсортного шапито, то едва не грохнулся в обморок от увиденного.

На щиколотке расцвел цветок.

Цветок красовался в самом центре гигантского синяка, отсылавшего Рыбу ко вчерашнему инциденту в са-

---

[1] Принц-консорт (*англ.*).

молете, когда ИзящнаяПтица ударила его по ноге острым каблуком. Синяк был совершенно естественным следствием потасовки, а цветок — совершенно противоестественным. Из разряда миниатюрных волков и оборотней, неожиданно принявших сторону Рыбы-Молота. Ощупав кожу, Рыба пришел к выводу, что цветок — ненастоящий (это вообще не полезло бы ни в какие ворота!), что он — всего лишь рисованная стилизация, напоминающая татуировку.

До сих пор на теле Рыбы не было ни одной татуировки. Хотя время от времени возникала мысль каким-то образом украсить собственное тело, создав таким образом художественный противовес шраму на животе. Но дальше неопределенных спорадических мечтаний дело не шло: из-за невозможности выбрать из множества рисунков один — во-первых. И из-за болевых ощущений при его нанесении — во-вторых. Рыбе вполне хватило садистской эпиляции волос на груди и рисковать своим здоровьем он больше не хотел.

Цветок походил на татуировку — и в этом был его плюс.

Цветок немного портило окружение в виде синяка — и в этом был его минус.

К минусам можно было отнести и женственность цветка (Рыба предпочел бы что-нибудь побрутальнее — тигриную морду или *карты, деньги, два ствола*). А также странное его возникновение, похожее на заговор сил неизвестной ориентации: хорошо, если силы светлые. А если — темные?

Послюнив палец, Рыба потер синяк с цветком посередине. Боль усилилась, но цветок при этом не исчез. И вроде бы даже стал ярче.

Широко раскрытый зев цветка придавал ему сходство с орхидеей. И — немного — с тропическими насекомоядными растениями, целую колонию которых Рыба видел в одном из натуралистических фильмов компании ВВС. Если он — дело рук (вернее — каблуков) ИзящнойПтицы, то это можно трактовать как послание. Или как два послания, взаимоисключающих друг друга:

• ИзящнаяПтица извиняется за неадекватное поведение, сожалеет о драке и в знак примирения преподносит ему цветок;

• ИзящнаяПтица предупреждает о том, что приближаться к ней опасно. А если Рыба-Молот будет пыркаться, искать встреч и приставать с ненужными разговорами о культуре и искусстве, то его постигнет участь насекомого, которые пачками гибнут в пищеварительном тракте росянок, непентесов и прочих венериных мухоловок.

Рассуждения Рыбы-Молота выглядели абсурдно и смахивали на горячечный бред. Но не был ли бредом сам цветок? Волки и оборотни? Загадочные эсэмэсы от неведомого сотового оператора PGN?.. В Питере ничего подобного с Рыбой-Молотом не случалось, в Питере все было абсолютно разумно, банально и приземленно, без налета нездорового мистицизма. А еще говорят, что Питер — город мистический, Рыба с Рахилью Исааковной просмотрели целую кучу программ на эту тему! Теперь же выходит, что заштатный городишко Салехард по части мистики и «необъяснимо, но факт» дает сто очков вперед творению Петра.

А здесь еще и северные сияния бывают! И полярная ночь!..

Дальнейшее бурение ирреальных пластов вечной мерзлоты было чревато для обоих полушарий мозга и обеих нервных систем — центральной и периферической. Поэтому Рыба решил не драматизировать происходящее, а отнестись к нему как к данности. Рано или поздно ясность наступит, хотя, как утверждал кто-то из киногероев, «ясность — одна из форм полного тумана».

...Вера Рашидовна появилась через час.

Она осторожно поскреблась в дверь, как какая-нибудь горничная. И вошла только после того, как **Рыба** трижды, на разные лады и с разной степенью громкости произнес: «Да-да, прошу вас! Входите! Не заперто».

— Ну, как устроились? — спросила хозяйка-горничная.

— Великолепно. Право, не стоило так беспокоиться...

— Стоило.

— Я мог бы обойтись чем-то более скромным...

— Не могли. Отдельные пожелания будут?

— Никаких. Разве что... бутылочку минералки на вечер. А сейчас я бы хотел ознакомиться с местом работы, если вы не возражаете.

— Не возражаю. Едемте.

Спустя двадцать минут они уже подъезжали к зданию, в котором расположился вверенный г-же Родригес-Гонсалес Малатеста ресторан. Здание было не лишено европейского лоска (как, впрочем, и большинство зданий центрального квартала) и выглядело вполне респектабельно. На фронтоне красовалась свежеповешенная вывеска:

«НУМБЫМГОЙ».

— Это название заведения? — слегка опешил Рыба.

— Да, — после непродолжительно молчания сказала Вера Рашидовна. И взглянула на вывеску так, как будто видела в первый раз. — Должно быть, название.

— И что означает «Нумбымгой»?

— Э-э... Понятия не имею. Очевидно, что-то специфически ненецкое.

— Национальная ненецкая кухня? — осенило Рыбу.

Перед приездом в Салехард он пытался ознакомиться с основами местной кулинарии и даже посетил несколько тематических сайтов, но ничего утешительного для себя не нашел. В ненецкой кухне царила скудость, слегка задрапированная мороженной рыбой, нерпичьим жиром, оленьим салом и квелыми ягодками на посошок. И — понятное дело — олениной, которая превосходна сама по себе, но составлять сто процентов блюд в меню не может по определению.

— Только не ненецкая! У меня от одного упоминания о ней цинга начинается!

— Но название... Выбирая то или иное название, вы позиционируете и кухню. — Оседлавший любимого конька Рыба наставительно поднял палец.

— Это все Николаша, гаденыш...

— Вы были не в курсе?

— В курсе, — с долей сомнения в голосе произнесла Вера Рашидовна. — Но не думала, что все зайдет так далеко... Впрочем, название можно и сменить.

— Это затратно. — Рыба внимательно осмотрел метровые пластиковые буквы, намертво пришпиленные к металлическому кронштейну.

— Другого выхода нет. А... какое название предложили бы вы?

— Не знаю... В зависимости от того, что за слой населения вы собираетесь привлечь...

— Платежеспособный, естественно.

— ...и мы опять возвращаемся к кухне.

— Вам самому какая больше нравится?

— Европейская. Средиземноморская... Русская, в конце концов. Но я бы остановился на средиземноморской.

— Хорошо. Давайте остановимся.

131

— Так вы согласны?

— Вверяю себя в руки профессионала.

— Теперь прикинем название. Что-нибудь географически соответствующее... «Барселона», там, или «Венеция». Или «Мальтийский сокол». А можно придумать нейтральное, но чтобы выглядело посолиднее. Чтобы обыватель примерно представлял себе, куда идет и сколько денег придется выложить. Это ведь будет дорогой ресторан, я правильно понимаю?

— Не дешевый, — подтвердила Вера Рашидовна.

— Можно назвать заведение «Фаворит». Слово многозначное...

— Можно, — согласно закивала головой работодательница. — Но только такой ресторан в Салехарде уже имеется.

Рыба огорчился: из множества точек общепита, в которых он когда-либо работал, две функционировали под именем «Фаворит» и с этими двумя у шеф-повара А.Е. Бархатова были связаны самые теплые воспоминания. В самом прямом смысле теплые, ведь обе эти точки находилась в условно-субтропической курортной зоне между Адлером и Туапсе.

— Тогда «Император».

— Есть такая сауна. Можем посетить ее... в порядке ознакомления с местными достопримечательностями и сферой досуга...

Снова эти эротические нотки! Да еще приправленные томным взглядом коровьих глаз *либен клейне Габи* из немецкой порнушки!

— Ну, это подождет, — скоренько прервал ненужные поползновения Рыба-Молот, перекладывая руку г-жи Родригес-Гонсалес Малатесты со своего колена на ее собственное.

— Конечно, подождет, —

высоко вздымающаяся грудь и раздутые ноздри Веры Рашидовны недвусмысленно намекали: ждать она может сколько угодно... до разумных пределов.

— Я была замужем за испанцем, — неожиданно призналась она. — А до этого — за итальянцем...

— Здесь, в Салехарде? — ступил Рыба.

— Зачем же здесь? Здесь испанцы не произрастают. И итальянцы тоже. Климат дерьмовый. Прекрасное здесь не приживается, гибнет на корню.

— Как же вас сюда занесло?

— Действительно, как? Теперь уже и не припомню точно... А вы похожи на итальянца. Та-акой Казанова...

— Может, назовем ресторан «Казанова»? — сказал Рыба. Только для того, чтобы отвести Веру Рашидовну от оврага, на дне которого неплохо просматривалась вероятность измены мужу.

— Прелестно! — с энтузиазмом поддержала Рыбу потенциальная изменница. — Но у нас уже есть магазинчик для взрослых с таким названием. Кстати, можем заглянуть и в него. Хи-хи-хи... Вам уже исполнилось восемнадцать?

— Нет. Только будет. В июле следующего года.

— А вы шутник. — Вера Рашидовна игриво погрозила Рыбе наманикюренным пальцем. — Шутник и Казанова в одном флаконе. И душка... сущая душка!

Кем-кем, а Казановой Рыба-Молот не был никогда. Как не был шутником и душкой. И назвать его русопятую, расплывчатую внешность «итальянской» мог только идиот. Или человек с альтернативными взглядами на антропологию. Или... человек, живущий в своей собственной реальности, а попросту — сумасшедший. Сумасшедшей Вера Рашидовна не выглядела, как не выглядела идиоткой и ученым-антропологом. Следовательно, ее сознанием искусно манипулируют, подсовывая нужную картинку. И Рыба видел манипулянтов в лицо, вернее — в мерзкие волчьи и оборотневые хари. Вмешательством этих харь и объясняется неожиданно вспыхнувший интерес салехардской дивы к ничем не примечательному повару Саше Бархатову. Ничем другим.

Из создавшейся ситуации можно было бы извлечь дивиденды, и тип менее порядочный и чистоплотный, чем Рыба-Молот, обязательно ею воспользовался.

А Рыба не будет. Ни за что. Хренушки.

Вот если бы...

Вот если бы на месте Веры Рашидовны вдруг оказалась ИзящнаяПтица!

Тогда бы Рыба не устоял и рискнул попытать счастья в долине Арарата, у животворящего источника, где пьют воду королевские олени с пумами и гепардами, а в полдень приходит единорог...

— ...Ну я так не играю! — Вера Рашидовна капризно надула губки. — Вы совсем-совсем меня не слушаете!

— Отчего же? Слушаю. — Рыба с трудом оторвался от созерцания долины Арарата. — Может быть, пройдем в ресторан?

— Да-да, конечно. Тем более, что люди уже ждут.

— Люди?

— Сотрудники. Я собрала их специально, чтобы вы могли со всеми познакомиться. Вариант, правда, не окончательный и вы в любой момент сможете переукомплектовать штат... С приличными работниками здесь напряженка.

— С приличными работниками везде напряженка, — веско заметил Рыба.

— Но мне, кажется, удалось заполучить самого лучшего...

Вера Рашидовна в очередной раз попыталась завладеть коленом Рыбы-Молота — и завладела бы, если бы он не выскочил из джипа как ошпаренный. Вздохнув, напористая дамочка последовала за ним.

Перед тем как войти внутрь здания, она еще раз взглянула на вывеску с не внушающим никакого доверия словом **«НУМБЫМГОЙ»**.

— Действительно, ужас! Демонтировать, и немедленно!..

Помещение ресторана оказалось довольно вместительным: метров сто, не меньше. Сейчас оно пустовало, лишь в дальнем углу стояли штабеля одинаковых деревянных ящиков.

— Мебель, — пояснила Вера Рашидовна. — Стулья, столы, барная стойка... Барная стойка как раз и будет там, где стоят ящики. Это удачное место, как вам кажется?

— Вполне. А где же... сотрудники?

— Сейчас поищем.

Сбившихся в кучу сотрудников они обнаружили на кухне, которая в скором времени должна была стать вотчиной Рыбы-Молота. Их было немного, всего-то пять человек — четыре мужчины и одна женщина. И все они (за исключением одного) напомнили Рыбе Николашу: те же круглые плоские лица, тот же разрез глаз, те же жесткие черные волосы. А женщина еще и подходила под описание пропавшей гражданки Ханытпек — в части красного байкового халата, розовой кофты и резиновых сапог. Только мохерового берета при ней не оказалось.

— Представители коренной национальности? — поинтересовался Рыба у Веры Рашидовны.

— Николаши, подлеца, родственники, — ответила та.

— Имеют опыт работы в общепите?

— Затрудняюсь сказать... Но кушают они хорошо.

Заведя Рыбу-Молота на кухню, Вера Рашидовна тотчас исчезла, шепнув напоследок: «Знакомьтесь с персоналом в непринужденной обстановке, а я загляну через часок. Поедем куда-нибудь, пообедаем». Оставшись без назойливого попечительства г-жи Родригес-Гонсалес Малатесты, Рыба вздохнул с облегчением и приступил к знакомству.

Ненцев звали так же простецки, как и мужа хозяйки: Василий, Тимофей и Тимофей Тимофеевич. Женщину — Мария Петровна, из чего Рыба сделал вывод, что байковое чудо в резиновых сапогах вовсе не является гражданкой Ханытпек.

Пятый сотрудник (ему Вера Рашидовна прочила должность повара-стажера при Рыбе-Молоте) на ненца не походил. Но и назвать его чистым европеоидом было затруднительно. Рыба, сам проживший хренову тучу лет в далекой от метрополии местности, знал об этом ползучем проникновении этносов друг в друга — даже если они формально не смешивались.

— Ян Гюйгенс, — представился пятый.

— Можно просто Ян?

— Ян Гюйгенс. Это имя. Одно без другого не существует.

— Странное какое-то у тебя имя...

Ян Гюйгенс (на вид ему было не больше двадцати) терпеливо, без излишней горячности, объяснил Рыбе, что имя никакое не странное, а самое обыкновенное, голландское. И что покойные родители (царствие им небесное) назвали его так в честь пращура, известного исследователя Ямала и окрестностей — Яна Гюйгенса ван Линсхоттена. И что он тоже Ян Гюйгенс ван Линсхоттен по паспорту. И что для того, чтобы получить эту запись в документе, ему пришлось изрядно попотеть, подтверждая родство. И даже посылать запрос не только в центральный архив в Москву, но и в архивы исторической родины.

— Уважаю, — только и смог сказать Рыба, по жизни не отличавшийся особой настойчивостью в достижении целей.

Еще большее уважение у Рыбы вызвала толстенная книга в руках Яна Гюйгенса. Распухшая от дикого количества закладок, она называлась еще более дико: «Когнитивные модели функционирования естественных и искусственных систем».

— Любитель чтения? — хмыкнул Рыба, придавленный непонятным словечком «когнитивные».

— Вроде того, — отозвался Ян Гюйгенс.

— Думаю, в твоей будущей работе *это* тебе не пригодится.

— Кто знает... — с прущим из всех щелей достоинством ответил Ян Гюйгенс.

— А я вот тоже люблю книжки полистать на досуге. — Рыбе, неизвестно почему, захотелось понравиться потомку голландского исследователя Ямала. — «Чайка по имени Джонатан Ливингстон» — моя любимая. Читал?

— Читал, конечно. Это Ричард Бах. Только я, в отличие от автора, не увлекаюсь дзэн-буддизмом. Предпочитаю изучать другие религии и верования.

— Какие, например?

— Всякие.

— А местные?

— Местные — прежде всего. Я ведь потомственный этнограф, историограф и собиратель земель...

— А что ж на кухню решил устроиться?

— Временные материальные затруднения, — коротко ответил Ян Гюйгенс.

В света последних событий, имеющих ярко выраженный мистический оттенок, молодого ван Линсхоттена можно было считать подарком небес. И Рыба решил воспользоваться презентом не сходя с места.

— Не бойся, обижен не будешь, паренек, — покровительственно сказал он Яну Гюйгенсу. — Материальное положение мы поправим. Но и ты... должен кое-что мне объяснить. Ввести в курс дела относительно кое-чего.

— Чего?

— Нгылека, — выпалил Рыба-Молот.

Произнесенное вслух, слово покатилось по кухне, как шар по дорожке в кегельбане. И, спустя мгновение, достигло группы ненцев, кучкующихся у новенькой, блестящей хромом плиты на десять конфорок. Если бы ненцы были кеглями, то все до единого попадали бы на пол, и бросок Рыбы-Молота можно было считать сверхудачным. Но ненцы кеглями не были, и потому ограничились выпучиванием глаз, размахиванием рук и короткими вскриками, в которых читался животный ужас. А Мария Петровна, как наиболее слабое ненецкое звено, даже попыталась хлопнуться в обморок. И хлопнулась бы, если бы ее не поддержали остальные.

В отличие от слабонервных нацменьшинств, Ян Гюйгенс сохранил спокойствие и лишь слегка дернул подбородком.

— Я бы не советовал вам произносить вслух то самое слово. Во всяком случае, не в присутствии этих людей, — шепнул он Рыбе.

— Почему?

— Давайте-ка выйдем. Покурим... И я все вам объясню.

Оставив ненцев переживать услышанное, Рыба с Яном Гюйгенсом вышли в зал и устроились на ящиках с мебелью.

— Ну? — Голос заинтригованного до последней возможности Рыбы дрожал от нетерпения. — Так что такое «нгылека»?

— Злые духи, если верить ненецкой мифологии. Они завладевают душой человека и насылают болезни. И часто — смерть. Обычно их представляют в образе волков и оборотней. Либо жутко неприятных волосатиков — их еще называют нгаятары... А если взять шире — в образе врагов, которых у любого человека предостаточно... Вот у вас есть враги?

До сих пор врагов у Рыбы-Молота не было. Разве что недоброжелатели из числа претендентов на место повара, если предпочтение оказывалось Рыбе. Вообще, молотовские мягкость, простодушие и крайне позитивная (граничащая со слабоумием) жизненная философия заранее выбивали из рук потенциальных врагов все карты. Все виды оружия — от нейтронной бомбы до перочинного ножа. С некоторой натяжкой можно считать врагами пару-тройку армейских сослуживцев, отравивших первый год службы. Да еще белый испанский лук, от которого Рыба рыдмя рыдал всякий раз, когда приходилось его чистить, резать крупными кольцами и мелко шинковать. В разряд недоброжелателей попадали также Палкина с Чумаченкой (и то не факт), вчерашняя змея-бортпроводница (факт фактический) и... возможно — ИзящнаяПтица. Ведь она сказала ему прямым текстом: «Ненавижу, когда такие типы, как вы...» Вряд ли это относилось к Рыбе напрямую — и все равно, обидно!..

— С врагами не густо, — с каким-то даже сожалением произнес Рыба. — А волков и оборотней я видел.

— В кино?

— Почему в кино? То есть в кино, конечно, тоже... Я видел их вчера ночью.

— И что они делали в вашей компании?

Пугали до смерти своим видом. Отплясывали что-то ритуальное. А потом сбили с толку добрую хозяйку, хотя их никто об этом не просил. Вот что делали проклятые

139

*мелкотравчатые духи. Впрочем, не такие уж мелко-
травчатые, учитывая тот ущерб, который они могут
нанести.*

Молодой Ян Гюйгенс выглядел человеком разумным,
твердо стоящим на земле и лишенным всяческих предрассудков, как и положено тому, кто читает «Когнитивные модели функционирования естественных и искусственных систем». В противном случае он читал бы что-нибудь другое: «Как вести себя, если инопланетяне застали
вас в местах общего пользования» или, там, «Как обору-
довать алхимическую лабораторию в условиях мегаполи-
са». Вдруг он не поверит в то, о чем собирается рассказать
Рыба-Молот, и поднимет его на смех?

— А ты сам-то веришь в духов? — осторожно спросил
Рыба.

— Трудно сказать. Скорее нет, чем да. Я — исследова-
тель, а исследователи опираются только на факты. Фак-
тов присутствия духов мною лично зафиксировано не
было...

— А мною было.

— Вот как?

— Я их видел. Своими глазами. Прямо как тебя, —
придвинувшись к Яну Гюйгенсу зашептал Рыба. — Я тебе больше скажу. Они даже попытались в меня войти...
Что бы это значило?

— Для придерживающего традиционных верований
ненца — однозначно дурную весть. Но вы ведь не ненец...

— Нет.

— Так что все обойдется. — Губы Яна Гюйгенса сами
собой сложились в ироническую улыбку. — Вряд ли им
есть до вас дело. Да и с чего бы они могли вам явиться?

— Ни с чего, просто под раздачу попал... Без вины
виноватым оказался! Вчерашний вечер пришлось про-

вести с мужем хозяйки. И он упомянул этих самых духов. И еще некоего Нга. Или некую Нга. Или некое, уж не знаю, что это «Нга» означает.

— Нга — местный хозяин преисподней. Дьявол понашему. Люцифер. Иблис. Сатана. Как вам будет угодно.

Никак.

Никак не будет угодно. От сказанного Яном Гюйгенсом Рыбу заштормило. Внедрение в организм сатаны и его приспешников — вещь куда более серьезная, чем аппендицит, конъюнктивит, опущение почек и рези в желудке. А именно рези и боли разного характера чувствовал сейчас Рыба; солировала, как и в прошлый раз, барабанная дробь в висках. К тому же не ко времени вспомнились все просмотренные с Рахилью Исааковной «Экзорцисты»: от первого (с бесхитростными комбинированными съемками) до последнего (с леденящими душу компьютерными эффектами). Фильмы про экзорцизм на первый взгляд заканчивались вполне благополучно. Но хитрые продюсеры всегда оставляли для дьявола лазейку, чтобы продолжить сериальную колбасу и срубить побольше бабла. А в жизни... В жизни случаются истории похлеще, чем в кино!..

— Может, Николаша на меня напустил эту пакость? — высказал предположение Рыба. — Больше некому.

— Не думаю.

— Ты-то его знаешь?

— Имел несчастье столкнуться пару раз.

— Здесь все говорят, что он шаман.

— Все? Кто именно?

Источники информации Рыбы выглядели весьма сомнительно, если принять во внимание строго научный подход к проблеме потомственного этнографа и историографа: какой-то там меченый грузчик, какая-то там недоделанная продавщица из ларька. Показаниями этих vip-персон ван Линсхоттена не прошибешь!

— Знающие люди, — отделался сущей абстракцией Рыба-Молот. — Мне сказали об этом знающие люди.

— Местные бухарики?

— Зачем же так... Вполне уважаемые члены общества.

— И что же это за общество? Чистых тарелок? — Ян Гюйгенс откровенно издевался над Рыбой.

— Общество в самом широком смысле... Социум, одним словом.

— Бредни. Кликушество чистой воды.

Рыба страстно хотел поверить своему новому знакомому. Но не мог.

— То есть ты утверждаешь, что он не шаман? У него и бубен есть...

— И у меня есть. Висит на стене в качестве артефакта... Это ни о чем не говорит.

— А духи... эти самые нгылека... я видел, как они у Николаши из глаз посыпались.

— Из глаз? — позволил себе усомниться Ян Гюйгенс. — Ненцы считают, что духи заползают в рот, когда человек спит. Так что глаза здесь ни при чем. И вообще... Николаша — порченый.

— Что значит «порченый»?

— То и значит. Неправильный ненец. Из тех, что пытаются дернуть Нга за пипиську и посмотреть, что получится. Рано покинул стойбище, воспитывался в каком-то интернате, где особого почтения к корням не проявляли... Исчезал на несколько лет. Потом снова появился. Уже со своей нынешней женой. Подробностей я не знаю. И думаю, никто не знает. Лучше, конечно, держаться от него подальше, если есть такая возможность.

— Потому что он шаман? — опять завел волынку Рыба-Молот.

— Потому что он — дерьмовый человек.

Дерьмовый, да! Это тебе не отроки, *таких не берут в космонавты*, а в депутаты Городской думы, выходит, берут?

— Да пес с ним, с Николашей... Меня больше духи волнуют. Эти самые нгылека. Кажется, они имеют на меня виды.

— В каком смысле? — Ян Гюйгенс озадаченно почесал переносицу.

— Вертятся вокруг меня. Создают атмосферу неловкости...

— По отношению к кому?

— Да хоть к кому. К хозяйке, например. Не знаю даже, как объяснить...

— Объясните как-нибудь.

До сих пор Ян Гюйгенс беседовал с Рыбой в довольно снисходительном тоне, но теперь почему-то напрягся. Снова стал чесать переносицу и дергать подбородком, как будто одно упоминание о Вере Рашидовне доставляло ему неприятные ощущения. Или это были не неприятные ощущения, а совсем наоборот?

— Она ведь красивая женщина. — Рыба-Молот начал издалека.

— Очень.

— Прямо-таки роскошная.

— Мечта поэта, — вздохнув, подтвердил Ян Гюйгенс.

— Состоятельная. Была замужем за иностранцами. И как после всех этих... наверняка благородных людей можно было клюнуть на карлика?

— Я называю его крошка Цахес, —

на щеках Яна Гюйгенса вспыхнул румянец, губы выгнулись скобкой, а лицо приобрело выражение гадливости, смешанной со страданием. Да-да, Ян Гюйгенс определенно страдал!

— Хотя и говорят, что любовь зла, но не настолько же! — припечатал Рыба-Молот.

— Помрачение, по-другому не скажешь.

«Помрачение» было именно тем словом, которого не доставало Рыбе, чтобы все части картинки сложились в единое целое. Где-то в конце туннеля, заселенного волками и оборотнями, забрезжил яркий свет, и Рыба устремился к нему со скоростью европейского (испано-итальянского) экспресса. Теперь стало ясно, почему Вера Рашидовна, наверняка способная пустить голым в Африку кого угодно, так цацкается с Николашей. Выполняет все его прихоти и терпит откровенную дурь в виде мягких игрушек, Kleineisenbahn и разговоров о политических взглядах и партии власти. И депутатство наверняка было Николашиной прихотью, а «Маргарет Тэтчер Ямало-Ненецкого автономного округа» взяла и оплатила его, памятуя старинное: «Чем бы дитя ни тешилось, лишь бы не плакало». В своем нормальном бизнес- и человеческом состоянии (ведь было же оно когда-то нормальным!) Вера Рашидовна даже не взглянула бы на недопеска Николашу. Как не стала бы лебезить перед Рыбой, пытаясь предугадать его желания и откровенно флиртуя. В нормальном состоянии Веру Рашидовну должны были интересовать совсем другие мужчины — и не только испанцы с итальянцами. Но и беспривязные олигархи вкупе с директорами крупных госкорпораций, а также стриптизеры с фигурами греческих богов.

Во всем виноваты духи нгылека!

Это они раз за разом погружают г-жу Родригес-Гонсалес Малатеста в чуждую ей реальность и заставляют совершать не свойственные ей поступки. В случае с Николашей все ясно: это он, каким-то образом договорившись с волками и оборотнями, заставлял их работать на себя. Но в случае с Рыбой никакой ясности нет! Рыба ни о чем не просил их, а уж о благосклонности Веры Рашидовны — тем более!..

— Это не помрачение, — после некоторых колебаний заявил Рыба Яну Гюйгенсу. — Это духи. Духи управляют хозяйкой, а Николаша управляет духами...

— Вы давно сюда приехали?

— Вчера.

— А до этого что-нибудь знали об этих краях?

— Ничего, — честно признался Рыба.

— Может, вы как-то связаны с изучением религиозных культов? Составляли таблицы сравнительного анализа монотеизма и политеизма? Классифицировали крупные и мелкие божества? Вели курсы по теме и издавали сборники статей?

Далекий от вопросов религиоведения Рыба-Молот только вздохнул. В отличие от Рахили Исааковны, которая не отлипала от телевизора, когда начинались передачи о сверхъестественном и богословские программы «Благая весть», патронируемые «Свидетелями Иеговы» («свидетелями фиговыми», по меткому определению Кошкиной), он мог предъявить только тщедушное тельце дзэн-чайки Джонатан Ливингстон. Рыба не был истовым верующим, в церковь заглядывал только на Рождество и на Пасху, не придерживался постов (хотя и с видимым удовольствием разговлялся и знал несколько эксклюзивных монастырских рецептов приготовления куличей). Но и сторонником постижения бесовских штучек по типу «альтернативных церквей» и «воссоединимся же, други мои, пред светлыми очами Ярилы-солнца» он тоже не был. Вполне обычный, нерелигиозный человек, которые встречаются на каждом шагу.

— Нет. Не вел, не издавал и не классифицировал.

— Вот и не говорите о том, чего не знаете. Еще скажите, что летающие тарелки существуют.

— Летающих тарелок я никогда не видел, врать не буду. А духов видел.

— Ну да, ну да, —

Яна Гюйгенса, по-видимому, стал утомлять бесцельный разговор о духах. *И чего это я бисер мечу, —* неожиданно осенило Рыбу, — *нужно продемонстрировать этому сопляку маленьких охотников, и дело с концом.*

Несколько минут он пытался выманить волков и оборотней внутренними приказами, уговорами и увещеваниями, но куда-то подевавшиеся духи и носа наружу не казали. Плюнув на бесплодные усилия, Рыба даже обрадовался: может, и правда нет никаких духов, они только привиделись ему в алкогольном чаду и похмельном угаре. Но чем тогда объяснить поползновения Веры Рашидовны и ее странное желание во всем ему потрафлять?

А ничем.

Просто Рыба-Молот сам по себе человек милый и замечательный. И наконец-то хоть кто-то это оценил!

...Приехавшая ровно через час Вера Рашидовна продолжила укреплять самооценку Рыбы-Молота с прежним рвением.

— Ну, как прошло знакомство с персоналом, Александр Евгеньевич? — первым делом поинтересовалась она. — Если кто-то не устроил, говорите сразу. Выкинем вон и наберем новых.

— Я бы не стал никого выкидывать. — Рыба пребывал в самом благостном расположении духа. — Посмотрим на них в работе.

— Полагаюсь на вас. Только и исключительно. А этот парень... С голландским именем... Он не показался вам странным?

— Ян Гюйгенс? Отличный парень. Поговорили с ним о том о сем. Выяснили, так сказать, гастрономические предпочтения... А что?

— Нет, ничего. Наверное, нужно повнимательнее к нему присмотреться.

— Я уже присмотрелся. Из него выйдет толк, поверьте. Будет на кого оставить ресторан, когда я уеду.

— Уедете? — Губы Веры Рашидовны задрожали. — Не успели приехать, а уже думаете об отъезде?

— Да нет... Просто к слову пришлось.

— Вы уж не пугайте меня так.

— Не буду, — искренне пообещал Рыба.

— Ну что, поедем обедать? — взбодрилась Железная Леди.

Только тут Рыба-Молот вспомнил, что с прошлой ночи ничего не ел. Да и едой корнишоны с залежавшейся колбасой можно было назвать весьма условно. Так, подножный корм, голые, без всякой эстетики калории.

— Не мешало бы перекусить, это точно. А есть здесь приличный ресторан?

— Приличный ресторан еще не открылся. Есть не бог весть какой... Раньше, когда там заправлял Варяг из Москвы, ваш коллега... готовили на уровне.

— А сейчас?

— Сейчас не знаю.

— Будем надеяться на лучшее. — Рыба-Молот был настроен оптимистично. — Только мне нужно заглянуть на квартиру. Взять деньги...

— Нет-нет, — тут же запротестовала Вера Рашидовна. — Я приглашаю.

— Но...

— Никаких «но».

«Никаких "но"» получилось у Веры Рашидовны неподражаемо. Как будто кто-то взмахнул перед носом Рыбы-Молота кирасирским палашом. **«Никаких "но"»** было заковано в латы, украшено плюмажем и родовым гербом, пожалованным за многолетнюю безупречную службу. **«Никаких "но"»** своей железной рукой могло держать в узде кого угодно, обращать в бегство врагов и заставлять трепетать друзей. **«Никаких "но"»** пребывало в восхитительном симбиозе с губами Веры Рашидовны, до этого казавшимися Рыбе взятыми напрокат из порнофильма.

Вера Рашидовна была непростой штучкой. Совсем не простой.

— Хорошо, — сдался Рыба.

И они отправились в ресторан.

Который и вправду оказался «не бог весть». Возможно, он задумывался хозяевами как островок необузданного величия и роскоши в стиле римского императора Нерона. Но время роскоши давно прошло и ее сменил упадок: фрески на стенах облупились и требовали немедленной реставрации, лоснящаяся обивка стульев выглядела убого, полноценные тканевые скатерти заменили на бумажные. И — в довершение ко всему — на каждом столике стояли дешевые низкие вазочки с пластмассовыми цветами, отдаленно напоминающими розовые бутоны.

Пластмассовые розы добили Рыбу-Молота окончательно.

— А еще говорят, что это — символ утонченной красоты и невинного сердца, — сказал он.

— Здешние невинные сердца присели на несколько лет за мошенничество, — пояснила Вера Рашидовна.

— Кормили посетителей тухлятиной?

— Нет, с кухней было все в порядке. Это ведь их побочный бизнес. А погорели они на основном.

— И кто теперь здесь всем заправляет?

— Другие невинные сердца.

Вера Рашидовна углубилась в изучение принесенного官ициантом меню, а Рыба уставился на фрески. При ближайшем рассмотрении они оказались не слишком удачной копией сикстинских росписей Микеланджело. Правда, неизвестный художник не ограничился простым копированием, но постарался внести в хрестоматийные сюжеты свою собственную новаторскую струю. Так, Адам и Ева из знаменитой сцены грехопадения и изгнания из рая представали перед зрителем не обнаженными, а в национальной ненецкой одежде. А к Древу Познания, которое обвивала полуженщина-полузмея с лицом депутата Госдумы Слиски, были привязаны нарты. В сцене всемирного потопа над гибельной ветхозаветной пучиной барражировали вертолеты МИ-5. И среди изображенных горе-художником пророков Рыбой были замечены президент со свитком в руках и премьер, задумчиво опирающийся локтем на старинный фолиант. Но самыми волнующими, на взгляд Рыбы, оказались сивиллы: тут он нашел целую плеяду голливудских актрис и звезд шоу-бизнеса во главе с Милой Йовович и Памелой Андерсон.

Мила с Памелой удались пакостнику от живописи лучше всего. А вот к Любови Константиновне Слиске он питал явно недружественные чувства.

— Вертеп какой-то, — цыкнув зубом, произнес Рыба. — Шалман.

— Оплот дурновкусия, — поддержала Рыбу Веру Рашидовна. — Пример того, как не стоит оформлять интерьеры.

— Надеюсь у нас...

— У нас ничего подобного не будет. Только сдержанность и респектабельность. Респектабельность и сдержанность... Раньше, при Московском Варяге, здесь подавали недурное мясо. Закажем мясо?

И они заказали медальоны из телятины для Веры Рашидовны и свинину с брусникой и грибами для Рыбы-

Молота. Кроме этого, была подана бутылка красного французского вина и — по просьбе Рыбы — соус, проходивший в меню под интригующим названием «Болванский Нос».

— Может, правильнее было бы читать «Булонский Лес»? — поинтересовался у официанта Рыба, всю свою карьеру специализировавшийся на соусах и истово поклонявшийся именно французской их ипостаси — утонченной и многоингридиентной.

— Правильнее читать, как написано, — буркнул официант. — Горячее будет минут через двадцать. Вино сейчас подавать?

— Подавайте. И сырную тарелку прихватите, — вполне демократично заметила Вера Рашидовна.

Сырная тарелка резко отличалась от тех тарелок, к которым Рыба-Молот привык в других, менее экстремальных заведениях. Во всяком случае, он не нашел там ни бри, ни рокфора, ни камамбера, ни даже пармезана. Сырную лигу представляли сорта, находящиеся в самом низу турнирной таблицы (с угрозой вылета в первый дивизион): костромской, российский, адыгейский и, прости господи, пролетарский колбасный. Наличие в тарелке последнего возмутило Рыбу — равно, как и якобы французское вино якобы пятнадцатилетней выдержки, подозрительно похожее по вкусу на портвейн «Три семерки».

— Портвяшок галимый, — поморщился Рыба после первого глотка.

— Ага, — мечтательно улыбнулась Вера Рашидовна. — Чернила «Три топора»! Я по молодости столько его вылакала по подворотням — мама не горюй!..

Еще при первой встрече в аэропорту Рыба смекнул, что они с работодательницей находятся примерно в одной возрастной категории. Следовательно, атрибуты их юности (с незначительными вариациями и поправками на пол, окружение и воспитание) вполне совпадают друг с другом. Но представить Веру Рашидовну, стоящей в подворотне с бутылкой портвейна в руках!.. А почему бы и не представить? Очень даже. Легко!

— А еще было пойло под названием «Дар лозы».

— Точно! — мгновенно среагировала Вера Рашидовна. — Только мы его называли «Удар дозы». Бр-р, кислятина!

— Портвейн «Агдам»...

— Гадость!

— Кубинский ром с лошадью на этикетке...

— «White Horse»! Он меня с ног валил. А вообще — мерзость!

— А индийские ароматические сигареты! Вы курили индийские ароматические сигареты?

— Нет... — расстроилась Вера Рашидовна, но тут же воспряла духом. — Зато мы в те годы смазывали какую-нибудь «Магну» вьетнамской звездочкой и получались сигареты с ментолом.

— Сигареты с ментолом тоже были, — вспомнил Рыба. — Длинные, черные, в зеленой пачке...

— Они назывались «More». А ликер «Амаретто»?

— А спирт «Ройял»?

— И как только после всей этой дряни живы остались? — Вера Рашидовна выглядела искренне удивленной. — Не ослепли и не скопытились к чертовой матери?! Ну, выпьем за юность? Пусть она длится как можно дольше!..

Личное состояние г-жи Родригес-Гонсалес Малатесты позволяло продлить юность практически до бесконечности: от сорока — глубокий пилинг с элементами фотоомоложения, от сорока пяти — ботекс и золотые нити, после пятидесяти — круговая подтяжка лица и выборочное криогенное воздействие, ну а к семидесяти трем — глубокая крионика с полным замораживанием и последующим оживлением через сто лет и реинкарнацией в Милу Йовович пополам с Памелой Андерсон. Интересно, через сто лет она еще будет помнить о «Трех топорах» и вьетнамской звездочке?

Такие женщины, как Вера Рашидовна, не забывают ничего.

— Пусть! Пусть юность длится вечно, — подхватил Рыба-Молот и чокнулся с Верой Рашидовной портвейном, который теперь показался ему очень даже ничего. — И пусть всегда будет солнце.

— И пусть всегда будем мы! — торжественно провозгласила та часть Веры Рашидовны, которая отвечала за немецкое атлетическое порно. — Расскажите мне о себе, дорогой мой.

— Нечего особенно рассказывать...

— Ну, не скромничайте. У вас наверняка было удивительное прошлое.

— Ничего особенно удивительного в нем не было. Ну, служил в горячих точках, — неожиданно для себя мелко соврал Рыба.

— Нисколько не сомневалась в том, что вы — героический человек! — Грудь Веры Рашидовны заходила ходуном.

— Был тяжело ранен в живот, еле выкарабкался... На теле и на душе остались шрамы...

— Бедняжка!

— Потом долго не мог приспособиться к мирной жизни. Слыхали про «вьетнамский синдром»?

— Вы и во Вьетнаме воевали? — Вера Рашидовна округлила глаза.

— Ну, во Вьетнам я не успел по возрасту... И в Афган тоже. Зато побывал в Карабахе, Приднестровье и Югославии...

— Было опасно? — На глазах Железной Леди показались густые глицериновые слезы.

— Разве в двадцать лет думаешь об опасности?

— Какой вы бесстрашный!

— Обыкновенный...

— Ничуть не обыкновенный! Поверьте мне, я видела многое и многих...

В отличие от Рыбы-Молота, не сказавшего за последние пять минут ни слова правды, Вера Рашидовна не лгала. Вера Рашидовна была тертым калачом. И на раздва могла бы раскусить гнилой орех молотовского вранья.

Но почему-то этого не делала.

И Рыба-Молот ясно видел — почему. Дымные волки и оборотни, вопреки его страстному желанию, никуда не делись, они кружили в опасной близости от лица Веры Рашидовны, а двое из них пристроились поблизости от ее уха.

Хоть бы свалили куда-нибудь, задрыги, портите весь пейзаж, — с тоской подумал Рыба, — и... О-опс, упс, вуаля — зловредные нгылека исчезли так же внезапно, как и возникли, растворились в воздухе. Рыба, ободренный такой покладистостью духов, продолжил:

— И вот этот «ничуть не обыкновенный человек», который с детства питал тягу к кухне и даже получил соответствующее образование, устроился работать поваром.

— Потрясающе!

— ...пришлось поездить по стране.

— Представляю себе!

— ...и поработать за границей. Э-э... в Скандинавии. И не только.

— Надо полагать, и на юге Европы бывали, если так увлечены средиземноморской кухней?

Попасть на стажировку в Италию, Испанию и Францию было голубой мечтой Рыбы-Молота, но все как-то не вытанцовывалось. Сначала мешало отсутствие денег, потом — присутствие женщин, потом — отсутствие денег, связанное с присутствием женщин, потом... Что было потом, в просветах между женщинами и безденежьем, Рыба не помнил. Но всегда находились уважительные причины, чтобы вместо европейских гастрономических Мекк отправиться в отпуск в финскую глухомань и ловить форель на озерах близ Руоколахти. Он специально сказал Вере Рашидовне о Скандинавии, дабы не сталкиваться лоб в лоб с ее испано-итальянским прошлым, а то начнется: «А как вам Барселона? Саграда Фамилия бесподобна, не правда ли? А как вам Тоскана? А были ли вы, вашу мать, в галерее Уффици?» Что на это скажешь? —

что я даже в Уфе не был, матушка, а вы говорите — Уффици!

— Случалось и на юге Европы, — слукавил Рыба. — Но я все же предпочитаю Скандинавию. Зелень, чистый воздух и все такое... Опять же — экология хорошая.

— А я люблю континентальную Европу, прожила там несколько чудесных лет. Я и сейчас по ней скучаю. Иногда мне снятся пейзажи Тосканы... А вам не снятся?

— Нет.

— А что вам снится?

— Снится? Разное...

— А чаще всего?

Чаще всего Рыбе снились внеплановые визиты пожарников и СЭС, пересушенные утки в сметане, чернослив с косточками в том месте, где он должен быть без косточек; и еще то, что умудренный опытом повар А.Е. Бархатов вместо соли бухает в борщ кальцинированную соду. После подобных кошмаров Рыба-Молот просыпался в холодном поту, выпивал полчайника кипяченой воды и, чтобы отвлечься и унять сердцебиение, принимался за чтение оставшихся в наследство от жен тупых женских журналов.

Потому что мужские для успокоения не годились.

— Чаще всего мне снится природа, — осторожно сказал Рыба. И, помолчав, добавил: — Красивая природа. Фиорды. Скалы.

— Как романтично!

— Море.

— Обожаю море!

— Чайки. Паруса.

— Обожаю паруса! Я и сама хожу под парусом.

— Где? Здесь?

— Ну что вы! Ходить под парусом здесь — невозможно, нежелательно и глупо. Как и делать множество других приятных и просто нормальных вещей. Я хожу... Ходила под парусом в Европе. Мой первый муж, испанец, был заядлым яхтсменом. И членом королевского яхт-клуба. Наша яхта называлась «Гваделупе Маритима» — в честь одной святой, не помню уж, чем там она отличилась. После развода я ее отсудила. Яхту, а не святую, разумеется.

— Значит, у вас есть яхта?

— Есть. Стоит себе, как миленькая, в яхт-клубе города Аликанте. Это недалеко от Валенсии. Заглядывали в Валенсию?

— Нет, до Валенсии я так и не добрался..

— Иногда мне снится Валенсия. И Аликанте, и яхт-клуб, и драгоценная моя яхточка... И драгоценные мои виноградники под Фраскати! Это в Италии. Не Тоскана, конечно, но тоже симпатичное местечко.

Еще и виноградники! Как можно, имея виноградники и яхту, обречь себя на жизнь у Полярного круга?

155

— Виноградники я отсудила у второго своего мужа...

— Итальянца?

— Да.

— Как же вы оказались здесь, в Салехарде?

Вопрос застал Веру Рашидовну врасплох. Мечтательное выражение чулком сползло с ее лица, уступив место некоторой растерянности.

— Честно говоря, я не припомню... Наверное, у меня были веские основания, чтобы здесь поселиться. И даже скорее всего...

— Скорее всего, вы вышли замуж в третий раз, — подсказал Рыба.

— Точно! — Вера Рашидовна стукнула себя по лбу. — Я вышла замуж! И поскольку мой муж родом из этих краев и в Европе прижиться не смог... Пришлось перебраться сюда.

— Вы прямо жена декабриста! Добровольно сменить средиземноморское тепло на вечную мерзлоту — не всякому под силу.

— Кстати, а зачем я это сделала?

— Что именно? — не понял Рыба.

— Сменила тепло на мерзлоту...

— Вы же сами сказали — веские основания, муж...

— Да-да, конечно —

растерянность Веры Рашидовны была ничем иным, как личинкой, которая вот-вот трансформируется в куколку недоумения, а уж какое взрослое насекомое вылупится из куколки — одному богу известно. Может быть — ярость и желание все немедленно изменить, а может — чего похлеще...

— А как вы познакомились со своим нынешним мужем? — Рыба задал самый невинный вопрос из всех возможных. И снова получил маловразумительный ответ:

— Ну, как люди знакомятся... Познакомились и все тут. Я смутно помню этот момент. А не должна бы... Ведь не должна?

— У всех по-разному, — дипломатично заметил Рыба.

— Безусловно, я помню, что влюбилась практически с первого взгляда...

Рыба тотчас представил себе Николашу, его малый рост, неопределенную, битую мелкой оспой и как будто смазанную жиром физиономию, жесткие черные волосы, узкие щелки глаз. Влюбиться в такого, да еще с первого взгляда, да еще будучи роскошно-порнографической акулой, избалованной вниманием гораздо более сексуальных мужчин и поднаторевшей в судебных тяжбах... Это что-то из области фантастики или народных сказов, отличающихся известной долей иррациональности.

— ...не смогла устоять... А перед чем, собственно, я не могла устоять?

— Перед недюжинным умом?

— Хм-м...

— Перед редкими душевными качествами?

— Уф-ф...

— Перед активной социальной позицией? Недаром ваш муж является депутатом...

— Хх-а! — Левое веко Веры Рашидовны дернулось в унисон с кончиками губ. — Это ведь я сделала его депутатом, потому что ему очень хотелось им стать. А знаете, сколько я за это заплатила?.. Можно было бы купить еще одну яхту в пару к «Гваделупе Маритима»! Ну, скажите мне, зачем я это сделала?

— Потому что влюбились практически с первого взгляда, — напомнил Рыба.

— Да-да... А все остальное скрыто туманом.

Туманом, вот именно. Вернее было бы назвать туман дымом, из которого с легкостью лепятся физиономии волков и оборотней. Вот он — ключ к разгадке мезальянса! Но Рыба-Молот не торопился вставлять ключ в замок, затем пробираться в темницу, где была заточена девица-красавица Вера Рашидовна, и открывать ей глаза на происходящее. Тем более, что принесли горячее и соус «Болванский Нос» к нему.

«Болванский Нос» оказался бесхитростным соединением майонеза и томатного кетчупа, смешанных в пропорции 1:1.

— Что это такое, милейший? — спросил Рыба у официанта, поболтав ложкой в субстанции нежного розового цвета.

— Что заказывали.

— Я заказывал соус. А вот это... Это не соус. Это дрянь какая-то.

— А народу нравится, — парировал официант.

— Народу и лапша «Доширак» нравится, что с того? Вы же лапшу «Доширак» не подаете...

— Почему не подаем? Очень даже подаем. Самое популярное из первых блюд.

— Ыы-х! — выдохнул из себя Рыба, покачнувшись на стуле. — Теперь я понял, почему ваш псевдосоус так называется. Вы оболваниваете посетителей. Водите их за нос.

— Пошел ты, грамотей! Хрен моржовый! Не нравится — не жри, — лениво бросил наглец-официант и отчалил от столика прежде, чем Рыба нашелся с ответом.

Ситуация выглядела крайне неприятной: мало того что какая-то гнусная обслуга макнула Рыбу-Молота в дерьмо, — она сделала это при женщине! Варианты развития событий виделись Рыбе следующим образом:

а) он устраивает небольшой скандалез, требует книгу жалоб, требует администратора и покидает шалман в ранге мелкого склочника и кверулянта-сутяжника;

б) он не устраивает скандалез, а устраивает потасов-
ку — с боем посуды и нахлобучиванием на голову обид-
чика соусницы и тарелки со свининой. Финал потасовки (учитывая комплекцию официанта, больше похожего на вышибалу, и далекую от идеальной физическую
форму самого Рыбы) выглядит весьма туманно, чтобы
не сказать — малоутешительно.

И тот, и другой варианты никоим образом не поспо-
собствуют укреплению его авторитета в глазах Веры Рашидовны — как работодательницы и как женщины.

— Обычно я не встреваю в разборки, — глядя перед
собой остекленевшим взглядом, произнес Рыба. — Но
сейчас...

— И сейчас не надо. — Голос Веры Рашидовны распи-
рала нежность.

— Отчего же не надо? Надо!

— Оно того не стоит.

— Не стоит? Нанесенное мне... нам оскорбление?

— Позвольте мне самой разобраться, дорогой мой.

— Но...

— Никаких «но»! — выплыло из уст Веры Рашидовны
уже знакомое Рыбе словосочетание. Но теперь оно было заковано не в средневековые латы, а в бронежилет,
что намного повышало маневренность. *Так и есть, —*
подумал Рыба-Молот, — *у Железной Леди гораздо больше
рычагов давления на салехардскую популяцию официантов, чем у пришлого человека, у чужака.*

— И все-таки...

— Давайте-ка обедать, Александр Евгеньевич. Не будем портить себе аппетит.

Но аппетит оказался испорченным самими блюдами:
молотовская свинина оказалась плохо прожаренной и
чудовищно пересоленной. А Вера Рашидовна (после нескольких безуспешных попыток разрезать свои медаль-

оны на удобоваримые куски) бросила нож и снова приложилась к «Трем топорам».

— М-да... — сказала она. — При Московском Варяге мясо здесь готовили по-другому. А это просто есть невозможно.

— Не Валенсия, — поддержал ее Рыба. — И не этот... Аликанте. Вечная мерзлота, да и только.

— А что, если мы так и назовем наш ресторан — «Вечная мерзлота»?

— Нет-нет. — Рыба протестующе поднял вилку. — Нужно что-нибудь романтическое. Что-то такое, что привлекало бы людей, что выглядело бы экзотикой.

— Валенсия? Аликанте?

— Слишком расплывчато. А в названии должна быть история, должен быть сюжет. И — известный дуализм, позволяющий взглянуть на бытие с разных точек зрения... А кухня ведь тоже элемент бытия, не так ли?

Слово «дуализм» частенько употребляли сраные интеллектуалки Палкина с Чумаченкой, а слово «бытие» Рыба-Молот в свое время вырвал из клюва дзэн-чайки Джонатан Ливингстон. «Бытие» звучало намного круче, чем просто «жизнь», и придавало бесхитростным речам Рыбы-Молота известную весомость. На которую, впрочем, никто не обращал серьезного внимания. По тому же ведомству могли проходить слова:

анамнез
деструкция
десюдепорт
детерминизм
инсургенция
инсайдерская информация
морфотропия
фолликулостимулирующий гормон
эсхатология

эвристика —

но предложения с ними еще нужно было придумать, а это — задачка не для средних умов. У Рыбы, во всяком случае, решать такие задачки отродясь не получалось.

— ...Какой вы умница! — Вера Рашидовна, завибрировав всем телом, потянулась к Рыбе вместе с бокалом портвяшка.

— Ну что вы, — смутился Рыба. — Какой же я умница? Обыкновенный повар...

— А вот и нет!

— Разве что с уклоном в эсхатологию...

— О-о!

— Не чуждый эвристики и детерминизма...

— А-а-а!

— Но при этом способный на деструкцию и инсургенцию...

— М-м-м!

Рыба хотел было ввернуть еще какую-нибудь бредятину про фолликулостимулирующий гормон, но побоялся, что это дивное словосочетание (с упором на «гормон») направит Веру Рашидовну по ложному пути и вселит совершенно ненужные ожидания. Но экзальтированная работодательница уже неслась по этому пути быстрым аллюром — причем без всяких фолликулостимуляций и понуканий со стороны Рыбы-Молота. А все ее «о-о!» и «м-м-м!» были ничем иным, как звуковой дорожкой к немецкому атлетическому порно.

Вера Рашидовна заводилась самым пошлым образом, в самом неподходящем месте, с самыми непредсказуемыми для Рыбы последствиями. Чтобы как-то отрезвить Железную Леди, Рыба даже постучал вилкой по бокалу и сказал первое, что пришло в голову:

— А давайте назовем ресторан «Наполеон и Жозефина», как вам такая идея?

— Чудненькая идея! А почему именно «Наполеон и Жозефина»?

— Исторично — раз, экзотично — два, глубоко по-этично — три, и навевает мысли о любви — четыре. Ведь Наполеон и Жозефина любили друг друга...

— О, да! Все, что касается любви, — для меня свято. И заставляет сердце биться быстрее в предвкушении чудес, которые дарит любовь. Которые можете подарить вы, дорогой мой...

— Ну, я могу подарить вам отменный ужин, — промямлил струхнувший не на шутку Рыба. — Раз уж здесь с едой не сложилось. Заодно и продемонстрирую свои профессиональные навыки. Чтобы не говорили потом, что взяли на работу кота в мешке.

— Отлично! — захлопала в ладоши Вера Рашидовна.

— Тогда сдем в ресторан?

— Нет. Мы поедем домой. Дома прекрасно оборудованная кухня и много чего найдется из продуктов. А недостающие мы всегда сможем купить.

— Ну хорошо... Только чур не подсматривать. На кухне я должен остаться один.

— Я понимаю. Искусство приготовления еды сродни священнодействию. А вы — жрец этого храма гастрономии.

Угу-угу, — подумал Рыба, — жрец от слова «жрать». Но, скорее всего, жрать будут меня — со всеми потрохами и не выплевывая косточек. Надо что-то делать с распоясавшимися духами. И с подпавшей под их влияние дамочкой заодно.

...На кухне в доме Веры Рашидовны стояли холодильник и две полноценных морозильных камеры, но продуктов там было негусто —

нужных Рыбе-Молоту продуктов.

Ведь основное содержимое агрегатов составляли мороженое мясо, мороженая рыба, мороженые креветки и щупальца кальмаров, некоторое количество картошки и корнеплодов, неопрятного вида пельмени и полуфабрикаты в лице (опять же находящихся в глубокой заморозке) люля-кебабов, пожарских котлет и шницелей. Ужасающую картину немного разбавляли сырная и мясная нарезка и консервированный горошек с консервированными же персиками. Проинспектировав полки, Рыба-Молот впал в глубокое уныние.

— Вот этим вы питаетесь? — спросил он у Веры Рашидовны.

— Не всегда...

— Это — самая настоящая гадость. Ничему, кроме гастрита и язвы, не способствующая. Надо бы разнообразить меню. Включить в него настоящие полноценные продукты, а не эту мертвечину! У вас дома кто-нибудь отвечает за кухню?

— Вроде бы Хадако, двоюродная тетка мужа. Хотя я не уверена...

— Ясно. Гнать надо таких ответственных. Рынок-то у вас здесь есть?

— Вообще-то, я по рынкам не езжу. Но должен быть.

— Отлично. Туда и отправимся.

После посещения рынка, отличавшегося от питерских лишь бьющими все рекорды ценами («а что вы хотели, дорогой мой, это же Полярный круг»), дела пошли веселее. Рыба, разжившийся свежатиной, плюс зелень, плюс фрукты, плюс специи, плюс барбарис, эстрагон, зера и веселенькие свежие побеги спаржи, решил приготовить не одно блюдо, а сразу несколько. Чтобы снять все вопросы относительно своей профпригодности — если они еще у кого-то оставались. Понятно, не у Веры Рашидовны: одурманенная духами, она приняла бы из рук Рыбы-Молота и емкость с цикутой собственного производства — с толченым льдом, лаймом и листиками мяты. И прежде чем отправиться в мир иной, потребовала бы добавки.

— А можно мне посмотреть, как вы будете готовить? — смиренно попросила Железная Леди, как только Рыба вымыл руки и напялил на себя фартук.

— Я же сказал — нельзя. Через часок — милости прошу. А раньше — ни-ни.

С трудом отправив хозяйку по своим хозяйским делам (которых у нее наверняка было выше крыши), Рыба приступил к готовке.

В вечернем меню, наскоро им сочиненном, значились:

— запеченная со специями радужная форель;

— свиные отбивные с хрустящей корочкой и белым перцем;

— фаршированные шампиньоны;

— освежающий напиток с лаймом, листиками мяты и толченым льдом, но без цикуты.

Кроме того, он решил испечь банановый хлеб с цукатами и миндалем и просто хлеб с добавлением чеснока, кардамона и тмина.

Трепещи, Вера Рашидовна! Трепещите домашние Веры Рашидовны — во главе с Николашей и нерадивой двоюродной теткой со странным именем Хадако.

Но не к ночи помянутый Николаша и не думал трепетать. Он появился на кухне, когда готовка близилась к концу: хлеба́, которыми Рыба жаждал накормить всех страждущих, подходили, корочка на отбивных румянилась, а форель выпустила густой янтарный сок.

Неслышно подкравшись к Рыбе, Николаша гаркнул ему в самое ухо

— Кашеваришь?! Ну-ну!

Рыба-Молот, в это самое время измельчавший зелень, с перепугу рубанул ножом себе по пальцу. Кровь брызнула фонтаном, и он едва не потерял сознание. Непонятно от чего больше — от вида глубокой раны или от вида воинственно настроенного мужа Железной Леди.

— Не жилец, — торжественно констатировал Николаша, запрыгнув на край стола.

Рыба сунул раненый палец в рот, обсосал его и, стараясь сохранить спокойный и даже беспечный тон, сказал:

— Ничего. До свадьбы заживет. От этого еще никто не умирал.

— До какой-такой свадьбы? — насторожился Николаша.

— До какой-нибудь. Абстрактной.

— На Верку, что ли, глаз положил? — по-своему интерпретировал слова Рыбы карликовый муж. — Только здесь тебе не обломится, так и знай.

Тут Рыбе надо было промолчать, а лучше — спросить, как себя чувствует депутат после ночных возлияний и утреннего похмелья. Посочувствовать, хлопнуть по плечу, рассказать анекдотец. Но... вместо этого Рыба (не иначе, как науськиваемый гнусными духами) сдерзил:

— Почему же не обломится? Тебе ведь обломилось.

— И не думай. — Николаша поднял обе руки и застыл в воинственной позе паука-каракурта.

Но пауков-то как раз Рыба-Молот не боялся, наоборот, испытывал к ним нечто вроде симпатии. А все потому, что до дзэн-чайки по имени Джонатан Ливингстон прочел еще одну книжку с зоологическим уклоном — «Восьминогие охотники» венгерского писателя Эрвина Турчани, иллюстрации Ласло Ребера, издательство «Корвина», 1966 год.

— Еще как подумаю.

— Я тебя сгною, — мрачно пообещал Николаша.

— Рискни здоровьем.

— Я тебя... упеку на всю катушку за... за хулиганские действия в отношении депутата Городской думы. Представителя партии власти!

— Ась? — Рыба приложил к уху здоровую руку. — Не того ли это депутата и представителя, которому купили должность по его многочисленным заявкам?

— Гад! — Лексикон Николаши не отличался особым разнообразием. — Еще и за оскорбление тебе зачтется!

— Плюю на тебя! — парировал Рыба.

— Слюны не хватит! — парировал Николаша. — Сам захлебнешься!

— А вот посмотрим!

— Посмотрим, посмотрим!

— Забыл, кто я? — Николаша, кажется, нащупал неведомую Рыбе тактику и слегка приободрился.

— Пигмей, вот кто! Карлик злобный! Крошка Цахес! — Так называл Николашу Ян Гюйгенс, и Рыба, неожиданно вспомнив об этом, не преминул пустить *крошку* в дело.

— Вот тут ты ошибаешься. Я тебе не пигмей, я — потомственный шаман. И я на тебя такое нашлю — не обрадуешься! В муках подыхать будешь! Только червь от тебя останется!..

Вот что выпустил из вида впавший в раж Рыба-Молот: депутат Городской думы и вправду был шаманом. Об этом свидетельствовали туманные намеки очевидцев, его собственный опыт общения с бубном и шкурой, струя из депутатского пениса, вылетающая под давлением в сорок атмосфер. И наконец — страшные, несущие смерть духи нгылека, которые посыпались намедни из Николашиных глаз, чтобы...

чтобы накинуться на Рыбу. И возможно, свести его в могилу.

Рыбе-Молоту резко поплохело. А от мысли, что визит духов — не случайность, а спланированная Николашей акция, на манер древнегреческой засылки Троянского коня, поплохело еще больше. Минута-другая — и Рыба повалился бы перед Николашей с холопским воем: «Не дай погибнуть, благодетель, век за тебя буду бога молить!» Но Николаша сам испортил все дело, неожиданно сказав:

— Вернешь духов — может, и прощу. Не буду применять санкций. И в живых останешься, только придется тебе убраться отседова.

— Каких духов? — прикинулся шлангом Рыба.

— Неважно каких. Верни и все. Тебе с ними не справиться, подохнешь, как собака.

— Ты же не подох.

— Я — одно. Я за них дорого заплатил. Я за них душу продал.

Кому именно он продал душу, Николаша не пояснил. А Рыба и спрашивать не стал, чтобы не углубляться в дебри холодного земляного ада. Или как там выглядит ад у ненцев? Надо бы спросить у всезнайки Яна Гюйгенса...

— Не знаю я ничего ни про каких духов.

Николаша покраснел, сморщил рот и стал что-то говорить: быстро-быстро, тихо-тихо, на непонятном Рыбе языке. И тотчас же в висках Рыбы-Молота застучали барабаны, запели тетивы, а где-то в глубинах мозга послышался устрашающий рык и отдаленный лай. Затем вступила еще парочка не слишком приятных звуков: как будто где-то (в несчастной Рыбьей голове, где же еще!) трещала, искрясь, электропроводка. И какая-то тварь (злобные духи, кто же еще!) елозила пенопластом по стеклу. Последний звук Рыба-Молот ненавидел особенно. Ненавидел с детства, до трясучки и обмороков. И потому изготовился упасть с копыт долой, предварительно изумившись — откуда это у него в башке пенопласт со стеклом? И — паче того — электропроводка? И что будет, если она таки перегорит?.. Додумать про электропроводку Рыба не успел, потому что рот его самопроизвольно открылся и... из него вылетели слова — причем на том же языке, на котором причитал Николаша. И звучали они примерно так: *«Нгылека сийда нямгу!»* Появление этих диковинных слов сопровождалось спецэффектами в стиле театрализованных шоу мага и чародея Дэвида Копперфильда, а именно: разноцветным туманом и вспышками огней. Кроме тумана и огня, были еще комья серой, похожей на порох земли, на ходу трансформирующиеся то ли в животных, то ли в птиц. Каких именно — Рыба не разглядел, потому что они, едва появившись, тут же рассыпались и исчезали.

Неизвестно, что произвело на Николашу большее впечатление, — сами слова или действо, им сопутствующее, но он затрясся, сполз на пол и забился под стол, закрыв голову руками. А потом и вовсе отключился. А неприятные звуки в голове Рыбы улетучились сами собой. Озадаченный таким поворотом дела, Рыба присел перед столом, с лежащим под ним депутатом, на корточки и впал в глубокую задумчивость. Означает ли происшедшее, что духам надоело пребывание в чужеродно-европейском теле и они всем скопом переместились в родные ненецкие пенаты? Вот если бы так!

Правда, в этом случае Рыба-Молот теряет свою власть над Маргарет Тэтчер Ямало-Ненецкого автономного округа, и ее снова приобретает Николаша.

Да и хрен с ней, властью.

Ничего хорошего от нее не будет, одна сплошная неловкость и двусмысленность. К счастью ли, к сожалению, но прелести Веры Рашидовны нисколько не воодушевляли Рыбу в долгосрочной перспективе. Особенно сейчас, когда он узнал о существовании Изящной Птицы. Вот кто мог составить его мужское счастье — ИзящнаяПтица, а отнюдь не Вера Рашидовна, пусть и окруженная яхтами и виноградниками. Мысли Рыбы-Молота снова устремились к абстрактной долине Арарата, где бродили абстрактные звери, часть которых была занесена в средневековые бестиарии, а часть — в Красную книгу. Мысли устремились бы и дальше, непосредственно к ИзящнойПтице, но их полет был неожиданно прерван очухавшимся Николашей.

Для начала он застонал и открыл глаза — сначала правый, а потом левый. Не то, чтобы Николашин взгляд напугал Рыбу-Молота, — скорее огорчил, таким он был тусклым и безжизненным. Припорошенным той самой серой землей, из которой были сотканы исчезнувшие божьи твари.

Нгылека не вернулись к старому хозяину — Рыба откуда-то знал это. Как знал и много чего другого. И это было новоприобретенное знание, целый пласт которого осел где-то в глубине. Оно касалось каких-то червей и каких-то Красных Чумов, и каких-то Семи Сестер, и числа «семь» как такового, и громоздящихся друг на друга полувосклицаний типа *хэвы, хэхэ нензямда»* и *«хабцяко пин, пин»*. При желании можно было напрячься и разобрать это знание по косточкам, рассортировать и упорядочить его. Вот только желания у Рыбы не возникло. И вряд ли оно возникнет в будущем, ведь все то, что ему вложили в голову или в какие-то другие части тела, — ненужно и неприменимо. Неспособно украсить еще ненаписанную книгу «Из жизни карамели и не только».

Исследователю-энтузиасту Яну Гюйгенсу это было бы наверняка полезно. А скромному повару Саше Бархатову — нет, нет и еще раз нет!

А все, что *неполезно,* — нужно немедленно исключить из рациона и не мучить организм.

Придя к такому решению, Рыба-Молот приободрился и даже дружески подмигнул Николаше:

— Ну что, на каждую хитрую гайку найдется болт с винтом, а, депутат?

Видно было, что Николаше очень хочется ответить Рыбе, да так, чтобы век помнил, — но он благоразумно промолчал.

— Вылезай!

Николаша помотал головой и ухватился за ножку стола. Вылезать он не хотел, а может, не мог: уж очень слабым он выглядел. Да еще нездоровый румянец на щеках и бисеринки пота на лбу! Добросердечного Рыбу тотчас же накрыло волной жалости к страдальцу. Ведь по большому счету, ничего плохого депутат Городской думы ему не сделал. Разве что нажрался водки за Рыбий счет и совсем по-детски угрожал расправой и пугал злыми духами. На последнее обстоятельство не стоит вообще обращать внимание, а что касается пьяных ночных похождений... Будет что вспомнить впоследствии! — ведь жизнь Рыбы всегда протекала без особых потрясений: за вычетом нескольких армейских инцидентов, разводов с Кошкиной и Рахилью Исааковной и встречи с ИзящнойПтицей. Жизнь Рыбы была похожа на лениво колышущийся студень — так что немного горчички ей не повредит.

— Ты того... перегнул палку, брат, — примирительно сказал Рыба. — Но я на тебя не сержусь. И на жену твою не покушаюсь. Я вообще люблю другую! А что касается духов...

Губы Николаши мгновенно стали пергаментными, вступив в резкое цветовое противоречие с горящими, пунцово-красными щеками.

— Духи тебя убьют, вот увидишь, — тихо сказал он. — Эти духи — зло, а зло никого не щадит.

— Тебя же пощадило!

Николаша только рукой махнул:

— Я — другое дело. Я знаю, как с ними управляться...

— И управляйся себе на здоровье. Но ко мне с разговорами о них не подкатывай, даже слушать тебя не буду.

— Скоро ты никого не услышишь. И ничего не увидишь. *Я'Миня падвы падарта ил малей...*

В голове Рыбы незамедлительно послышались легкий треск и покашливание, и голос знаменитого синхрониста-переводчика Володарского произнес: «Написанная богиней запись подошла к концу».

А этот-то откуда взялся? — несказанно удивился Рыба-Молот, но углубляться в происходящее не стал. Лишь подумал о том, что голова его, видимо, весьма привлекательное место. И не только для духов. Это раньше никакой особой активности в ней не наблюдалось, но сейчас все может измениться. Если наплевать на угрожающий смысл фразы про некую богиню и некую запись.

Так он и поступит. Наплюет и все тут.

— Есть хочешь? — с преувеличенным энтузиазмом спросил он у Николаши. — Ужин — пальчики оближешь. Обещаю.

— Ничего не хочу. И есть не хочу. И оставь меня в покое.

Рыба пожал плечами (*в покое так в покое!*) — и в это самое время в дверь кухни поскреблись.

— Алекса-андр Евгенье-евич! Можно к вам? — томно произнесла из-за двери Вера Рашидовна.

— Твоя! Зайдет сейчас, а ты под столом сидишь. Неудобно.

— Мой дом, где хочу — там и сижу, — ответил по-прежнему безучастный ко всему Николаша.

— Нет. Нехорошо это.

— А на чужое рот разевать хорошо?

— Говорю же тебе, не разеваю я, не разеваю!

— Александр Евгеньевич! — продолжала взывать Вера Рашидовна.

— Одну секундочку!..

Николаша ужом прополз мимо Рыбы-Молота и схоронился за стоящим у окна обогревателем.

— Меня здесь нет и не было, — сообщил он из-за белого, метр на метр щита. — И ты меня не видел.

— Как знаешь... Только глупости это все. Детский сад, штаны на лямках.

— На лямках или не на лямках — не твое дело, — ответствовал щит. — Посмотрим сейчас, как ты не покушаешься.

— Дурак!..

И в то же самое время двери кухни распахнулись и в нее влетела Вера Рашидовна.

— Кто это здесь дурак? — спросила она.

— Я. Я дурак, — тотчас нашелся Рыба. — Забыл положить лавровый лист...

— А пахнет божественно!

Сама Вера Рашидовна тоже пахла божественно. И выглядела ничуть не хуже, чем пахла: маленькое коктейльное платье из черного шелка, нитка жемчуга на шее, диадема в волосах. Дополняли картину обновленная прическа (крупные локоны, спадающие на плечи в художественном беспорядке), обновленный маникюр, обновленный макияж и сумочка-конверт, зажатая подмышкой.

У Рыбы слегка потемнело в глазах от такого зрелого (и даже перезрелого) великолепия.

— Да-а, — только и смог сказать он. — Садо-мазо Новый год!..

«Садо-мазо Новый Год» было любимым выражением армейского дружбана Рыбы-Молота — Коляна Косачева. Оно употреблялось постоянно и выражало весь спектр возможных человеческих эмоций — от полного неодобрения до полного приятия, восхищения и восторга. Рыба и думать о нем забыл, но оно само напомнило о себе. И хорошо еще, что явилось в гордом одиночестве, без длиннющего нецензурного шлейфа, сопровождавшего любую тираду Коляна.

— Садо-мазо? — мгновенно отреагировала Вера Рашидовна.

— Это так, к слову пришлось, — насмерть перепугался Рыба. — Это просто такое выражение, без всякого смысла. Без того смысла, о котором вы подумали...

— А вы знаете, о чем я подумала?

— Нет. — Рыба поспешил откреститься от мыслей Веры Рашидовны, которые самым бесстыжим образом выпирали из ее декольте. Ведь для их реализации потребовалось бы задействовать весь ассортимент местного секс-шопа «Казанова». — Понятия не имею, о чем вы подумали.

— А мне почему-то кажется, что вы видите меня насквозь...

— Не вижу!

— И чувствуете малейшие нюансы в движении моей души...

— Не чувствую!

— И читаете меня, как открытую книгу...

— Я вообще не читаю. У меня времени на чтение нет!

— Какой вы все-таки интересный мужчина! — страстным голосом прошептала Вера Рашидовна и попыталась приблизиться к Рыбе-Молоту вплотную.

Рыба среагировал мгновенно и заслонился первым, что подвернулось под руки: блендером и орехоколкой.

— Ужин готов, — промычал он.

— Да-да, ужин... — Вера Рашидовна задумчиво поскребла пальцем по блендеру. — Ужин в честь моей испанской свадьбы был невыносимо скучен, хотя на нем присутствовало сто пятьдесят человек... Ужин в честь моей итальянской свадьбы был еще скучнее, хотя на нем присутствовали певец Пупо и певица Рафаэлла Карра.

— Пели чего-нибудь?

— Несколько песен дуэтом и не особенно выкладываясь. Престарелые халтурщики, мать их ети!

— Нужно было пригласить Адриано Челентано...

— А вам нравится Челентано?

— Мне нравится Ив Монтан. Песня «Ля бисиклетте». И Жак Брель. И еще... Жорж Брассенс, Жорж Брассенс, Жорж Брассенс.

— Это французы? — уточнила Вера Рашидовна.

— Вроде того.

— Берут дорого?

— За что?

— За выступление, разумеется.

— Боюсь, что нам их не достать...

— Ерунда. Достать можно кого угодно. Мне вон эксклюзивную Мадонну на корпоратив предлагали и Бой Джорджа, но они такие суммы заломили, заразы!.. Остров можно было бы купить в Тихом океане. А зачем мне остров? Остров у меня уже есть.

— В Тихом океане?

— Именно. В Тихом. Можно будет слетать на Новый год. Вы как?

— Ну, до Нового года еще дожить надо... — уклонился Рыба от прямого ответа.

— Я в принципе...

— И я в принципе. А что касается этих французов... Их не достать, потому что они вроде как умерли.

— Все пятеро?

— Почему пятеро? Жорж Брассенс, Жорж Брассенс, Жорж Брассенс — это один человек.

— Ха-ха! А я думала — трое! Как в адвокатских конторах: «Ривкинд, Ривкинд и Ривкинд». Или «Усков, Усков и Усков».

— Есть и такие?

— Есть всякие. Но те французы... Они ведь не единственные? Кто-то еще остался? Не помер?

— Наверняка.

— Я учту это на будущее.

— На какое будущее? — удивился Рыба.

— Ну, какое у нас может быть будущее? Светлое, разумеется...

От окна, где стоял белый обогреватель, донеслось уже знакомое Рыбе методичное гулкое постукивание: не иначе как бедный Николаша бился головой о металл.

— А насчет садо-мазо... Я, конечно, не являюсь его сторонницей и никогда не практиковала... А вы?

— Я? Тоже не практиковал.

— Но в порядке эксперимента...

Стук за обогревателем усилился.

— Что это там такое? — Вера Рашидовна наконец оставила в покое блендер и перевела взгляд на окно.

— Понятия не имею. Может быть, коммунальные службы трубы прочищают... Или какая-нибудь птица в окно стучит. Дятел.

— Что-то я не вижу там никакого дятла. Да и дятлы здесь не водятся.

— Да бог с ними — и с дятлом, и с окном. Ужинать, немедленно ужинать! — воззвал Рыба-Молот. — Иначе все остынет и будет уже не таким вкусным...

— Вы правы, дорогой мой. А после ужина... После ужина вас ожидает сюрприз.

Сюрприз! Только это не доставало! Чутье подсказывало Рыбе, что от сюрпризов находящейся под воздействием духов Веры Рашидовны ничего хорошего ждать не приходится.

— Э-э... И какого рода сюрприз?

— Приятный. А больше я ничего вам не скажу.

— Ну, хотя бы намекните...

— Если намекну — сюрприза не получится. Сами все увидите. Вам понравится — обещаю...

* * *

ГЛАВА ЧЕТВЕРТАЯ — *в которой Рыба-Молот приобщается к культурным ценностям, спасает от верной смерти обхамившего его официанта, принимает участие в немецком атлетическом порно с комментариями специалистов, теряет мочку левого уха и бежит из Салехарда*

...Сюрприз Веры Рашидовны был гнусноват и отдавал людоедством — если посмотреть на него с точки зрения порядочного и великодушного человека (каким, безусловно, являлся Рыба-Молот). Сюрприз был явлен по окончанию ужина, затянувшегося глубоко за полночь.

Ужинали в гостиной, оформленной в широко распространенном на средиземноморском побережье стиле «рустика»: рельефные стены из камня, покрытые венецианской штукатуркой; несметное количество ниш разного размера и конфигурации; керамические, металлические, деревянные вазы и блюда. На этом стиль «рустика» заканчивался и начинался стиль «дурно понятая эклектика»: шкура антилопы на стене, две шкуры зебры на полу, чучело крокодила, чучело северного оленя.

176

Скульптура бога Аполлона с лицом Николаши, скульптура богини Деметры с лицом Веры Рашидовны. Африканские маски. Посмертная маска композитора Бетховена. А то, что Рыба поначалу принял за низкий и широкий, но несомненно действующий аквариум с тучей гуппи, барбусов и вуалехвостов, оказалось обеденным столом.

— Здорово, да? — Вера Рашидовна стрельнула хорошо отретушированными глазами в сторону гуппи и вуалехвостов.

— Я просто поражен!

— Я сама это придумала. Сидишь себе, обедаешь или ужинаешь — а прямо под тобой живые существа. Снуют туда-сюда, туда-сюда...

— И как же вся эта система функционирует? — Рыба не на шутку заинтересовался столом-аквариумом, стоявшим на массивных бронзовых ножках в виде львиных голов.

— Не знаю. Знала бы — была бы изобретателем Поповым!..

Если школьная память не изменяла Рыбе, Попов изобрел электрическую лампочку, а совсем не аквариум. И при чем тогда здесь Попов?

— ...А так — приходит человек раз в три дня, который все про это знает. Чистит, убирает, меняет воду...

Нет, изобретатель Попов изобрел радио, а совсем не лампочку! Точно, радио!..

Успокоившись насчет Попова и с трудом оторвавшись от созерцания аквариума, Рыба-Молот переключился на картины.

Их было около десятка — без всякой системы развешанных по стенам. Окаймленные дорогущими рамами, они тем не менее выглядели странновато. Поначалу Рыбе показалось, что малевал их все тот же лже-Микеланджело из шалмана. Но Вера Рашидовна рассеяла его подозрения.

— Жоан Миро, — скромно сообщила она, ткнув пальцем в одну из картин. — Первый вариант знаменитого «Персонажа, бросающего камнем в птицу». А вот еще один Миро — эскиз к «Натюрморту со старым башмаком». Тэ-экс... Что еще? Один Шагал, два Анри Руссо. Ну и так, по мелочи — Магритт, Макс Эрнст и этот... как его... Пикабия. Франсис Пикабия. Пикабию с Максом Эрнстом отсудила у своего итальянского мужа. По мне — так ничего выдающегося, мазня мазней, но дело принципа.

Рыба-Молот слабо разбирался в сюрреалистической живописи, предпочитая ей кондовый соцреализм в духе Дейнеки, Лактионова с Герасимовым и картины «Опять двойка». И в этой своей (дремучей и необразованной) части полностью солидаризировался с Верой Рашидовной насчет *мазни мазней*. О половине художников, упомянутых хозяйкой, он и слыхом не слыхал. За исключением Шагала (репродукция на коробке шоколадных конфет), Магритта (репродукция на упаковке с кофе) и Жоана Миро (сюжет по телевизору в высоколобой программе «Сферы»).

— А Жоана Миро, видимо, у испанского мужа отсудили? — подмигнул Рыба Вере Рашидовне, демонстрируя вовлеченность в узкий круг знатоков и ценителей живописи. — Испанцы любят своих художников...

— Не-а. Сама купила. Название понравилось.

— Которое «башмак»?

— Которое «персонаж». А «башмак» в запале приобрела, в полном помутнении. Аукцион, знаете ли... А это покруче всякого казино будет.

Вопреки ожиданиям Рыбы, Вера Рашидовна не стала развивать тему казино и с места в карьер предлагать прошвырнуться в ближайшее и расстаться с миллион-

178

чиком-другим. А может, и выиграть другой-третий. Сказала лишь:

— Вообще-то, в казино я не играю. Сдерживаю себя. Подвержена азарту, знаете ли. И как натура увлекающаяся, все могу спустить, до последней нитки. Р-раз — и компании нет. Р-раз — и другой нет. И остались от бизнеса рожки да ножки.

— А у вас есть несколько компаний? — вежливо поинтересовался Рыба, у которого тоже было несколько компаний: компания бывших жен, компания Палкиной с Чумаченкой, компания Агапита, часто меняющаяся компания работников тех или иных ресторанов и... И пожалуй, все.

— А-а, — махнула рукой Вера Рашидовна. — Нефтедобывающая, нефтеперерабатывающая, транспортная. Ну и сеть отелей на Адриатике. Да что об этом говорить! Скучистика! Рутина.

— Вам виднее, —

Рыба был потрясен услышанным, особенно — сообщением о сети отелей на Адриатике. Нефтедобыча, нефтепереработка и транспорт волновали его мало — но сеть отелей! Да еще в тепленьком местечке, куда Рыба-Молот подсознательно стремился всю свою сознательную жизнь! Сеть отелей — это что-то!.. Адриатический мираж, возникший где-то на горизонте, на мгновение помрачил некрепкий разум Рыбы-Молота. И он, впав в искушение, снова подумал о том, что неплохо было бы закрутить с Верой Рашидовной роман. Тем более что она вроде как не против. И сама стремится к этому всеми фибрами своей прожженной бизнес-души. Потому что... Потому что лучше уж Вера Рашидовна в руках, чем ИзящнаяПтица в небе.

Но слегка подзабытая сеть сотового оператора PGN (ничуть не менее таинственная, чем сеть отелей на Адриатике) так не считала: телефон Рыбы, до сих пор лежащий без дела в заднем кармане джинсов, завибрировал и из него полились первые такты оды «К радости» Бетховена. Про которую Рыба знал, что она является гимном Евросоюза (сюжет об этом тоже имелся в анналах высоколобой программы «Сферы») — и больше ничего.

— Какая у вас музычка занятная, — отметила Вера Рашидовна, пожирая глазами Рыбу и вытащенный им телефон.

— Бетховен, — небрежно бросил Рыба и уставился на дисплей.

«НЕ ВЗДУМАЙ!» — гласило сообщение. Самое короткое из всех полученных.

Сеть отелей на Адриатике тотчас стала тлеть и рваться — звено за звеном. И улетучилась, как дым, оставив Рыбу в тягостных раздумьях. «Не вздумай!» понятно что — ухлестывать за Маргарет Тэтчер Ямало-Ненецкого автономного округа, иначе...

Что — иначе?

Иначе облысеешь и покроешься фурункулами.

Иначе оглохнешь на правое ухо и окривеешь на левый глаз.

Иначе получишь воспаление легких вкупе с красной волчанкой.

Иначе... иначе пройдешь мимо единственной, предназначенной только тебе женщины и никогда не будешь счастлив.

Последнее «иначе» выглядело самым предпочтительным и самым человечным. Но Рыбу смущала краткость послания. И скрытая в нем агрессивность — как раз такая, какой всегда отличалась его вторая жена. Рахиль Исааковна частенько говорила Рыбе — *не вздумай то, не вздумай се*. Но Рахиль Исааковна в данный конкретный момент времени сидит в Израиле. И никаким образом не может отследить, чем и кем занят Рыба. Если, конечно, не наблюдает за ним при помощи хитрого суперспутника-шпиона. Полученного в личное пользование от израильских спецслужб, которые, в свою очередь, получили его от американских спецслужб. Которые, в свою очередь, сняли его с инопланетной летающей тарелки, обломки которой хранятся на знаменитой базе ВВС США «Неллис», в знаменитой «Зоне 51» (штат Невада). Передачу об этой хорошо законспирированной местности они с Рахилью Исааковной смотрели по ТВ, причем дважды — в вечернем и утреннем показе.

Представить, что Рахиль Исааковна — пусть и опосредованно — связана с инопланетянами, было выше Рыбьих сил, поскольку фантастику (научную, ненаучную и просто фэнтези) он не жаловал никогда. За исключением истории с отроками: к пионэрам Вселенной Рыба-Молот (стараниями Агапита) относился, как к родным.

Но что, если с инопланетянами связан он сам?

И сеть PGN представляет собой портал, который качает информацию от Рыбы к некоей, зависшей в верхних слоях атмосферы летающей тарелке. Причем перекачка идет в оба направления, вот он и получает указания в удобочитаемой форме!

О подобных вещах снимается каждый третий сериал под грифом «За гранью возможного». А документальные свидетельства о похищениях людей и внедрении в человеческий организм мыслеформ-паразитов органического и неорганического происхождения!..

О, ужас! Ужас-ужас-ужас!

При мысли о паразитах Рыба скроил такую физиономию, что Вера Рашидовна не на шутку взволновалась:

— Какие-то неприятные известия? — спросила она, кивнув на телефон.

— Нет-нет, все в порядке!

— Вы только скажите, Александр Евгеньевич...

— Я и говорю — все в порядке.

Сеть PGN, кто бы за ней ни стоял, относилась к Вере Рашидовне с явным предубеждением — и в этом случае лучше не сталкивать их в лоб. А просто пронаблюдать за ситуацией — когда-нибудь все непременно разрешится и точки над «Ё» будут поставлены. Ко всеобщей радости или ко всеобщему несчастью.

— Просто пришло сообщение от моего старинного друга, — соврал Рыба. — Он физик-теоретик. Прислал кое-что любопытное из последних... э-э... космогонических теорий.

— Вы и в этом разбираетесь? — Вера Рашидовна уставилась на Рыбу с плохо скрываемым обожанием.

— Ну, как вам сказать... Интересуюсь. На любительском уровне.

— Вы неподражаемы! О, как вы неподражаемы!

— А вы, я смотрю, тоже любите Бетховена. — Рыба-Молот кивнул на посмертную маску Бетховена, висящую на стене.

— А это Бетховен? — всплеснула руками Вера Рашидовна. — Ну надо же! То-то я смотрю, что эта маска не похожа на другие! Купила их оптом в маленьком магазинчике в Найроби, и меня, представьте, уверяли, что все это — традиционные африканские промыслы.

— Может быть, кто-то из тамошних резчиков тоже является поклонником Бетховена?

— Не исключено.

— Бетховен — великий композитор, — тут же сморозил банальность Рыба-Молот.

— Полностью с вами согласна!

— Одна его «Лунная соната» чего стоит!

— Да-да-да! Кажется, в позапрошлом году я слушала «Лунную» в исполнении Лондонского Королевского симфонического оркестра. А может, и не его... А может, это был и не Бетховен.

Лучше бы это все-таки был не Бетховен, потому что в противном случае легкий околомузыкальный треп грозил перерасти в музыковедческую дискуссию с упоминанием как можно большего числа произведений. А ничего, кроме уже названной «Лунной сонаты», в голову Рыбе не лезло.

Должно быть, Вера Рашидовна думала так же — и они переключились на обсуждение достоинств ужина, приготовленного Рыбой. Железная Леди нашла свиные отбивные чрезвычайно (чрезвычайно, чрезвычайно, чррррреззззззвычааа-айно- *ам-ам*) эротичными и пробуждающими самые смелые фантазии. А прикосновение слегка подсушенной плоти форели к губам и языку — похожим на французский поцелуй, *кстати, как вы относитесь к французским поцелуям, дорогой мой?*

В это самое время Рыба-Молот, все еще напрягавший извилины по поводу Бетховена, вспомнил о существовании бессмертной композиции «Посвящение Элизе». И о существовании гораздо более смертного с точки зрения вечности графического наброска «Ленин, слушающий "Аппассионату"». Висевшего над барной стойкой в ресторане «Залп «Авроры», куда Рыба ходил устраиваться на работу, но так и не устроился (по идеологическим соображениям). Ленин с французским поцелуем не монтировался никак. И потому Рыбе потребовалось небольшое количество времени, чтобы изъять из башки дедушку-революционера и сосредоточиться на поцелуе.

— Хорошая вещь, — осторожно произнес он, судорожно пытаясь вспомнить, чем французский поцелуй отличается от обычного.

— Сами французы называют его «поцелуем душ». Поэтично, не правда ли?

Абстрактные «души» не приблизили Рыбу к пониманию сути вопроса. Но он, на всякий случай, сказал:

— Французы вообще поэты... Одни соусы у них чего стоят... Бешамель, борделез, велюте, валуа, шофруа, деми-глясе... Не названия, а музыка... Аппассионата в кубе... В десятой степени. Э-эх!..

Напрасно Рыба-Молот упомянул о соусах, ох, напрасно. Знал же, чем все кончится: бурная соусная стихия захватит его целиком и понесет — черт знает куда, черт знает зачем. Так всегда и бывало с фанатом соусов А.Е. Бархатовым: стоит произнести одно из сакральных названий, как тут же расширяются горизонты, и раздвигаются, кряхтя, горы, и образуются новые русла. По которым и мчатся нежные, ласкающие кожу потоки: теплые и холодные, густые и не очень. С ароматами мускатного ореха, тимьяна, малабарской корицы, дижонской горчицы, мадеры и чеснока. А если нырнуть в восхитительно-кремовую глубину, то можно обнаружить и другие ингредиенты: измельченные грибы, нарезанные кубиками трюфеля, тончайшие полупрозрачные пластинки бекона... Звездочки бадьяна, сами собой выстраивающиеся в созвездия, по которым прокладывали свои пути еще древние финикийцы с древними китайцами. И созвездие Кассиопеи играет там не последнюю роль. Да-а... Пряные звезды под тобой, питательный мясной бульон вокруг тебя, а если добавить еще и несколько столовых ложек желе из крыжовника!.. Рыбу так увлек сплав по соусной реке, что он не заметил перемен в пейзаже.

Ему вдруг стало трудно дышать, а во рту появилось инородное тело.

Непохожее на безвольные шампиньоны, ускользающий трюфель, изменчивый бекон. Инородное тело было куда крепче и по своим свойствам напоминало шахтерский бур. Настолько усовершенствованный и работающий на таких оборотах, что достигнуть центра земли, пройти сквозь него и выйти со стороны Австралии ему не составило бы особого труда. Но центр земли вкупе с Австралией интересовал бур меньше всего. Рыба — вот кто был его главной целью. Бур с увлечением исследовал все впадины и выпуклости во рту Рыбы, шарил по зубам, вгрызался в нёбо и норовил достать до миндалин. *Разворотит здесь все к чертовой матери, — молнией пронеслось в Рыбьем мозгу, — как потом восстанавливать? Ни один стоматолог не возьмется, ни один хирург-пластик. А возьмутся — так за такие деньги, что придется квартиру заложить...*

Но, вопреки опасениям Рыбы, зубы выдержали натиск, челюсть устояла и не соскочила с шарниров, а миндалины так и остались на месте. Бур, между тем, переключился на язык и завертел его с бешеной скоростью, стараясь вырвать с корнем. После тридцатисекундной обработки ощущения Рыбы сменили знак с минуса на плюс, и он даже стал находить в процессе некоторое удовольствие. А через минуту вообще решил, что это похоже на танец. И не просто танец, а зажигательный латиноамериканский — румбу или самбу. Или ча-ча-ча в профессиональном исполнении. Сам Рыба был далек от хореографии, клубов не посещал и на диско-вечеринках в стиле «ретро» не отрывался. И потому довольно быстро устал от ускоренного темпа и музыкального размера 4/4. Но к кому обратиться со смиренной просьбой о выходе из танцевального марафона? Где заседает жюри?

Проблема решилась в то самое мгновение, когда Рыба-Молот подумал о жюри. Бур прекратил свою работу и выдвинулся наконец изо рта, на ходу втягивая в себя резцы и трансформируясь в ярко-красный кусок мяса. А проще говоря — язык.

Из языка можно было приготовить отличное заливное и подать его с хреном. Но вряд ли это понравилось бы Вере Рашидовне, ведь язык принадлежал ей! А сама она оказалась сидящей на коленях Рыбы и сжимающей его торс мертвой хваткой.

— Ну, как вам мой французский поцелуй? — тяжело дыша, спросила Вера Рашидовна.

— Феерически, — ответил Рыба, деликатно пытаясь освободиться от осьминожьих объятий.

— Понравилось?

— Не то слово...

— Повторим?

— Э-э... чуть попозже, если вы не возражаете. Дайте в себя прийти...

— Вы уж меня простите — не удержалась. Вы рассказывали о соусах — и так страстно, так возбуждающе...

— Соусы — предмет моих неустанных изысканий. Соусы и конфеты ручной работы. — Рыба раздул щеки и покровительственно похлопал Веру Рашидовну по оголенной спине.

— Что вы говорите!

— Я даже собираюсь издать книгу кулинарных рецептов. «Из жизни карамели и не только».

— Какое интригующее название! И какое емкое!

— Да, звучит неплохо.

— Издательства, поди, воюют друг с другом за право опубликовать ваш труд?

— Не без того...

— Не сомневаюсь, что это будет новое слово в кулинарии!

Впервые за долгую историю возни с гипотетической книгой кто-то слушал Рыбу с вниманием и почтением. И относился к его словам серьезно — не то что зубоскалки Кошкина с Рахилью Исааковной. Да и кем они были, по большому счету? Не слишком успешные и не слишком выдающиеся женщины без гроша за душой. Другое дело — Вера Рашидовна! Авторитетная полуолигархическая самка, владелица компаний, владелица о-о! отелей, где Рыба мог бы играть первую гастрономическую скрипку и иметь пятьсот... нет, тысячу человек в подчинении! А то, что она одурманена духами нгылека... Что ж, всякое случается в этой жизни, — вот и духи случились.

От неожиданно пролившейся благодати, вслед за щеками раздулись и остальные органы Рыбы-Молота — печень, почки, легкие и сердце. И сам он раздулся непомерно, перекочевав из разряда детских надувных шариков в разряд воздушных шаров, а затем — аэростатов.

Аэростат-Рыба завис над землей (мелкой и никчемной, унавоженной макулатурными кучами из когдалибо издававшихся книг по кулинарии). Сюда не долетали птицы, но изредка долетали слова Веры Рашидовны:

— я как чувствовала... что наша встреча будет судьбоносной... потому и отправилась встречать вас сама... хотя могла послать кого угодно...

— Говорите еще, говорите, — поощрили динамики, которыми было оснащено подбрюшье Аэростата-Рыбы.

— я не верю в случайности, дорогой мой... хотя я была замужем определенное количество раз... но это не имеет никакого значения... для вас я чиста... чиста...

Последние слова потонули в странном свисте и шипении: где-то в боку Аэростата-Рыбы самопроизвольно образовалась дыра и из нее стал выходить воздух. Он выходил до тех пор, пока Аэростат-Рыба наконец не сдулся и не рухнул вниз с заоблачных высот.

— ...Вам снова звонят, — проворковала Вера Рашидовна.

Рыба вздохнул, спустил с рук Железную Леди и полез в карман за телефоном, который не просто звонил и вибрировал, а долбил в ягодицу на манер дятла.

Новое сообщение от сети PGN полностью продублировало предыдущее:

«НЕ ВЗДУМАЙ!»

— Очередная космогоническая теория?

— На этот раз кое-что об изменениях в структуре туманности Лисий Мех, — скоренько вспомнил Рыба предотлетные лекции Агапита.

— И что же там произошло?

— Вспыхнула сверхновая.

— Это как-то угрожает нашему существованию?

— Нашему — точно нет.

— А чьему?

— Соседних туманностей. Но не думаю, что вам это интересно.

— Мне интересно все, что интересно вам.

Вера Рашидовна раздвинула губы и продемонстрировала Рыбе-Молоту влажный кончик языка, явно намекая на французский поцелуй — дубль два.

Только не это, только не сейчас, — мысленно содрогнулся Рыба, и — удивление так удивление! — язык Веры Рашидовны юркнул обратно, а губы плотно сомкнулись.

Зато настежь распахнулись двери в гостиную, и на пороге показался Николаша.

— Ужинаете, да?! — спросил он голосом, не предвещающим ничего хорошего.

Рыба-Молот интуитивно втянул голову в плечи, благословляя всех известных ему богов за то, что Николаша не появился минутой раньше. Когда его жена восседала у Рыбы на коленях. А Вера Рашидовна... Вера Рашидовна даже не отреагировала на вторжение, лишь мельком скользнула по низкорослой тщедушной фигуре депутата и произнесла совершенно равнодушно:

— Тебе чего, мальчик? Ты чей?

Эффект от слов Железной Леди был сродни эффекту внезапного появления шаровой молнии. Вернее, двух шаровых молний, одна из которых поразила Николашу, а другая — Рыбу-Молота. Пораженный Николаша с воем бросился вон из гостиной, а пораженный Рыба-Молот соскользнул в пучину тягостных раздумий.

Она не узнала собственного мужа, вот это фортель!

А впрочем, что здесь удивительного? Во всем виноваты засранцы-духи, лихо искажающие реальность вокруг себя и льющие воду на мельницу хозяина. Раньше хозяином нгылека был депутат и Вера Рашидовна видела его совершенно в ином, приукрашенном до последней возможности свете. Он казался ей...

А кем, кстати, он ей казался?

Рыба пошарил глазами по комнате и тут же наткнулся на разгадку. Она стояла в одной из ниш — в виде древнегреческого Аполлона с ненецким акцентом в лице, который можно было принять и за китайский. Или даже за японский, что предпочтительнее. Ведь всему миру давно известно, что японцы — нация утонченная, высокодуховная, помешанная на красивых и бесполезных вещах. Типа сакуры, сада камней, покемонов и **«Здесь я в море брошу наконец бурями истрепанную шляпу, рваные сандалии мои».** Ну и кому, на хрен, нужны эти сандалии? А вот поди ж ты — поэтический факт с бородищей в пять веков! Конечно, у японцев есть и менее бесполезные вещи — суши с роллами, рисовое печенье, супец мисо, фильмы ужасов и анимэ. А есть и чрезвычайно полезные — типа гейш и последних достижений робототехники. Оглядев еще раз фигуру узкоглазого Аполлона, Рыба отметил про себя идеально развитой плечевой пояс, в меру мускулистые, без закачки стероидов, руки, сильные прямые ноги и (само собой) — несколько гипертрофированные племенные достоинства, вызвавшие мимолетный прилив зависти. Фигового листка для них, пожалуй, будет недостаточно, а вот лист гигантского древовидного фикуса или пятнистой диффенбахии вполне подойдет.

Что ж, если судить по данной копии Аполлона — у Веры Рашидовны отменный вкус. И слегка завышенные требования к физической форме избранника. Вот интересно, как ей видится он сам, Рыба-Молот?

Хорошо бы — Бредом Питтом... Нет, Бред Питт чересчур слащавый. Лучше — Марлоном Брандо в молодости! Нет, лучше Жераром Депардье в молодости, — еще не раскабаневшим и со французской изюминкой в ноздре сломанного носа. Нет... Депардье, пожалуй, слишком простоват, сельпо сельпом. Тогда... Тогда Томом Крузом плюс тридцать... сорок сантиметров сверху! Хотя и этот пережрал рафинада. Кто еще? Бекхэм? Клуни? Нет, все-таки Марлон Брандо в молодости...

Чертова сеть PGN отреагировала мгновенно и довольно оскорбительно:

«КАКОЙ ИЗ ТЕБЯ МАРЛОН БРАНДО? НЕ СМЕШИ, ИДИОТ!»

— Вы прямо нарасхват, — ревниво заметила Вера Рашидовна.

— Самого напрягает...

— Тогда, может быть, лучше отключить телефон? Если, конечно, вы не ждете какого-нибудь важного звонка.

— Не жду. Нет!

Сама того не подозревая, Вера Рашидовна подала Рыбе-Молоту гениальную в своей простоте идею избавления от навязчивого сотового оператора. Вырубить на хер мобилу и хотя бы несколько минут провести в относительном покое, не отвлекаясь ни на что, кроме красивой и богатой женщины. Для непонятливых из головного офиса: он вовсе не собирается соблазнять Железную Леди! Она не в его вкусе и вообще... *оставим красивых женщин мужчинам без воображения,* как принято говорить (к суперкрасивой, прекрасной и восхитительной ИзящнойПтице этот тезис не относится). Но где она, ИзящнаяПтица, ау!

Ее нет, а Вера Рашидовна есть, смотрит на Рыбу так, как будто он Марлон Брандо во плоти!

— Я тоже выключила свой телефон. Не хочу, чтобы нам мешали. Хотя и без телефона врываются всякие...

Очевидно, Вера Рашидовна имела в виду собственного мужа, потому что никто, кроме него, в гостиную не заглядывал. Но Рыба все-таки решил уточнить:

— Всякие? Кто именно?

— Откуда же я знаю... Здесь много всякого дерьм... всяких людей ошивается, и добро бы занимались делом. Убирали, готовили, следили за чистотой... Но это же аборигены! Дикий народ!

— А зачем они здесь?

— Мой муж — сердобольный человек. Ближний ли родственник, дальний, или седьмая вода на киселе — всех привечает! Никому отказа нет.

— И вы все это терпите? — спросил Рыба, тут же вспомнив, что за недолгое время пребывания в доме Веры Рашидовны ему встретился по меньшей мере десяток похожих на Николашу людей.

— Действительно. — Вера Рашидовна ненадолго задумалась. — Почему я терплю? Почему не вышвырну эту шваль из дома? Месяц назад они поставили чум в гостевом домике. Пришлось даже часть крыши разбирать, чтобы он уместился. Не дичь ли?

— Дичь.

— Удивительно, дорогой мой... С вашим приездом у меня как будто пелена с глаз спала...

А вот и нет, голубушка, вот и нет! Просто одна пелена сменила другую, как сменяют друг друга декорации в театральных постановках. А не видимым из зрительного зала механизмом колосников заправляют еще более невидимые злые духи нгылека, — тоже, монтировщики сцены выискались, ёптить!..

— Думаю, это преувеличение.

— Отнюдь. Ну что, вы готовы взглянуть на сюрприз?

В пылу приправленных отбивными и форелью французских поцелуев Рыба-Молот и думать забыл, что Вера Рашидовна приготовила ему какой-то сюрприз. Теперь, когда тема с сюрпризом снова всплыла, по его спине пробежал холодок, а руки покрылись гусиной кожей. Сюрпризов Рыба не любил с тех самых пор, как перестал верить в деда Мороза, волшебные свойства металлических шариков, вшиваемых в член, и социализм с человеческим лицом. Так уж получилось, что все сюрпризы, преподносимые Рыбе судьбой и отдельными представителями рода человеческого, оказывались неприятными. А страховки от неприятностей не существовало. К примеру, еще в молодости Рыба заметил, что любой случайный пересып заканчивается для него триппером (и слава богу, что триппером, а не чем-нибудь похуже). Он исключил случайные связи и сосредоточился на построении среднесрочных и долгосрочных отношений. Но эти отношения тоже поджидал крах: немногочисленные женщины уходили от него без всяких объяснений. А две законных жены — с такими объяснениями, что лучше бы и вовсе не слышать их никогда. Работодатели Рыбы, как правило, оказывались людьми с прибабахом (как минимум) и легко диагностируемой шизофренией, манией величия и манией преследования (как максимум) — разве это не неприятный сюрприз? А покупка обуви в магазинах? Всякий раз, когда Рыба покупал ботинки или туфли, они оказывались на размер меньше, чему нужно. И приходилось их менять, иногда — дважды и трижды. Что становилось неприятным сюрпризом уже не только для Рыбы, но и для продавцов со старшими менеджерами. Неприятные сюрпризы регулярно спускались с государственных высот — в виде повышения тарифов на проезд в общественном транспорте, электроэнергию и коммунальные услуги. Ползучая инфляция, дефолты и финансовые кризисы тоже радости не прибавляли.

Конечно, нельзя ставить знак равенства между Верой Рашидовной, покупкой обуви и дефолтом, но... Исходя из любовной горячки, которой охвачена науськиваемая духами Железная Леди, Рыба-Молот предпочел бы дефолт.

— ...А с чем связан сюрприз? — осторожно спросил он.

— А вы отгадайте!

— Ну-у... с работой?

— Нет.

— С путешествием? С поездкой?

— Холодно-холодно.

— С одеждой?

Вопрос про одежду вырвался у Рыбы случайно. А все потому, что легкомысленное платье для коктейля, в которое вырядилась хозяйка, угнетало его с самого начала — слишком уж откровенным оно было. Каждый сантиметр дорогущей ткани словно подмигивал несчастному: давай, действуй, сорви нас — да так, чтобы мы треснули к чертовой матери, по нити основы и по нити утка! В унисон с платьем выступали жемчуг с диадемой: чего там выеживаться, парень: бери, когда дают! Ухватись за нас могучей рукой и дерни — с хозяйки не убудет, а жест эффектный. «Девять с половиной недель» не смотрел, что ли?..

«Девять с половиной недель» Рыба, конечно же, смотрел, но — убей бог! — не мог вспомнить то место, где Микки Рурк срывает с Ким Бэсинджер драгоценности. А может, жемчугу с диадемой обломилась авторская версия фильма — дополненная и перемонтированная?..

— А... почему вы спросили про одежду, дорогой мой?

— Не знаю... Просто так.

— Вообще-то, одежда — тема интересная. Я могу говорить о ней часами... Вот вы — какие бренды предпочитаете?

Рыба-Молот не особенно заморачивался с брендами, хотя в его гардеробе имелось несколько приличных фирменных вещей и даже шарф от «Генри Ллойда»[1], купленный Кошкиной со скидкой в шестьдесят процентов и подаренный Рыбе на годовщину свадьбы. «Генри Ллойд», несомненно, произвел бы впечатление на владелицу яхты и острова в Тихом океане. Но впавший в непонятный нервяк Рыба вдруг напрочь позабыл первое слово в названии фирмы, а оставшееся в памяти второе выглядело как-то куце. Как будто часть целого отрезали циркулярной пилой или ее оттяпал крокодил. Крокодил, кстати, тоже являлся лицом известной фирмы-производителя, не помнить название которой для тридцатипятилетнего мужчины было грешно. А вот поди ж ты, никаких проблесков насчет крокодила — и все тут! Рыба так и видел маленькую стилизованную рептилию на кармане своей любимой летней рубашки, но дальше этого дело не шло. *Апрашка*, вертелось в голове Рыбы, *Апрашка и Черкизон!* Горячо любимые широкими народными массами рынки двух столиц, где полно *брендятины* турецкого и китайского разлива. Вот

---

[1] Фирма, специализирующаяся на одежде для яхтсменов.

только Вере Рашидовне знать о них необязательно, и лучше вернуться к крокодильчику и Ллойду, который точно не Ллойд Джордж и не Эндрю Ллойд Уэббер.

— ...Я шью одежду на заказ, — в самый последний момент выкрутился Рыба. — Не люблю, знаете ли, быть на кого-то похожим.

— Так я и думала. Вы оправдываете все самые смелые мои ожидания...

И Вера Рашидовна посмотрела на Рыбу-Молота с таким вожделением, что того затрясло. А вместе с ним затрясся стол-аквариум с гуппи и вуалехвостами и посуда с остатками отбивных и форели.

— Вы чувствуете то же, что и я? — теперь уже затряслась и Вера Рашидовна. — Покончим с сюрпризом и вернемся к более приятным вещам. Идемте.

...Место, куда привела Рыбу Вера Рашидовна, вопреки ожиданиям оказалось не спальней, а бойлерной.

А «сюрприз» предстал в виде официанта из заведения Московского Варяга. Того самого, который обхамил Рыбу-Молота. Официант сидел на полу, высоко задрав правую руку, прикованную наручником к тонкой трубе. Вид у него был довольно помятый, оба глаза заплыли, а на щеке красовался кровоподтек. Рядом с беднягой топтались двое парней под метр девяносто ростом, в безупречных костюмах, галстуках и начищенных до блеска ботинках. Очевидно, это были телохранители Железной Леди, выписанные прямиком из документальной эпопеи «Криминальная Россия». И из всех других фильмов, где серьезные интеллигентные люди высокого полета так же серьезно и интеллигентно решали все свои проблемы. От одного взгляда на заплывшие глаза официанта Рыбе стало нехорошо. Но зато сразу вспомнились и Генри Ллойд, и имя, данное при рождении крокодильчику с рубашки, — «Lacoste». И еще одно бессмертное творение Бетховена — песня «Мой сурок со мною». Рыба-Молот смог бы даже процитировать начало, если бы кто-нибудь попросил его об этом. Что-то вроде:

По разным странам я бродил,
И мой сурок со мною,
И весел я, и счастлив был,
И мой сурок со мною!

Припев:
И мой всегда, и мой везде,
И мой сурок со мною,
И мой всегда, и мой везде,
И мой сурок со мною!

Там еще было про «кусочки хлеба», и «подайте грошик», и — самое выдающееся — «а завтра снова в путь пора». Вот чего хотел Рыба-Молот — отправиться в путь, не дожидаясь завтрашнего дня, по-скорому свалить отсюда. Чтобы не видеть изметеленного официанта, двух бугаев и Веру Рашидовну, оказавшуюся гораздо более кровожадной, чем он мог предположить.

— Узнаете? — спросила она.

— Ммм...

— Ваш обидчик.

— Это и есть сюрприз?

— Когда вы узнаете меня поближе... Надеюсь, это произойдет в скором времени... Так вот, когда вы узнаете меня поближе, то поймете... Я ничего и никогда не оставляю безнаказанным.

— По-моему, это не совсем симметричный ответ.

— Да, пожалуй. — Вера Рашидовна внимательно оглядела страдальца у трубы. — Симметричным ответ будет, когда мы его шлепнем...

Официант дернулся.

— ...или когда мы его живым в землю закопаем...

Теперь уже дернулся Рыба.

— ...или когда мы его на куски распилим и собакам скормим...

Теперь, помимо Рыбы и официанта, начали дергаться двое охранников. Судя по всему, им не очень понравилась идея с распилом на куски левого человека, но возражать хозяйке они не решились.

Неизвестно, вытекала ли абсурдность действа в бойлерной из характера Железной Леди; неизвестно, была ли она подготовлена всем предыдущим жизненным и бизнес-опытом Веры Рашидовны. Может быть — и вытекала, и была подготовлена. Но Рыбе показалось, что без стороннего вмешательства здесь не обошлось. Как и в тот, первый раз, когда Вера Рашидовна проявила неожиданный и не совсем здоровый интерес к скромной персоне повара Бархатова. Вот и сейчас Рыба видел духов нгылека, хлопочущих у ее головы и что-то вдувающих ей в уши.

И почему это он решил, что пришлые духи всегда будут на его стороне? И почему это он решил, что предназначение духов — подавать его в выгодном свете и не более? Они — воплощение зла, и ничему другому не научены, кроме как это зло творить. Еще неизвестно, что станется с самим Рыбой, когда духам наскучит валять ваньку. И они примутся за свои непосредственные обязанности по распространению на подотчетных территориях болезней и смерти.

Может, и сам Рыба уже не жилец!..

Может, его сердце уже остановилось. Может, его печень уже раздулась, как у алкоголика с тридцатилетним стажем. Может, его легкие разбухли и почернели, как у курильщика с сорокалетним стажем. Может быть, его ноги уже отнялись...

Пошевелив сразу всеми пальцами ног, Рыба-Молот нашел их в полностью рабочем состоянии и немного успокоился.

— Я против, —

твердо сказал он, посылая пузатой ненецкой мелочи мощный мозговой импульс оставить в покое Веру Рашидовну. Во всяком случае, ту часть Веры Рашидовны, которая отвечает за принятие решений.

— Против чего? — удивилась Железная Леди.

— Против расчлененки. И против «живым в землю».

— А как насчет чисто и красиво пристрелить? — Вера Рашидовна все еще не теряла надежды на человеконенавистнический исход мероприятия.

Рыба усилил импульс до такой степени, что в глазах появились концентрические круги, а волосяной покров на голове затрещал и встал дыбом.

— Думаю, это излишне. Парень и так схлопотал выше крыши.

— Хотите сказать, что этого достаточно?

— Вполне.

— Хотите сказать, что я должна его отпустить?

— В общем, да.

— Вот так просто?

— А чего сложного? Парню уже преподали урок вежливости — так пусть идет домой и зубрит его, пока не посинеет.

— Он уже посинел.

— Вот видите, значит полученные знания упали на благодатную почву.

— Ну... я не знаю... Если вы так великодушны...

— Да, я человек великодушный. И не считаю, что это такое уж отрицательное качество.

Дымные волки и оборотни наконец-то оставили в покое Веру Рашидовну и по обыкновению растворились в воздухе — на этот раз оставив после себя запах трубочного табака «Герцеговина Флор». Рыба курил «Герцеговину Флор» один раз в жизни, в возрасте четырнадцати лет, и так сильно траванулся, что до самой армии не имел дела с куревом.

А ду́хам, видать, понравилось.

Или это не его «Герцеговина», а чья-то другая?

— ...Если вы настаиваете, Александр Евгеньевич...

— Настаиваю.

— Хорошо.

— Да ничего хорошего, — неожиданно прорезался один из телохранителей. — А если этот гад побои снимать побежит, а потом в ментовку стуканет?

— Действительно. — Получив поддержку, Вера Рашидовна воспряла духом. — Возьмет и побежит. И стуканет. Могут возникнуть неприятности. А неприятности я не люблю.

Как будто все остальные от неприятностей без ума и души в них не чают! Как будто у тебя, чертова кукла, полуолигархическая самка, нет концов в ментовке и не все схвачено за все заплачено! Пойди, расскажи об этом кому-нибудь другому, а Рыба-Молот — тертый калач. И хотя сам он в подобные ситуации не влипал, но хорошо изучил их по бескомпромиссным в своем гражданском пафосе программам «Человек и закон», «Честный детектив» и «Чрезвычайное происшествие».

— Не побежит, — вступился Рыба за официанта, который гремел наручником, интенсивно мотал головой и всем своим видом показывал, что никуда бежать и стучать он не собирается. — Не побежишь ведь?

Официант замотал головой еще интенсивнее.

— Ладно, — сдалась Вера Рашидовна. — Отпустите его... И домой довезите.

— Вот и замечательно. Рад, что все так разрешилось. — Рыба наконец позволил себе расслабиться. — А парень небезнадежен. Мог бы и у нас работать, если натаскать его как следует...

...Еще минут пятнадцать после ухода из бойлерной Рыба выслушивал от Веры Рашидовны комплименты в свой адрес. Какой он благородный и великодушный человек, *а ведь это — давно забытое искусство: быть великодушным.* И вообще — она, Вера Рашидовна, но можно просто Вера, уверена: дорогой... нет, дражайший Александр Евгеньевич владеет и другими искусствами. И ей, Вере Рашидовне, но можно просто Вере, не терпится приобщиться к этим сакральным искусствам, этим знаниям, которые будут способствовать раскрытию всех чакр ее истомленной души.

К термину «чакры» Рыба-Молот всегда относился с почтением, хотя толком и не знал — что же это такое. Здесь могла бы помочь Рахиль Исааковна, съевшая собаку на документальных сериалах о парапсихологии, далай-ламах, индийских йогах и «Помоги себе сам, человек!». Но Рахиль Исааковна сидела в Израиле и никто не мешал Рыбе-Молоту представлять чакры в виде бесхитростных сантехнических вантузов, воткнутых в самые неподходящие для этого места, как-то:

область четвертого позвонка,

предплечья,

ляжки,

ягодицы.

Еще можно было представить чакры в виде навороченных вантузов, один из которых торжественно преподнес Рыбе и Рахили Исааковне в день бракосочетания шапочный знакомый Борис Пельц. Это был выдающийся и чрезвычайно пикантный пластмассовый вантуз горчичного цвета, стилизованный под испанскую танцовщицу фламенко: голова и торс танцовщицы служили рукояткой, а широкий юбочный конус — рабочей поверхностью. Вручив подарок, обвязанный красной лентой, Борис Пельц сообщил, что это — вещь эксклюзивная, выпущенная не где-нибудь, а в Барселоне — ограниченной партией в сто штук. И что он сам бы с удовольствием им пользовался, но для организации быта молодой семьи ничего не жалко. Рыба так ни разу и не применил горчичную танцовщицу фламенко по назначению и даже (постфактум) удивился, что Рахиль Исааковна после развода не внесла ее в список вещей, подлежащих конфискации.

Забыла, наверное.

Еще можно было представить чакры в виде дырчатого слива в ванне, но вантузы казались Рыбе предпочтительнее, поскольку пробивали нужные отверстия, а не канализировали внутрь всякую ерунду.

Теперь, глядя на распалившуюся Веру Рашидовну, Рыба понял, что сильно заблуждался насчет вантузов. И чакры (во всяком случае чакры Железной Леди) имеют отнюдь не сантехническое происхождение.

Тогда какое именно?..

Впав в глубокое раздумье, Рыба и не заметил, как они с Верой Рашидовной оказались в непосредственной близости от гостевой комнаты.

— Спасибо, что проводили, — сказал он, вцепившись в дверной косяк с твердой решимостью ни за что не пускать Железную Леди внутрь. — Право, не стоило... Я бы и сам нашел дорогу...

— Нисколько в этом не сомневаюсь... Вы всегда находите дорогу... К любому человеческому сердцу. А к женскому — тем более.

— Ну, не преувеличивайте! — Рыба малодушно попытался прикрыться дверью и даже нащупал пальцами спасительную защелку. Теперь оставалось лишь захлопнуть дверь, провернуть защелку хотя бы раз (а лучше — два) — и он спасен!

Но отвязаться от Веры Рашидовны было не так-то просто.

Она сунула ногу в щель и проворковала низким голосом, чем-то напоминающим голос англоязычной певицы Аманды Лир:

— Неужели не пригласите хозяйку войти?

Будь это чей-нибудь другой голос (например, франкоязычной певицы Ванессы Паради), Рыба-Молот обязательно бы устоял и захлопнул-таки дверь. Но Аманда Лир!.. Она нравилась Рыбе всегда, еще с армейских времен, когда ему — от щедрот Коляна Косачева — обломился журнал с ее фотографией. Одноклеточный Колян нашел Аманду Лир чересчур мослатой, *на такую и дрочить западло,* зато Рыба был очарован ее стервозно-интеллектуальным видом. А уже на гражданке он стал счастливым обладателем диска-миньона с четырьмя песнями, одна из которых так и называлась — «Интеллектуально». Лет пять кряду Рыба хотел перевести текст, да так и не сподвигнулся, а потом какая-то скотина и вовсе замылила пластинку. А потом винил сменили аудиокассеты с дисками, и Рыба (никогда не отличавшийся постоянством привязанностей) переключился на Верку Сердючку, хор Турецкого и «Депеш Мод». Но изрядно переперченная и пересоленная, с добавлением майорана и орешков кешью Аманда нет-нет, да и всплывала в его памяти.

Вот и сейчас всплыла, удачно реинкарнировавшись в Веру Рашидовну.

Нет, внешне Вера Рашидовна нисколько не напоминала Аманду Лир (хотя обе они были блондинками) — но голос...

Его низкий, завораживающий тембр на секунду парализовал волю Рыбы к сопротивлению, и этой секунды оказалось достаточно, чтобы Железная Леди прошмыгнула в комнату и закрыла за собой дверь: даже не на два, а на три оборота защелки.

— Я не слишком навязчива? — плотоядно улыбнувшись, спросила она.

И Рыба, которому страшно хотелось сказать «слишком, еще как слишком!», на секунду пожалел, что он не женщина. Будучи женщиной, Рыба-Молот мог сослаться на головную боль, магнитные бури, перепады давления, досрочную (или — наоборот — плановую) менструацию, отсутствие спирали и контрацептивов. Да мало ли на что ссылается женщина в надежде избежать соития! В умеренно гиперсексуальной юности Рыбы бывали случаи, когда ему отказывали:

— из-за дисфункции яичников (как-то связанной с приливами и отливами, в свою очередь связанными с фазами Луны);

— из-за Великого поста;

— из-за *не*-прохождения в Госдуму экологической партии «Кедр»;

— из-за кончины любимого домашнего животного, угнетающе подействовавшей на либидо;

— из-за долгоиграющего траура по гонщику Айртону Сенне, актеру Джеффу Бриджесу и Махатме Ганди, который ни в каких представлениях не нуждался;

— из-за астропрогноза на ближайшую декаду;

— из-за приема барбитуратов (слабительного, мочегонного, кровеотхаркивающих и кроверазжижающих средств);

— из-за астральной связи с персонажем фильма ужасов Фредди Крюгером, он очень-очень ревнивый.

Экологическая партия «Кедр» на пару с Фредди выглядели в этом контексте особенно оскорбительно, а актер Джефф Бриджес и вовсе пребывал в добром здравии, — но не это смущало Рыбу-Молота. А то, что никто из потенциальных подруг не отказал ему по причине его собственного, Рыбьего несовершенства. *Бабы, они — хитрые,* — учил Рыбу Колян Косачев, — *всегда просчитывают возможность запасного аэродрома. А ты, Санек, и есть запасной аэродром. Ты у них остаешься на крайний случай, если уж такие, как я, кончатся.*

Очевидно, Колян имел в виду свою брутальность, харизматичность и мачизм — в пику бархатовским мягкости и спокойствию. С возрастом, правда, мягкость и спокойствие перекочевали в разряд достоинств. И отказов со стороны женщин стало меньше. Но и форсирования событий и сексуальной ненасытности особенно не наблюдалось. Похоже, им больше нравилось выводить Рыбу в свет и повсюду мелькать с ним, как со своим собственным мужчиной, чем предаваться любовным утехам в уединении спальни. Так было с Кошкиной и Рахилью Исааковной на закате супружеской жизни.

Вера Рашидовна, к немалому удивлению Рыбы-Молота, демонстрировала совсем другой тип поведения:

— ...Так я не слишком навязчива, дорогой мой?

— Не слишком, — промямлил он, судорожно ища правдоподобную и уважительную причину для подавления идущего от Железной Леди импульса.

Но в голову, как назло, не приходило ничего, кроме приснопамятной экопартии и Фредди Крюгера. Которого (во избежание репутационных потерь) необходимо было заменить на персонаж женского пола. Невесту Франкенштейна, к примеру. Или знойную мамахен из семейки Адамсов.

Да нет, это просто дичь! Причем, бездумно и на скорую руку поджаренная на костре — без соли, специй и пряностей.

В ту же самую секунду в голове Рыбы всплыл забойный рецепт приготовления диких голубей под сливочным соусом. И, отвлекшись на него, он пропустил момент перехода Верой Рашидовной демаркационной линии.

Теперь фронтальная часть Рыбы-Молота находилась всего лишь в полуметре от фронтальной части Железной Леди, и это расстояние продолжало неумолимо сокращаться. А Рыбе оставалось безвольно следить, как оперативные части противника занимают стратегические высоты и продвигаются вглубь территории, не встречая сколько-нибудь значительного сопротивления. А встречая сплошной коллаборационизм и готовность пресмыкаться перед оккупационными властями за пайку хлеба и пинту молока.

Нет, она очень даже ничего, фигуристая, и мордашка симпотная, глазки, губки, то-се... а-а... либен клейне Габи!.. — молнией пронеслось в голове Рыбы-Молота, и коллаборационистские низы тотчас завибрировали. А когда Рыба вспомнил о том, что еще никто в жизни не домогался его с такой настойчивостью, вибрация усилилась.

Очень даже... почти красавица... м-м... нет, самая настоящая красавица! Видели бы Кошкина с Рахилью Исааковной, повесились бы от ревности и зависти... Плюс бизнес, плюс яхта, плюс виноградники и сеть отелей на Адриатике. Кошкиной и Рахили Исааковне мест там ни в жизнь не забронировать... Нет, я сам забронирую для них места! И поселю их в номера-люкс, а Изящную Птицу — в президентский номер. То-то будут локти кусать, что такого парня упустили...

Убойный разряд тока в двести двадцать (если не в триста шестьдесят, а то и в пять тысяч) вольт пронзил Рыбу моментально. Это никак не было связано с Верой Рашидовной, а было связано с задним карманом джинсов, в котором лежал отключенный мобильник.

Мобильник — вот что долбануло Рыбу!

Да еще с такой зверской силой, что глаза его едва не выскочили из орбит, а волосы затрещали, заискрились и встали дыбом, распространяя вокруг отвратительный запах паленой шерсти.

— Какой вы темпераментный мужчина! — с придыханием произнесла Вера Рашидовна, приблизившись настолько, что уже можно было разглядеть поры на ее носу и мимические морщины у рта.

Но Рыба разглядывать морщины не стал, а сосредоточился на расстегивании пуговиц на джинсах: от проклятых штанов, как источника повышенной опасности, необходимо было избавиться, и как можно скорее, — вдруг снова долбанет?..

Главная запендя заключалась в том, что от удара (а он все-таки был никак не меньше пяти тысяч вольт!) металлические пуговицы расплавились и теперь представляли практически единое целое с тканью. Сообразив, что пуговицам каюк, Рыба принялся сдирать штаны с бедер — и эти его манипуляции вызвали новый прилив чувств у Веры Рашидовны:

— Боже, я с ума сойду! — вскричала она. — Я вся горю...

— Горел, положим, я сам, — тут же парировал Рыба-Молот.

— Позволь, это сделаю я...

— Что именно?

— То, что делаешь ты.

Очевидно, Вера Рашидовна прозрачно намекала на борьбу Рыбы со штанами, вот только посыл этой борьбы был истолкован ею неправильно.

— Это не то, что вы подумали. — Рыба попытался подкорректировать неправильный посыл, но цели так и не достиг.

Зато Вера Рашидовна перла к ней семимильными шагами.

— Возьми меня, дорогой!

— Э-э... в каком смысле?

— Хи-хи! В каком ты снимаешь сейчас джинсы!

По здравому размышлению, возбужденная Вера Рашидовна представляла несколько меньшую опасность, чем импровизированная ЛЭП на дому, — и Рыба сдался.

— Сначала штаны, а потом все остальное, — сказал он. — Но сначала — штаны...

Веру Рашидовну не нужно было упрашивать дважды. Она коршуном налетела на Рыбу, повалила его на ковер и, рыча, как раненый зверь, разобралась со штанами в мгновение ока. Рыба и охнуть не успел, как оказался в одних трусах и носках. Опасность для жизни миновала, но теперь выползли проблемы эстетического характера:

семейные трусы едва ли не по колено — с легкомысленным изображением мышонка Рататуя и старорежимной мышеловки с куском сыра (подарок Кошкиной);

кроваво-красные носки едва ли не до середины икры — с легкомысленным изображением улиток (подарок Рахили Исааковны).

В другое время, с другой женщиной (ИзящнойПтицей, о-о!) Рыба от стыда сгорел бы за такие несерьезные, почти мультипликационные детали туалета, но в случае с Верой Рашидовной их наличие — благо.

Клоунская мышь с клоунскими улитками не могут не рассмешить Веру Рашидовну, а какой на хрен секс с клоунами? Вот с вольтижерами, воздушными гимнастами и метателями ножей — это да! сойдут также глотатели шпаг и пожиратели огня, а укротители тигров — вообще высший пилотаж. Рыба знал как минимум двух укротителей, постоянно мелькавших в ящике, — и это были медийные лица первой величины. Непонятно, правда, как при такой загруженности на ТВ им хватает времени непосредственно на исполнение своих профессиональных обязанностей. Но те же вопросы можно задать любой мегазвезде — и у нее наверняка найдется обстоятельный и вразумительный ответ.

Вопреки ожиданиям Рыбы, мышонок Рататуй с улитками не только не рассмешили Веру Рашидовну, — они лишь усилили ее сексуальный аппетит. Теперь к рычанию прибавилось и другие звуки, выражающие крайнюю степень экстаза.

— Какая прелесть! — промурлыкала она, сдергивая носки.

— Э-э... Лакост. — Рыба решил не препятствовать Вере Рашидовне в завладении улитками, а сосредоточиться на обороне мышонка с мышеловкой. В том, что дело дойдет и до них, у Рыбы-Молота не было никаких сомнений.

— Какая прелесть! М-м... —

реплика относилась уже не к носкам. Железной хваткой Железная Леди завладела обеими ногами Рыбы и крепко сжала ступни. И он почувствовал себя не лучше средневекового еретика, обутого в инквизиторский испанский сапожок.

— Какие у нас красивые пальчики!..

После этих слов Вера Рашидовна вывалила из пасти язык, вполне сопоставимый по цвету и длине с носками Рыбы-Молота, и аккуратно лизнула большой палец на правой ноге.

По спине средневекового еретика побежали мурашки.

— Ка-акие сладенькие!..

Теперь наступила очередь большого пальца левой ноги, и поток мурашек усилился. А когда вошедшая в раж *либен клейне Габи* сунула палец в рот и принялась интенсивно сосать его, в голове Рыбы-Молота начали взрываться петарды.

Совсем другого качества, чем те, что взрывались при встрече с ИзящнойПтицей. Те были правильными, изготовленными фабричным способом, снабженными подробными инструкциями и сертификатами. Они всегда летели в нужном направлении, не отрывали конечности и не вышибали глаза. А от этих петард можно было ожидать чего угодно, летального исхода в том числе. Поскольку они производились в кустарных подпольных лавчонках, где никогда не соблюдаются элементарные правила безопасности. И все делается на глазок.

Вот и сейчас контрафактные петарды понеслись вкривь и вкось, и контуженный, наполовину оглохший и ослепший Рыба вообще перестал что либо соображать. Кроме одного:

еще никто из женщин не проделывал с ним таких фокусов!

Такие фокусы он видел всего лишь раз, в коллекционном издании немецкой порнушки, на котором стоял гриф «gering auflage»[1]. И то — там были задействованы не мужик и баба, а две бабы без мужика, блондинка и брюнетка, слегка похожие на солисток шведского квартета «АББА».

Рыбу эта сцена пробрала до потрохов.

Особенно когда он представил на месте солисток Кошкину с Рахилью Исааковной, ублажающих друг друга столь затейливым способом.

Но дальше представлений дело не пошло, поскольку обе жены Рыбы-Молота были разведены во времени, никогда не видели друг друга живьем и отличались принципиальной и непрошибаемой гетеросексуальностью.

---

[1] Ограниченный тираж (*нем.*).

А для *либен клейне Габи* табу в сексе, похоже, не существовало.

Она была та еще штучка! *Прожженная камасутровая мандища,* как говорил о женщинах подобного типа Колян Косачев. А они ценятся на вес золота по причине стопроцентного КПД. Девки на консумации, исполнительницы танца живота, бордельные шлюхи и широко разрекламированные японские гейши нервно курят в сторонке. Поскольку в них нет главного — вдохновения, фантазии и драйва.

Драйву же Веры Рашидовны мог позавидовать покойный фронтмен группы «Дорз» Джимми Моррисон, изничтожавший за концерт не одну гитару. Покончив со всеми десятью пальцами на ногах (ни один не остался обижен!), она переместилась чуть выше, к щиколоткам.

— О, да у тебя тут цветочек вытатуирован! Прелесть, что такое!

— Какой цветочек?!

— О-о-орхидея!

Осоловевший от экстрим-ласк Рыба с трудом вспомнил о диковинном следе, который оставил каблук ИзящнойПтицы, и не нашел ничего лучшего, чем сказать:

— Это вам!..

— Мне?!

— От всего сердца... Примите и прочее!

— Какой ты душка! Ой, он колется!

— Кто? — не понял Рыба.

— Цветочек... Орхидейка!

Этого не могло быть по определению, но и самого цветка на щиколотке не могло быть по определению. И потом — орхидеи не колются, любой справочник декоративных растений это подтвердит; они не роза, не шиповник и не верблюжья колючка. Но с недавних пор Рыба-Молот дал себе слово ничему не удивляться.

Вот и сейчас он не удивился.

Но и стойкая Вера Рашидовна не удивилась тоже.

— Это и есть элементы садо-мазо, на которые ты намекал, душенька моя? Стальная арматурка? Наждачок? Вживленные электроды?

— Все может быть, кисонька...

Черт его знает, как из Рыбы вырвалось это интимное «кисонька» — ведь до сегодняшнего вечера почетное звание «кисоньки» носили лишь его законные жены.

Вера Рашидовна была чужой законной женой, но «кисонька» произвела на нее несравнимо большее впечатление, чем на Кошкину с Рахилью Исааковной. Она снова зарычала и с такой силой впилась в щиколотку Рыбы, что тот на секунду потерял сознание. А когда пришел в себя, то обнаружил Веру Рашидовну абсолютно голой, сидящей на его коленях с орхидеей в зубах.

Какой-нибудь эстет нашел бы Железную Леди не слишком совершенной: грудь тяжеловата, соски крупноваты и оттянуты так, как будто она с младых ногтей служила кормилицей в доме, где подрастал по меньшей мере с десяток отпрысков и полностью игнорировались молочные смеси. Да еще растяжки на животе и бедрах! Рыба особенным эстетом не был и фактуру Веры Рашидовны оценил на пятерку с крошечным минусом. Конечно, для фотоссесии в журнале «Плейбой» потребовалась бы помощь фотошопа, а для съемок в немецком атлетическом порно — команда профессиональных гримеров. Только в этом случае крошечный минус перестал бы существовать.

Стоило Рыбе направить свои мысли на порноатлетическую стезю, как явилась команда профессиональных гримеров во главе с постижером и мэйкапером. Духи нгылека, вооружившись подходящим к случаю инструментарием, подмазывали там, сбривали тут, занимались усушкой и утруской, наносили нужный тон, припудривали, взбивали, выдирали микроскопические волоски, ровняли на манер английского газона края интимной стрижки. Минута-другая — и Вера Рашидовна предстала перед Рыбой-Молотом новой Чиччолиной. Да что там Чиччолина —

— Линда Евангелиста на пике карьеры! Наоми Кэмпбелл — только белая!..

Минус при пятерке скукожился и, отвалившись, как пиявка, благополучно издох. Зато оживилась и восстала та часть трусов Рыбы-Молота, которую Кошкина остроумно нарекла в свое время «написьником».

Рататуевский написьник украшало изображение мышеловки с куском желтого, в дырочках сыра. Со стороны, наверное, было забавно наблюдать, как сыр поднимается все выше и выше. К счастью, Рыба не видел себя и его со стороны — не то что бесстыжая *либен клейне Габи,* Линда-Наоми Рашидовна.

— Какие мы грозные! — нараспев произнесла она.

— Совсем не грозные...

— Грозные-грозные, еще какие грозные!

Оборона трусов трещала по всем швам, и Рыба предпринял последнюю попытку спасти положение: заслонил причинное место рукой. И в то же самое мгновение ощутил дикую боль: это треклятая сатиновая мышеловка хлопнула его по пальцам. А треклятый кусок сыра, вместо того чтобы упасть вместе со сработавшим механизмом, вознесся до самых небес и прилип к животу.

Теперь Рыба был полностью деморализован.

Как сквозь сон он слышал щелканье включаемых софитов, а потом какая-то тварь громко сказала «Мотор!» —

и понеслось!..

Немецким атлетическим порно дело не ограничилось — сказались-таки *mediterraneo* навыки госпожи Родригес-Гонсалес Малатеста. Вольный дух Средиземноморья, щедро изливавшийся из Веры Рашидовны, придавал безыскусной половой гимнастике сходство с фламенко в одном случае и сходство с тарантеллой — в другом. А было и еще некоторое количество случаев, напрямую касающихся японского танца с мечами, китайского танца с зонтиками и бразильской капоэйры. Капоэйра потрясла Рыбу-Молота особенно сильно — учитывая побочные явления в виде зрительных галлюцинаций. Так, ему привиделись статуя Христа, распростершего руки над Рио-де-Жанейро, десерт «Chuvisco», выполненный в форме вытянутых яичных желтков, и синьор Луиш Фернандеш Барбоза — основатель школ капоэйры в Бразилии, Португалии и еще в миллионе стран. Как-то раз синьор Луиш ужинал в ресторане, где работал Рыба, разбил там две тарелки и бокал и умыкнул солонку. А напоследок зажал у мужского туалета официантку Нинон: ничего, кроме невинного поцелуя в грудь, между ними не состоялось. Но Нинон, страдавшая бесплодием еще со времен ГКЧП, спустя восемь месяцев почему-то ушла в декретный отпуск. И родила здорового смуглого мальчика, похожего на синьора Луиша, только без усов. С тех самых пор Рыба-Молот считал Барбозу эталоном мужчины-производителя и даже хотел выучить португальский язык. Но так и не выучил, отвлекшись на другие, столь же малоосуществимые мечты.

Жаль, что он прощелкал португальский!..

Ведь галлюциногенный Барбоза парил сейчас над порнористалищем и что-то выкрикивал своим гортанным резким голосом.

Вот задрыга, черт нерусский! — успел подумать Рыба-Молот, и в его голове снова раздалось покашливание, потрескивание и характерное «тук-тук» — как будто кто-то постучал пальцем по микрофону.

Синхронист-переводчик Володарский! — только тебя и не хватало, отец родной!..

Но на этот раз в роли переводчика выступал не синхронист Володарский, а совсем наоборот — известный своим крутейшим ненормативом Гоблин. Он сходу перевел пару реплик Барбозы (оказавшихся советами по внедрению и ввинчиванию) — и в обеих не нашлось ни одного цензурного слова, кроме предлогов и местоимения «её».

Тем не менее Рыба-Молот понял советы правильно, претворил их в жизнь со всей возможной обстоятельностью и был награжден затяжным, как летние муссоны, оргазмом Веры Рашидовны. Сила его была настолько велика, что обоих любовников оторвало от ковра, покружило по комнате минуты три и бросило на деревянную кровать под балдахином. От удара у кровати подломились ножки, а рухнувший балдахин едва не придавил склеенные тела насмерть.

— Ох...еть! — позволил себе авторское отступление Гоблин.

— Именно, — отозвался Рыба-Молот, пытаясь отцепить от себя Веру Рашидовну.

Но Вера Рашидовна отцепляться не собиралась. Напротив, еще крепче прижалась к Рыбе, задавшись целью задушить его в объятьях.

— Чего делать-то? — телепатировал Рыба Гоблину.

— Под сраку коленом и пусть катится на х..й, — ответствовал создатель «Шматрицы».

— Срака с другой стороны. Так просто не дотянешься!

— Намекни, что хочешь трахнуть ее рачком!

— Рачком уже было.

— А непосредственно в сраку?

— Ну, не знаю... —

анальный секс Рыба-Молот не практиковал ни разу, хотя всегда мечтал попробовать и даже подкатывался с грязными предложениями к Кошкиной и Рахили Исааковне. Рахиль Исааковна обозвала мужа извращенцем и не разговаривала с ним два с половиной дня. А Кошкина поступила еще коварнее — она просто пересказала гнусные фантазии Рыбы Палкиной и Чумаченко. И те (в очередную встречу в Доме кино) высказали все, что думают о мужской низости и мерзости, выпив при этом в три раза больше водки, чем обычно.

За банкет, как водится, заплатил Рыба.

Но этим дело не закончилось. Каждому, кто проходил мимо их столика (а среди проходящих были довольно известные личности: менты из знаменитого сериала про разбитые фонари, оператор фильма «Собачье сердце», актриса Зинаида Шарко и прочие) Палкина с Чумаченко сообщали:

вот сидит пакость рода человеческого. Зверь в людском обличье. Плюйте в него, православные!

Плюнуть никто не решился, а между Рыбой и Кошкиной состоялся неприятный разговор, по обыкновению завершившийся полной капитуляцией, заверениями в том, что ничего дурного он в виду не имел, и совместным поеданием наскоро приготовленных конфет с ромовой пропиткой.

Две неудачные попытки — уже тенденция, решил впоследствии Рыба и к теме анального секса больше не возвращался.

И вот теперь она всплыла снова.

— А этот-то чего советует? — Рыба кивнул в сторону галлюциногенного Луиша Фернандеша, отчаянно жестикулировавшего на обломках балдахина.

— Всякую х..йню, даже переводить тебе не стану. Говорю же, трахай ее в сраку и дело с концом!

— А вдруг не согласится?

— Ты, бля, мужик или где?

Рыба вздохнул, попутно удивившись, как это благое желание избавиться от липучки Веры Рашидовны трансформировалось в совсем не благое «трахнуть в сраку». Но все же — по причине мягкости сердца и неожиданной твердости совсем другого места — решил испытать судьбу в третий раз.

— Кисонька, — шепнул он Вере Рашидовне на ухо. — Как ты смотришь... э-э... на некоторые элементы не совсем традиционного секса?

— Обожаю!!! — утробным голосом взревела Железная Леди.

— К примеру... если я... э-э... воспользуюсь твоей сахарной попкой... попочкой?..

— Обожаю!!! Тащусь! Прелесть, что такое! Сама тебе хотела предложить, душенька моя! О, как ты прекрасен, как прекрасен!

— Ох...еть! — крякнул из будки синхронистов Гоблин. — Спиши адресок завода, где таких б...дей клепают! Воспользуюсь обязательно.

— На заводе таких не клепают. Индпошив! — заметил Рыба, неожиданно втянувшись в обсуждение сексуальных достоинств Веры Рашидовны. — Чего дальше-то делать?

— Ставишь раком и впендюриваешь.

— Угол впендюривания?

— Ну ты совсем ох...ел, я тебе кто, геометр Феллини, нах?

Какого именно Феллини имел в виду Гоблин, Рыба-Молот так и не понял. Но вряд ли это был тот самый Феллини, который снял фильм «Сладкая жизнь». Кошкина потащила Рыбу смотреть «Сладкую жизнь» в рамках ретроспективных показов «Фестиваля Фестивалей» — и он пошел даже с некоторым воодушевлением, купившись на кулинарное название. Но, как и в случае с еще одним кинематографическим шедевром — «Большая жратва», фильм оказался грандиозной обманкой.

«Наё...кой», как выразились бы Колян Косачев и примкнувший к нему Гоблин.

Ничего особо кулинарного и ценного с точки зрения расширения профессионального кругозора в нем не было.

— ...Тут другая жопа... — после небольшой паузы произнес всезнающий Гоблин.

Рыба-Молот инстинктивно оглянулся в поисках дополнительных задниц, но ничего похожего на них не нашел. Исключая саму ситуацию, естественно.

— Вообще-то — она одна.

— Х..й знает, получится ли насухо.

— А ты бы что рекомендовал?

— Для начинающих я бы рекомендовал вазелин «Норка».

— А этот-то чего советует? — Рыба снова обратил взор к синьору Барбозе, переместившемуся с обломков балдахина на покосившуюся спинку кровати.

На этот раз Гоблин не стал манкировать обязанностями синхрониста и выразился в том духе, что сначала нужно ввязаться в драку, а там видно будет.

Спустя довольно непродолжительное время, общими усилиями и при непосредственной помощи податливой, как воск, Веры Рашидовны, Рыба получил наконец возможность осуществить все свои гнусные мечты.

И — едва не улетел к звездам.

В самом прямом смысле этого слова: перед его взором проплыли туманности Лисий Мех и Подбитый Глаз, пронеслась туманность Бегущий Цыпленок. Чудом избежав всасывания в черную дыру, Рыба-Молот выскочил в районе Кассиопеи. И тут же увидел болтающийся без дела звездолет «Заря». И экипаж четырнадцатилетних отроков, в полном составе приникший к иллюминаторам.

— Низзя! Зась! — просемафорил им Рыба. — Детям до шестнадцати!

И волевым усилием схлопнул картинку.

Уход Веры Рашидовны он запомнил смутно. Вернее, это не был уход в классическом смысле слова: науськиваемый Гоблином, Рыба просто выставил Железную Леди за дверь, окатив градом отборных ругательств. Вера Рашидовна впрочем не обиделась. Ругательства отнесла к особенностям темперамента «душеньки», ежесекундно благодарила и повторяла как заведенная, что в жизни не испытывала столь ярких переживаний, духовных и телесных. И что Рыбу-Молота нужно отлить в золоте и поставить на центральных площадях всех мировых столиц. Напоследок обозвав скромнягу Бархатова «своим повелителем» и намекнув на множество прекрасных и упоительных мгновений, которые ждут их впереди, Вера Рашидовна удалилась.

Унося в волосах измочаленную орхидею.

Оставшись один, Рыба сел подсчитывать убытки.

Во-первых, он (неоднократно и всеми доступными способами) совратил чужую жену.

Во-вторых, он мерзко изменил своей единственной и неповторимой любви — ИзящнойПтице. А скромная память о ней — цветочек-орхидейка — унесен в неизвестном направлении.

В-третьих, если подобные игрища перейдут в разряд постоянных, то он рискует не дожить не только до Нового года, но и до наступления календарной осени. Семижильная нимфоманка, госпожа Родригес-Гонсалес Малатеста, его ухайдокает, тут и к гадалке не ходи.

— Чего делать-то? — обратился он к своим недавним покровителям, соглядатаям и соучастникам — Гоблину и Луишу Фернандешу Барбозе. Но в голове и окрестностях царило затишье: очевидно, оба, досмотрев порнуху до конца, перекочевали в другое, более интересное место.

Вот так всегда — санки приходится тягать одному, — грустно усмехнувшись, подумал про себя Рыба. И попытался вызвать виновников всего произошедшего кошмара, злых духов нгылека:

— Вы-то хоть на месте, гаврики?

Обрывки тумана, поплывшего перед глазами Рыбы, подтвердили: гаврики на месте.

Немного успокоившись, Рыба-Молот оставил подсчет моральных издержек и переключился на физические. Тут его ждал целый букет неприятных открытий:

Во-первых, слегка саднил натруженный пенис.

Во-вторых, саднила правая щиколотка, с которой была похищена злосчастная орхидея.

В-третьих, саднило левое ухо.

Со щиколоткой Рыба и заморачиваться не стал (если уж придется ужасаться последствиям, то лучше делать это при свете дня), а ухо...

Ухо стало серьезно беспокоить Рыбу после того, как он цапнул рукой мочку и обнаружил что ее форма непоправимо изменилась. Обычно вытянутая наподобие десерта «Chuvisco», она венчалась полукружием правильной формы. Теперь, насколько мог судить Рыба, полукружие — хотя и сохранило правильность формы — не выпирало, а казалось вогнутым.

Терзаемый самыми нехорошими предчувствиями, Рыба побрел в ванную, по ходу вспомнив, что полуолигархическая самка Вера Рашидовна не единожды совала ему в уши свой язык. Но сованием языка дело не ограничивалось, за ним следовало обмусоливание и покусывание. Еще какое покусывание! Как только она вообще не отчекрыжила...

А если — отчекрыжила?!!

Как Тайсон Холлифилду?!!

Да нет, такого быть не может! Иначе он почувствовал бы страшную боль и кровища бы хлестала так, что мама не горюй.

Приободренный Рыба сунул физиономию в индийское зеркало над испанским умывальником и чуть не рухнул на итальянскую плитку:

мочка левого уха отсутствовала как класс!

Но при этом само ухо не выглядело так, как будто рана нанесена час или два часа назад. Процесс заживления кончился еще до того, как Рыба-Молот обнаружил потерю. И теперь о ней напоминала лишь розоватая полоска по краю.

Ничего себе — регенерация! Похлеще, чем во всех фильмах о далеком будущем — типа «Пятого элемента», который они с Рахилью Исааковной и смотрели ровно пять раз. Рахиль Исааковна — из-за Брюса Уиллиса, а Рыба-Молот — из-за Милы Йовович и немного — из-за монструозной оперной певицы Дивы Лагуны.

— Вы, что ли, постарались, анестезиологи хреновы? — спросил Рыба-Молот у затаившихся нгылека.

Ответа не последовало, но и без него ясно — они, они, больше некому.

— А что, нельзя было заодно и мочку пришить, раз вы такие специалисты?

Стоило Рыбе произнести это, как в висках громко застучали самодийские барабаны, что, несомненно, означало: «Хавай, что дают, идиот, и не выпендривайся».

— Ладно, ладно, проехали, — примирительно сказал Рыба, и барабаны тотчас стихли.

За изучением искалеченного уха Рыба провел добрых полчаса, каждые тридцать секунд поминая Веру Рашидовну недобрым словом. Начав с «сучки», он присовокупил к ней еще с десяток нецензурных и близких к нецензурным определений. На этом его матерщинная (о, где же ты, брателло Гоблин!) фантазия иссякла, и пришлось перейти на:

млекопитающих женского рода;

пресмыкающихся женского рода;

верблюдовых и парнокопытных женского рода;

членистоногих женского рода;

ракообразных и хордовых женского рода.

А также — отдельной строкой — припомнить волосатую проехидну, обитающую в горных влажных лесах Новой Гвинеи.

Когда вся известная Рыбе фауна подошла к концу, он решил перескочить на неодушевленные предметы все того же рода, но их было слишком, слишком много. И Рыба снова вернулся к «сучке» и даже оплевал все зеркало.

А потом, немного поостыв, угнездился на британском унитазе, забросил ноги на британское же биде и заложил руки за голову.

Так ли уж виновата несчастная Вера Рашидовна, находящаяся под прямым воздействием злых духов нгылека?

Нисколько не виновата.

Это они, мелкие пакостники, вертят ею, как хотят, а сама Вера Рашидовна — почти что ангел во плоти, пусть и слегка падший. Как она хотела понравиться Рыбе-Молоту, как старалась ублажить его, какие перспективы стремилась открыть перед ним! Это — дорогого стоит, если не брать во внимание искусственно созданную духами ситуацию.

А вот жизнь и здоровье самого Рыбы, напротив, — стоят недорого.

И, если Вера Рашидовна будет продолжать такими темпами, он может лишиться не только мочки уха, но и вещей посущественнее.

Опыт последнего часа подсказывает: пропажу легко не заметить. Хватиться ее не сразу, если вообще будет за что хвататься!

И потом, Железная Леди вовсе не героиня его романа! Тут хоть тресни — а сердцу не прикажешь.

Все, что произошло сегодняшним вечером между ним и Верой Рашидовной, можно и должно считать ошибкой.

Единственное, что от него требуется, как от порядочного человека, — сказать об этом г-же Родригес-Гонсалес прямо в глаза. До сих пор, правда, Рыба никому не объявлял о своем уходе, он всегда выступал в совершенно ином — малопочтенном — амплуа: оставленного мужа и любовника.

Рыба попытался вспомнить, какие именно слова говорили ему при разрыве Кошкина с Рахилью Исааковной. Но ничего, кроме «пошел ты в жопу!», почему-то не вспоминалось. А к Вере Рашидовне подобного рода лексика неприменима. Как неприменим тезис «я люблю другую», поскольку у нее может возникнуть вполне резонный и неудобный для Рыбы вопрос: «Тогда какого хера ты трахался со мной?»

Ответов на неудобные вопросы Рыба-Молот избегал всегда и всеми доступными способами. Следовательно, в трясину «я люблю другую» и соваться не стоит, захлебнешься вонючей жижей к чертовой матери. А вот обтекаемые формулировки типа «мне необходимо время, чтобы подумать» или «я слишком долго жил один, чтобы что-либо менять в своей жизни. Может быть — потом, но не сейчас»... Эти формулировки подойдут.

Рыба даже дернул себя за нос — таким умным и хитрым он себе показался. Но, спустя мгновение, пришлось бить себя по лбу: не все так просто, *рыбец,* не все так просто! Вера Рашидовна, в отличие от Рыбы-Молота, никогда не жила одна. Разве что — в юности, изрядно подмоченной портвейном «Три топора» и еще бог весть какими вещами. Но юность давно закончилась и ей на смену пришла зрелость с испанским и итальянским мужьями в активе, а также зрелость-зрелость с хорошо отлаженным бизнесом и личными телохранителями.

Два платяных шкафа, снабженные головой (и — что важнее — кулаками), стояли перед Рыбой-Молотом как живые. Нисколько не напрягаясь, он мог вспомнить их бычьи шеи, на которых не сходился ворот рубахи, грудные клетки размером со стиральную машину фронтальной загрузки и наколки на руках; сломанные уши, сломанные носы и тупые раздвоенные подбородки.

Бедолага-официант виделся Рыбе не столь ясно, — кроме разве что одной-единственной детали: наручников.

Эта деталь, этот символ униженности одних и произвола других, слепила глаза.

Нет никаких гарантий, что Рыба-Молот, изрыгни он из себя «мне необходимо время, чтобы подумать», не повторит горестную судьбу официанта. Причем Вера Рашидовна, науськиваемая злыми духами нгылека, сделает это из самых лучших побуждений: в наручниках мыслительные процессы всегда идут энергичнее.

А двое ее подручных (опять же, из самых лучших побуждений) еще и поддадут под ребра, навесят фингалов, пересчитают зубы и не предложат после этого даже баралгина в качестве обезболивающего. Потому как известно, что хорошо зафиксированный пациент в анестезии не нуждается.

Остается, конечно, надежда, что в качестве анестезиологов выступят духи нгылека. А вдруг — не выступят? Кто знает, что на уме у этих самодийских козлищ с извращенными понятиями о добре и зле? Вернее — с полным их отсутствием.

Не-ет, самый лучший вариант — бежать из гостеприимного дома Веры Рашидовны без всяких объяснений, прямо сейчас, под покровом ночи. Всеми возможными и невозможными способами добраться до аэропорта, сесть на первый рейс — куда угодно, хоть бы и в Гонолулу, куда собиралась лететь ИзящнаяПтица.

Если Рыба доберется до аэропорта и Вера Рашидовна не кинется в погоню — он спасен!

Как бывало с Рыбой-Молотом и раньше, принятие любого, — даже глупого, — решения вызвало бешеный прилив энергии. Он заметался по гостевой в поисках личных вещей. Их, насколько помнил Рыба, было совсем немного: ботинки с носками, куртка, рубаха, джинсы и исподнее. Проще всего дела обстояли с курткой: еще днем она была аккуратно повешена в шкаф из карельской березы, разделявший два книжных шкафа из красного дерева — с фолиантами-муляжами. Вспомнив о шкафе и обнаружив там куртку, Рыба посчитал это знаком провидения: именно в куртке, во внутреннем кармане, застегнутом на молнию и заколотом на две английские булавки, покоились главные ценности: внутренний и загран- паспорта, водительские права, счастливый трамвайный билет, не съеденный Рыбой семь лет назад и хранящийся для экстраординарного случая; купюра в двести чешских крон, найденная в вестибюле станции метро «Электросила»; фотокарточки Кошкиной и Рахили Исааковны, старая армейская фотка самого Рыбы и Коляна Косачева, по причине большого размера сложенная вдвое; сложенная вчетверо грамота за второе место на межрегиональном конкурсе поваров «Северная Звезда», проходившем в Апатитах в преддефолтном 1997-м; обрывок салфетки с автографом солиста «Депеш Мод» Дейва Гэхана; программка питерского дельфинария с автографом дрессировщика неподражаемой белухи Маруси; пакетик с сахаром из ресторана «Тбилисо», где Рыба познакомился с Кошкиной; пакетик с сахаром из ресторана «Семь-Сорок», где Рыба познакомился с Рахилью Исааковной; вечный календарь карманного формата с расписанием разводки мостов. И — с недавнего времени — жемчужина коллекции:

посадочный талон Ануш Варданян.

Похлопав по потайному карману куртки и ощутив его успокаивающую тяжесть, Рыба-Молот переключился на другие вещи. Трусов «Рататуй» и одного носка с улиткой обнаружить так и не удалось, зато почти сразу нашлись рубаха, ботинки и второй носок.

Джинсы же валялись на том самом месте, куда бросила их Вера Рашидовна, а именно — под дизайнерским столом в стиле хайтек.

Поскольку с джинсами, как с источником повышенной электроопасности, держать ухо следовало востро, Рыба сначала натянул на себя рубаху, напялил и застегнул куртку. И только потом приступил к главному: пожаронестойким штанам.

Грохнувшись на колени, он осторожно заполз под стол и ухватился рукой за штанину. Никаких санкций в пять тысяч вольт со стороны штанины не последовало, и ободренный Рыба продолжил изыскания дальше.

Из слегка подкопченного заднего кармана он — со всеми предосторожностями — вытащил мобильник. Вернее, то, что от него осталось, — наполовину расплавленный пластмассовый корпус с литой поверхностью вместо кнопок: клавиатура, принявшая на себя главный удар, приказала долго жить. Но дисплей, вопреки ожиданиям, оказался целехонек. И, как только Рыба взял телефон в руки, вспыхнул своим обычным желтоватым огнем:

«НУ ЧТО, УДОВЛЕТВОРИЛ СВОЮ ПОХОТЬ, ИДИОТ? ТЕПЕРЬ ВАЛИ ОТСЮДА ПО-СКОРОМУ И НЕ ОГЛЯДЫВАЙСЯ. РЕЙС САЛЕХАРД-МОСКВА, ВЫЛЕТ ЧЕРЕЗ 1 ЧАС 32 МИНУТЫ. СЧАСТЛИВОГО ПУТИ!»

Это было самая длинная эсэмэска от сотового оператора PGN за все время его одностороннего общения с Рыбой-Молотом. И хотя общий тон послания был совсем не лучезарным, последняя фраза оставляла надежду на то, что хоть сеть PGN и сердита на Рыбу — но не лишает его своего покровительства.

Рыба несколько раз стукнулся лбом о пол, выражая сердечную благодарность неведомому телефонному заступнику, выполз из-под стола, натянул джинсы и ботинки, а носок-одиночку сунул во внешний карман куртки. Туда, где еще вчера ночью лежала вся его наличность — пять тысяч рублей одной бумажкой. Купюры меньшего достоинства были благополучно пропиты на пару с Николашей, Рыба помнил это точно. Как точно помнил, что перед ночным крестовым походом в город пять тысяч (совсем еще новенькие, нарядного апельсинового цвета) покоились в кармане, как младенец в люльке.

Выходит — не покоились.

Выходит — случился самый банальный киднэппинг.

Выходит, какая-то мразина скоммуниздила денежки, пользуясь плачевным состоянием Рыбы-Молота, а ограбить пьяного — все равно что ударить ребенка, высшие силы такого не прощают! Мысленно послав запоздалые проклятья в адрес неведомых воришек, Рыба сосредоточился на рейсе «Салехард—Москва».

Даже при наличии пяти оранжевых тысяч улететь в столицу было делом весьма проблематичным. Билет стоит явно дороже, да и не факт, что в самолете есть свободные места. Но если они и есть — где взять деньги на билет?!

«ОДОЛЖИ У РОГОНОСЦА!» —

мигнул бесовской дисплей покореженного телефона.

Несколько секунд Рыба соображал, кто такой рогоносец. Как-то раз Кошкина поволокла его на очередную ретроспективу итальянского кино девятьсот-лохматого года и там вроде бы был фильм с этим же словом в названии... ага, он назывался «Великолепный рогоносец»! Заглавную роль в фильме исполняла красавица-актриса Клаудиа Кардинале, и Рыба (тайком от Кошкиной) даже пустил слюну — так ему понравилась шельма-Клаудиа. Но потом, прикинув, сколько лет назад был снят фильмец (получалось никак не меньше сорока!), приплюсовав эту цифру к возрасту экранной героини и представив, как она выглядит сейчас, тут же втянул слюну обратно.

Женщины элегантного возраста не в его вкусе, так-то!

А рогоносец... Рогоносец — это муж, которому изменила жена. Наставила рога, в просторечии.

Исходя из этого, рогоносцем можно считать бедного депутата Городской думы Николашу. Не будет ли великой наглостью, совратив его жену, требовать от него еще и денег? Рыба считал, что будет, но, если сеть PGN настаивает, — требовать придется.

Потому что никто другой в этом городе денег Рыбе-Молоту не даст, коню понятно.

Сделав два глубоких вдоха и только один выдох, Рыба осторожно приоткрыл дверь в коридор: никого. Остается надеяться, что Вера Рашидовна после всех сегодняшних утех спит сладким сном, а ее телохранители удалились по своим неотложным делам. Другие обитатели дома не представляли никакой опасности, и встречи с ними Рыба не боялся.

Нужно только найти Николашу.

Как и предполагал Рыба, Николаша обнаружился в детской. Он в оцепенении сидел перед неутомимой **«Kleineisenbahn»**, гоняющей паровозик с вагонами туда-обратно. Видок у Николаши был тот еще: одежда в полном беспорядке, физиономия исполнена печали, а волосы на голове — всклокочены. Такую прическу в шахрисабзском детстве Рыбы-Молота называли «Взрыв на макаронной фабрике». Судя по всему, взрыв был ядерным.

— Привет, — сказал Рыба, присаживаясь перед депутатом на корточки. — Ну, ты как?

— Тебе-то что? Какого ты сюда приперся?

— Просто... Шел мимо. Дай, думаю, загляну... Узнаю, как мой друг Николаша поживает.

— У-у... гад, — промычал Николаша, вскинул кулак, но тут же безвольно опустил его. — Еще издевается, сволочь!

Будь у Рыбы чуть больше времени, чем 1 час и 32 (теперь уже — 24) минуты, он обязательно утешил бы Николашу и даже напился бы с ним, — но времени не хватало категорически. И Рыба, памятуя о том, что регистрация на рейс заканчивается за сорок минут до посадки, решил взять быка... то есть — Николашу за рога.

— Я, собственно, попрощаться.

— Чего это?

— Уезжаю. Вернее, улетаю московским рейсом.

— Сам?

— В смысле?

— Я спрашиваю, сам летишь или вместе с Веркой?

— А-а... сам, сам. Вера Рашидовна остается...

228

— А Верка в курсе... про московский рейс? И про то, что ты решил отчалить? — осторожно спросил Николаша.

— Нет, я ей не сообщил, — ответил Рыба после секундной паузы. — Как-то не до этого было.

— Еще бы! — Лицо Николаши осветила горько-саркастическая ухмылка, несказанно удивившая Рыбу: он не ожидал от посконного депутатишки таких сложных чувств.

— Это не то, что ты думаешь...

— А чего думать — я сам все видел.

— Все?! — ужаснулся Рыба.

— Как вы ужинали, сволочи! А меня прогнали, будто я собака беспривязная.

— Ну... Ты же сам свалил, не захотел остаться. А остался бы — сразу понял...

— Что?

— Что у нас с твоей жсной — глубокая духовная связь. Не более.

— Какая-какая?

— Духовная! Художники, там, композиторы... Бетховен, в частности. Тебе, Николаша, нужно развиваться, чтобы, так сказать, соответствовать... Книжки читать, музыку слушать. Путешествовать и посещать музеи.

— Издеваешься?

— Нисколько. Тут у вас есть один парень, большая умница. Зовут Ян Гюйгенс ван Линсхоттен. Ты к нему присмотрись, пообщайся. Узнаешь много интересного.

— Интересного, да?.. —

до сих пор безучастно сидевший на полу Николаша совершил молниеносный бросок в сторону Рыбы-Молота, оседлал его и крепко ухватился за полы куртки.

— Верни духов! — просипел он жестким наждачным шепотом.

229

— Да ради бога, какие проблемы... — Несмотря на то, что Николашино колено упиралось ему в кадык, Рыба пытался говорить с достоинством.

Николаша взвыл как раненый зверь и что-то быстро-быстро забормотал на уже слышанном Рыбой, но по-прежнему непонятном языке.

Где толмачи-то? — с тоской подумал Рыба, но ни Гоблин, ни синхронист-переводчик Володарский не отзывались.

А Рыбью голову, между тем, сковало страшным холодом и что-то странное происходило с ушами: как будто в них вставили по гигантской воронке и теперь, через каждую из воронок, пытаются выкачать содержимое.

Экзекуция длилась около минуты, после чего Николаша увял, перестал давить на кадык и, обессиленный, сполз с торса Рыбы-Молота.

— Как там? — поинтересовался Рыба, но депутат только рукой махнул.

Криотерапия и воронки произвели неожиданный эффект: в мозгах Рыбы образовалась неожиданная легкость, как после продолжительного контрастного душа, и он вспомнил еще два бессмертных произведения Бетховена — оперу «Фиделио» и увертюру «Кориолан».

Хотя нет, не вспомнил (Рыба и знать не знал об их существовании) — *навеяло*.

— Я в твоих духах — не в пень ногой, — соврал он. — Но думаю вот что... Если я улечу, вряд ли они увяжутся. Они здесь привыкли... А если я останусь — всем будет только хуже. Выходит, улететь — самое верное решение. Не так?

— Так, — подтвердил Николаша.

— Только ты того... Денег мне одолжишь?..

ЧАСТЬ ВТОРАЯ

КРОВАТЬ ДЕ ГОЛЛЯ

* * *

ГЛАВА ПЕРВАЯ — *в которой Рыба-Молот снова встречается со змеей-бортпроводницей, наставляет на путь истинный духов нгылека, прилетает в Москву, знакомится с гражданским мужем Кошкиной, готовит один экстраординарный кофейный напиток и, благодаря ему, неожиданно получает работу у олигарха по фамилии Панибратец*

...С вещами, оставшимися на первой салехардской квартире Рыбы-Молота, пришлось расстаться навсегда. Заверни они еще и за чемоданом — и вожделенный московский борт улетел бы без А. Е. Бархатова. А так — оставался шанс успеть и на регистрацию, и на посадку.

Чтобы добраться до аэропорта, пришлось рискнуть хозяйским джипом как самой надежной и быстрой машиной. Но и здесь не обошлось без курьеза — Николаша наотрез отказался садиться за руль по причине недостаточной «длины ласт», как он выразился.

— Чего? — не понял Рыба.

— Ноги до педалей не достают, вот чего!

— Как же ты ездишь?

— Пассажиром, ёптить! Обычно Верка меня возит, а на работу и с работы, и по всяким делам депутатским — служебка.

— А права-то у тебя есть?

— Права Верка мне купила, только не помню, где они... Валяются где-то, наверное.

— Как же мы поедем? — Изумлению законопослушного Рыбы не было границ.

— Ка́ком кверху! Ты за рулем, а я рядом. Водить умешь?

— Вроде того... Умею... Только доверенность нужна.

— Ага. Ща нацарапаем, дождемся утра и у нотариуса заверим. Тебе в аэропорт надо или мне?!

— А если тормознут?

— Меня? Депутата Городской думы? — теперь уже изумился Николаша. — Ну, ты даешь! Здесь Веркин джип каждая собака знает...

Рыба-Молот тут же вспомнил историю местной собаки, с которой сняли шкуру заживо, и подумал: все-таки хорошо, что он покидает этот странный город. Пусть даже не увидев и не поняв его толком. Может быть, в отдаленном (очень-очень отдаленном) будущем он вернется сюда, выпьет с Николашей, послушает умника Яна Гюйгенса, проникнет в тайну странного словосочетания Болванский Нос и купит магнит на холодильник с туристически привлекательной панорамой Салехарда.

Магнит стоил того, чтобы вернуться, но что-то подсказывало Рыбе: Салехард он видит последний раз в жизни. Подведя жирную черту под Полярным кругом, Рыба переключился на мысли о безвозвратно утерянных вещах из чемодана. Что там было? Три пары обычных носков, две пары теплых, на козьем пуху; несколько пар трусов — по-английски сдержанных, без всяких мультипликационных завихрений; бритвенный прибор, банное полотенце, туалетная вода «Narciso Rodriguez for Him», три рубашки, счастливый галстук с обезьянами, который Рыба неизменно повязывал в первый день работы на новом месте; белые джинсы на выход, черные джинсы на каждый день, жилетка — кожаная на вид, но пошло дерматиновая по сути своей, шарф «Генри Ллойд», подаренный Кошкиной.

Вроде все.

Зимние вещи Рыба-Молот надеялся прикупить непосредственно в Салехарде, исходя из погодных условий местности, — но до свирепой салехардской зимы досидеть не получилось. Значит, придется обновлять гардероб совсем в другом месте.

Больше всего было жаль туалетную воду, галстук с обезьянами и «Генри Ллойда», — но галстук все-таки жальче. Зеленые обезьяны на желтом фоне стояли перед глазами Рыбы, как живые, — помахивали хвостами и так умильно морщились, что Рыба-Молот даже пустил по ним слезу. Как обычно, искренняя эмоция не осталась безнаказанной: отвлекшись на чертовых проститутских мартышек, он едва не впаялся в фонарный столб и лишь в самый последний момент избежал столкновения.

— Угробить нас решил?! Не видишь, куда прешь, что ли? — прикрикнул на шофера-неудачника Николаша. — Давай, поддай газу, залупа конская!

— Я попросил бы не выражаться... —

поморщился Рыба, и тут же в его голове послышалось потрескивание микрофона. И вернувшийся в отчую будку синхронистов блудный сын Гоблин выдал целую простынь отборных ругательств в ответ на сиротскую «залупу». Озвучить хотя бы одно из них Рыба (в силу провинциального воспитания) не решился. Но был явно восхищен грозной силой и необузданностью русского ненорматива. И — прежде чем волевым усилием смикшировать звук — несколько раз произнес в пространство салона: «Иди ты!», «Охренеть, как круто!» и «Такое тоже бывает?!»

— Не фига себе ты странный! — моментально отреагировал Николаша. — Сам с собой разговариваешь! Ну у тебя и тараканы в башке!

— У тебя, можно подумать, никто там не живет.

Брошенное вскользь замечание Рыбы направило мысли Николаши в русло возможного воссоединения с духами нгылека. Он почему-то уверовал в теорию о том, что консервативные духи ни за что не пересекут границы ареала Ямало-Ненецкого округа — хоть на самолете, хоть как. И только то и делал, что заставлял Рыбу «поддать газку» и даже норовил ухватиться за руль, чтобы скорректировать движение. Когда они добрались наконец до аэропорта, оказалось, что регистрация на московский рейс закончилась пять минут назад. Но и здесь Николаша не растерялся, а, выхватив депутатские корочки и размахивая ими, как самурайским мечом, метнулся к дежурному по аэровокзалу.

Спустя еще три минуты все проблемы были улажены и Бархатов А.Е. прошел на посадку в сопровождении самого дежурного, начальника службы безопасности аэропорта и депутата законодательного собрания.

— Я тебя никогда не забуду, — вполне искренне сказал Рыба Николаше. — А деньги вышлю при первой же возможности.

— Лучше забудь, — вполне искренне сказал Николаша Рыбе. — И денег никаких не нужно.

После этого он добавил еще несколько слов на своем языке, махнул рукой, повернулся на сто восемьдесят градусов и ушел, не оглядываясь.

Рыба, напротив, несколько раз оглянулся, мысленно пожелал депутату удачи, процветания и счастья в личной жизни. Затем извинился за косяк с депутатской женой, не преминув напомнить, что в произошедшем косвенно виноват сам Николаша. Нужно было держать своих духов под контролем и не выпускать из узды, если уж решил для себя, что без помощи потусторонних сил в этом мире не проживешь.

Успокоив таким образом нечистую совесть, Рыба вскарабкался по трапу на борт московской «тушки». И нос к носу столкнулся со змеей-бортпроводницей с «тушки» питерской. От удивления у Рыбы отвисла челюсть, но змея удивилась не меньше.

— Вы?!

— Ты, чудила?! Опять будешь полет людям махратить?

Рыба хотел огрызнуться в том плане, что еще неизвестно, кто кому будет «махратить полет», но передумал. И, не говоря ни слова, всучил гестаповке посадочный талон.

— Место 3А, бизнес-класс, — с некоторым даже пиететом произнесла змея и почему-то перешла на корректное множественное число. — Идемте, я провожу вас.

Рыба оглянулся, проверяя, не стоит ли за ним толпа бизнесменов.

Ни единого человека за Рыбой-Молотом не стояло. следовательно — обращались непосредственно к нему, причем в извращенно-вежливой форме. Что последует за этим и как будет проходить полет — одному Богу известно, но надеяться всегда нужно на лучшее.

С надеждой в сердце Рыба и проследовал на место 3А в бизнес-классе московского разлива. Он мало чем отличался от разлива санкт-петербургского: та же тряпка горчичного цвета, отделяющая бизнес-чистилище от ада общего салона, те же потрепанные кресла, те же откидные столики и кипы периодики. Неизвестно, сколько человек вообще летело из Салехарда в Москву ночным рейсом, но в этом отсеке Рыба оказался в полном одиночестве. И сразу стал извлекать дивиденды из своего привилегированного положения: развалился в кресле (чуть более широком, чем обычно), вытянул ноги (в экономклассе такие манипуляции с конечностями невозможны в принципе), взял в руки газету «Московский комсомолец», потом сменил ее на «Экспресс-газету» с зубодробительной новостью о том, что у певицы Сати Казановой открылся третий глаз. Потом Рыбу привлек один из заголовков газеты «Жизнь» — «Полтергейст в Кремле: оправдываются самые мрачные ожидания специалистов». Квелые и притянутые за уши факты полтергейста Рыбу не удовлетворили, и он переключился на «Биржевые новости».

Что больше соответствовало его новому имиджу vip-пассажира.

В полном соответствии с ним расслабившийся Рыба спросил у змеи-бортпроводницы:

— А коньяк у вас подают?

Вопреки всему прошлому опыту их недолгих взаимоотношений, змея не стала бросаться на Рыбу-Молота и жалить его презрением. А почтительно и с придыханием сказала:

— Спиртное будет предложено вам позже. А сейчас прослушайте информацию о мерах безопасности в полете.

— Ну-ну, — поощрил Рыба, глядя на легкий туман вокруг головы гестаповки, всегда предшествовавший появлению духов нгылека. — Валяй про меры.

Гестаповка на ускоренной промотала про «экипаж в лице такого-сякого пилота приветствует вас» и перешла к вольным упражнениям с кислородной маской и спасательными жилетами. Эту волнующую прелюдию ко взлету Рыба-Молот обычно пропускал, так как находился в состоянии далеком от нормального. Но сейчас он чувствовал себя превосходно: не было ни обычного страха, ни перманентных и гнетущих провалов в небытие.

Летать не так уж плохо, — подумал Рыба, — только если самолет все-таки навернется с заданной высоты, жилет и масочка ни хера не спасут. А впрочем... тыр-ча-ча...

Тут в голове Рыбы самопроизвольно зазвучал зажигательный ретро-мотивчик «Хафанана», запел Африк Симон, а змея... Змея повела себя странно: она стала интенсивно размахивать у себя над головой спасательным жилетом, затем прицельно метнула его в Рыбу и принялась расстегивать пуговицы на форменном жакете. Жакет эротически упал к ее ногам — и к нему через секунду присоединился шейный платок. На этом гестаповка не остановилась: грациозно повиливая бедрами, она слегка приспустила юбку и ухватилась за край блузки с явным намерением расстаться с ней в ближайшие пять минут.

Ну дает, змеюка! Стриптиз для меня решила устроить, не иначе, — внутренне содрогнулся Рыба-Молот, — не-не-не, ребятушки, на сегодня достаточно, закрываем лавочку!

Лавочка закрылась мгновенно: змеюка с той же непосредственностью, с которой раздевалась, оделась, одернула жакет и поправила шейный платок. И ушла к себе за загородку, оставив Рыбу в сомнениях — правильно ли он поступил, прервав стриптиз на самом интересном месте и не увидев, что находится у гестаповки под одеждой. Обычная человеческая кожа или чешуя, которая однажды пригрезилась ему, или вообще — портупея, эсесовский кортик и чулочный пояс со свастикой.

Набор высоты и первые полчаса полета прошли без происшествий, если не считать крошечного инцидента, спровоцированного Рыбой. Потягивая коньяк, который оперативно притаранила змея, Рыба-Молот раздумывал о границах могущества злых духов нгылека. Взять, к примеру, этот самолет: вдруг у него откажут приборы? вдруг он попадет в эпицентр грозового фронта без всякой надежды на спасение? Участь пассажиров и экипажа ясна, но что будет с Рыбой, которого нгылека так рьяно патронируют? Останется ли он жив, благодаря потустороннему заступничеству, и если останется — то каким образом? Духи нарастят ему крылья, как у чайки Джонатан Ливингстон? выступят в качестве парашюта? в качестве катапульты? в качестве облачка, на котором Рыба опустится на землю, держа в одной руке мирровую ветвь, а в другой — оливковую?..

Не успел он додумать про ветви, как самолет затрясло.

— А? Чего?! — Рыба затрясся вместе с самолетом и стал, как сумасшедший, жать на кнопку вызова бортпроводницы.

Но и без кнопки змея подползла к нему через секунду и шепнула, сладострастно дыша:

— Не волнуйтесь, это всего лишь легкая турбулентность. Сейчас все закончится.

— Мы тоже... закончимся?

— Ну что вы! Обычная штатная ситуация. Еще коньяку? Могу предложить вам плед...

Так и не поняв, зачем при турбулентности нужен плед, Рыба сосредоточился на обуреваемых жаждой экспериментаторства духах:

Не-не-не, ребятушки, возвращайте все взад, трупы на совести мне ни к чему, она у меня тварь нежная и больше полутора килограммов в рывке не поднимает.

Не то чтобы турбулентность разом кончилась, но уши у Рыбы закладывать перестало и в них снова зазвучала музыка — на этот раз не зажигательная, а проникновенно-лирическая. Рыба моментально признал в ней заглавную тему к фильму «Эммануэль», и у него в животе заурчало от нехорошего предчувствия.

Предчувствие переросло в уверенность, когда в салоне погас свет и появилась гестаповка с пледом. Блуза на ней была расстегнута едва ли не до пупа, грудь в лифчике телесного цвета колыхалась, как тесто в квашне, а из ноздрей валил пар.

Натурально — как у лошади, стоящей на морозе!

С перепугу Рыба крепко зажмурил глаза, притворился спящим и даже громко всхрапнул пару раз — для достоверности. Но это не остановило эсэсовскую кобру, и заглавная тема к «Эммануэль» не прекратилась — наоборот, стала ярче. И в ее звучание органично вплелись недвусмысленные вздохи, синтезированные на компьютере.

Рыба снова всхрапнул — теперь уже на пределе своей обычной частоты в двадцать килогерц, выдал носом целую руладу и осторожно приоткрыл один глаз: гестаповка как раз накрывала его пледом. Размер пледа удивил Рыбу (два на два метра, никак не меньше!) — слишком большой для одного пассажира, пусть и летящего бизнесклассом. Впрочем, змея-бортпроводница и не думала оставлять Рыбу в одиночестве. Он присела в кресло 3В по соседству с Рыбой, приблизила губы к его изуродованной мочке и что-то сказала низким голосом по-французски.

На этот раз включился не ненормативный Гоблин, а полиглот Володарский:

— Таиланд — лучшая страна для любви, — в своей обычной, слегка гнусавой манере перевел он.

В Таиланд Рыба собирался неоднократно — особенно, когда не был обременен браком. Но, по своему обыкновению, так и не собрался. А ведь говорят, что тайские проститутки — самые продвинутые в мире, и в любимом фильме Рыбьей юности «Эммануэль»...

Стоп!

Вот откуда взялись музыкальная тема, плед и французский язык! Чертовы нгылека добрались до юношеских воспоминаний Рыбы и самым паскудным образом извратили их, сочинили собственную малохудожественную постановку. При этом Рыбе-Молоту почему-то отводилась в ней роль самой Эммануэль, а змее... Рыба попытался вспомнить, кто же харил Эммануэль в самолете. Выходило, что трое — один из пассажиров, пилот и бисексуалка-стюардесса. Причем пилот — в туалетной кабинке, а под пледом — как раз пассажир средних лет. Но относительно молодая змея на пассажира средних лет никак не тянула, да и самолет был совсем другого класса, — так что Рыба принял решение прекратить жалкую нгылековскую отсебятину.

— Вот что, гаврики, — послал он мессэдж духам. — Нужно обмозговать, как нам быть дальше. Договориться на берегу. А бабу с пледом — на фиг, на фиг, на фиг! В сад!..

Духи прислушались к пожеланиям Рыбы и мгновенно организовали сад в стюардовском предбаннике. Но какой-то странный — с преобладанием низкорослых субарктических кустарников, стланика и полярной ивы. Вся это тундровое великолепие покоилось на мощном пласте ягеля с вкраплениями спеющей морошки.

Туда, к ягелю, и побрела змея-бортпроводница, волоча за собой плед. А Рыба-Молот вознес хвалу небесам, что заикнулся именно о саде, хотя в таких (и многих других случаях) обычно говорил «В пропасть!».

— Значицца так, — провозгласил он. — Уж не знаю, на что вы заточены, но большая просьба в мои отношения с женщинами не вмешиваться. Я вам не карлик-депутат и уж как-нибудь сам с ними разберусь. Остальные инструкции получите позже. А сейчас затихните — Чапай думать будет.

Сказав это про себя, Рыба тут же усомнился — правильный ли тон он выбрал в общении со злыми духами. До сих пор выходило, что им подвластно все, управление другими людьми в том числе. Не исключено — что и природными явлениями того или иного масштаба. Вспомнить бы, что говорил о духах нгылека Ян Гюйгенс! Но ничего, кроме того, что они — порождение местной, ямало-ненецкой преисподней, не вспоминалось. Вот если бы они были духами ответственными и созидательными, несущими добро и свет в массы!..

Рыба-Молот стал судорожно соображать, где у него находится багаж ответственного и созидательного, а также доброго и светлого, накопленный за долгие тридцать пять лет жизни. И — о ужас! — доброго и светлого оказалось с гулькин нос! Стишок про «когда был Ленин маленький, с кудрявой головой», старые слова гимна про «союз нерушимый республик свободных» (конъюнктурные новые лезть в горло отказывались категорически), картина Иогансона «Рабфак идет!» и футбольная кричалка «Раз, два, три! "Зенитушка", дави!».

Вся остальная *memory card* была непоправимо засрана:

порножурналами и порнофильмами такого качества, что «Эммануэль», два ее сиквела («Эммануэль-2: Антидевственница» и «Прощай, Эммануэль»), а также одноименный роман, положенный в основу экранизации, смотрелись на их фоне невинной сказкой на манер «Курочки Рябы»;

низкопробными голливудскими обсевками;

европейскими мудовыми киновыхлопами, которые намного хуже, чем голливудские обсевки;

приближенными к документальным программами о серийных убийцах, икорной мафии и коррупции в высших эшелонах власти;

похабными анекдотами о сексе, евреях, чукчах, Штирлице и армянском радио;

похабными историями про женщин всех мастей, возрастов и вероисповеданий;

похабными историями, случившимися с самим Рыбой, хотя они на самом деле не случались;

путевыми заметками о детской проституции в развивающихся странах;

городскими легендами о циничном беспределе, царящем на кухнях ресторанов (от самых затрапезных до самых элитных), в подсобках гипермаркетов и под рыночными прилавками. В кучу было свалено все: некачественные продукты, перебивка ценников, крысиные хвосты в супе-пюре и ногти в десертах.

Много, очень много всего непотребного было вбито в память Рыбы, и — если духи начнут копаться в этой навозной куче — добрее и лучше они не станут. Наоборот, укрепятся в своем зле и наворотят немало гнусностей.

Рыба-Молот совсем было отчаялся, как вдруг в его сознании блеснул лучик надежды. Есть, есть у него неубиенная карта! Сокровище, хранящееся в самом потаенном и чистом уголке его души. В башне из слоновой кости, больше напоминающей парашютную вышку. Вышка украшена флагами и гирляндами из цветов, снабжена радиопередатчиками, навигационными приборами, пропеллерами, обломками багров и многими другими предметами романтического и героического склада.

А сокровище это — не что иное, как любимейшая книга Рыбьего детства, —

«ДВА КАПИТАНА»!

Величайший роман воспитания всех времен и народов, где верность и предательство, трусость и героизм получают единственно верные оценки, где царит культ мужественных мужчин и прекрасных женщин, где герои демонстрируют свои лучшие человеческие качества, где добро торжествует над злом и все заканчивается так правильно, что правильнее и не придумаешь!

В отличие от совершенно непроясненной ситуации с дзэн-чайкой Джонатан Ливингстон, Рыба точно помнил, что читал «Двух капитанов» не меньше пяти раз. И даже хотел стать летчиком, как Саня Григорьев, и полярным исследователем, как капитан Татаринов, — с бородой, в унтах и в лисьей дохе. Но потом малодушно отвлекся на какие-то низменные интересы и похерил свою мечту.

Но это вовсе не означало, что мечта исчезла как таковая. Она просто ждала своего часа — и час пробил!

Рыба приосанился в своем кресле под номером 3А, расправил плечи, поиграл желваками и орлиным внутренним взором нашел в глубинах своей души парашютную вышку с «Двумя капитанами». Теперь оставалось только указать духам нгылека верный путь к вышке и пресечь заходы в непотребные места. Мысленно пробежавшись по гигантскому клозету *memory card,* Рыба запер все кабинки и навесил на них таблички: «Занято», «Occupied», «Профилактика», «Технический перерыв», «Закрыто на ремонт», «Не влезай — убьет!» со вполне достоверными черепом и костями. Кабинок оказалось намного больше, чем он предполагал, — тьма и тьма!

Надо же, как все запущено! — подумал Рыба, — *но ничего, как-нибудь возьмусь за расчистку авгиевых конюшен... Со следующего понедельника. Нет... С Нового года! В Новый год — с обновленным сознанием!*

До Нового года была еще уйма времени, а для перевоспитания духов его не оставалось вовсе. Надежда только на «Двух капитанов» — что они потрясут беспринципных нгылека так же, как в свое время потрясли маленького Рыбу. Гнать, гнать их к вышке — и вся недолга!

— Курс на зюйд-зюйд-вест! — скомандовал Рыба-Молот. — А потом — на норд-норд-ост! Там вы найдете все, что вам нужно для счастья, свободы духа и миропонимания.

...Остаток полета прошел без происшествий и даже змея-бортпроводница не беспокоила его и вела себя нейтрально, с уклоном в профессиональную вежливость.

Оказавшись в зале прилета аэропорта «Домодедово», Рыба стал думать, что ему делать дальше. Денег не было ни копейки, за исключением двухсот чешских крон из потайного кармана, а без денег даже из аэропорта не выберешься. Не говоря уже о перемещениях по столице с заплывом на Ленинградский вокзал. И все же Рыба решил не паниковать и для начала сунулся с кронами в местные обменники. Но там меняли все, за исключением чешской валюты. И жалкие попытки Рыбы объяснить, что Чехия вполне уважаемая европейская страна, вызвали у сучек из банковских окошек лишь сардоническую ухмылку. А одна из сучек даже высказалась в том плане, что чехи — полный отстой, и жаль, что мы не додавили их в шестьдесят восьмом.

Замаявшись с кронами, Рыба неожиданно вспомнил о всемогуществе нгылека. Хорошо бы сейчас им подсобить новому хозяину, размягчить и разжижить мозги фурий, сидящих на валюте. Тогда бы фурии не только обменяли кроны, но и выдали бы немереные пачки долларов и евро без всякого нажима со стороны Рыбы.

Конечно он, как честный человек, отказался бы от дармового бабла, но сам факт... Сам факт!

СА-АМ ФА-АКТ!..

Чертовы духи не отзывались, что косвенно подтверждало: они таки отправились к парашютной вышке на норд-норд-ост.

Рыба мысленно похвалил духов, попутно вылив ведро помоев на себя, мерзкого приспособленца и тряпку, не способную решить ни одной проблемы. Но, памятуя, что грешить нужно тихо, а каяться — громко и внятно, предпринял вторую попытку: на этот раз — обольщения проходящих мимо женщин.

Ничего из этих потуг не вышло.

Женщины шарахались от Рыбы, как от больного проказой, грозились позвать ментов, мужей и любовников. И лишь в двух случаях из примерно полутора десятков был достигнут некоторый прогресс: пожилая цыганка вызвалась погадать Рыбе бесплатно, а пожилая узбечка подала ему кусок недоеденной самсы. И указала на носок, торчащий у Рыбы из кармана.

Рыба поблагодарил за самсу, вытащил носок, высморкался в него, вспомнил о феерической Вере Рашидовне и глухо зарыдал, прислонившись к стойке у неработающего офиса авиакомпании «Люфтганза».

Духи молчали.

А Рыба-Молот, исчерпав запас рыданий, сосредоточился на мыслях о своих московских знакомых. Тех, кто может помочь ему в создавшейся, абсолютно безвыходной ситуации.

Спустя пять минут беспрерывного поиска в анналах, он понял, что знакомых в Москве у него нет. За исключением Кошкиной, живущей ныне с программным редактором одной из радиостанций FM-диапазона. Но ее нового телефона, а тем более адреса Рыба не знал, что переводило безвыходную ситуацию в разряд тотальной техногенной катастрофы. Из тех катастроф, воспоминания о которых были заперты в кабинке с черепом и костями и надписью «Не влезай — убьет!».

И в тот самый момент, когда отчаяние Рыбы достигло апогея, в заднем кармане джинсов призывно заухал телефон. И раздалась придушенная мелодия про девочку в маленьком «Пежо».

Та самая, миллион лет назад установленная на кошкинский, давно не функционирующий номер.

Рыба рывком вытащил мобильник и взглянул на дисплей: высветившиеся на нем цифры ничего не говорили ему, но «девочка в маленьком “Пежо”»...

Нажав на чудом сохранившуюся кнопку «ответ», он прислонил мобильник к уху и услышал голос Кошкиной:

— Слушаю!

— Кисонька, это я!..

— Кто это?

— Рыбец. Твой бывший муж... Я в Москве...

— Угу. — В голосе Кошкиной не слышалось никакой радости, но и откровенной неприязни не было тоже. — Где ты откопал мой телефон?

— Я?! — изумился Рыба. — При чем здесь я? Это ведь ты мне звонишь...

— Не хохми. У тебя все равно не получается. Сам звонит, да еще придуривается! А я, наивная, надеялась не услышать тебя до конца жизни... Чего случилось-то?

— Несчастье! Я в беде! Только не вешай трубку!

— Твоя жидовка тебя бросила? — проявила Кошкина свой звериный антисемитизм. — Так тебе, идиоту, и надо.

— Не бросила, — мелко и пакостно солгал Рыба-Молот. — Я сам ее бросил! С тобой, кисонька, никто не сравнится...

— Не начинай ты эту бодягу! Тошнит, честное слово.

— Не буду, не буду! Только я сейчас в аэропорту «Домодедово». Вообще без копья! Погибаю! И лишь ты можешь меня спасти...

— А что ты делаешь в «Домодедово»?

— Только что прилетел из Салехарда... Чудом вырвался! Меня там чуть не прикончили... Ухо напрочь оторвали. А-а... долго рассказывать!

Тут Кошкина произнесла сакраментальное *«Не хрен было шастать по всяким, прости господи, салехардам»*. И добавила:

— Я-то при чем?

— При общечеловеческих ценностях! — Рыба даже раздулся от пафоса. — Спаси ближнего и тебе зачтется на том свете.

— Я, вообще-то, в ближайшее время умирать не собираюсь...

— Пойдет в зачет по накопительной купонной системе!

— Знаю я эти накопительные системы. Сплошное наебалово!

— Кисонька!... — взмолился Рыба.

— Ну, хорошо. — Кошкина наконец-то сдалась. — Помогу тебе, Рыбец... В память о твоих конфетках с ромовой пропиткой...

— И которые с белым шоколадом тоже. И с горьким! И с суфле из имбиря! А блины помнишь?.. А банановый хлеб?

— Уговорил. — В голосе бывшей жены послышались ностальгические нотки. — Значит, так. Сейчас ты садишься на автобус в сторону Москвы. Или на экспресс, он идет до Павелецкого вокзала...

— Ты не поняла... У меня нет денег на автобус! И на экспресс тоже. Мне, наверное, лучше на такси доехать... Диктуй адрес!

— Такси от «Домодедова»? — Рыба услышал, как зубы Кошкиной заскрежетали прямо у него в голове. — Чтобы его оплатить, придется брать ипотеку в банке...

— Может, дело ограничится потребительским кредитом?

— Я же сказала — не хохми! Это не твое амплуа! Сделаем так: я сама приеду... Примерно через час-полтора. Два — максимум. Продержишься?

— Постараюсь...

— Жди меня на стоянке у центрального входа, не дергайся и не создавай аварийных ситуаций...

Кошкина приехала не через два часа, как обещала, а через четыре. Рыба весь извелся в ожидании и даже пытался прозвониться бывшей жене и узнать, где она находится в данный конкретный момент. И не забыла ли об обещании приехать и спасти несчастного Рыбца. Но лукавый, попутанный бесом телефон не подавал никаких признаков жизни, а дисплей категорически отказывался загораться, — сколько Рыба-Молот его ни тряс, ни стучал им по лбу, ботинкам и прочим твердым поверхностям.

Самым удивительным было то, что Кошкина подъехала к стоянке в маленьком «Пежо» мышиного цвета, 206-й модели, посигналила опешившему Рыбе и крикнула:

— Давай, забирайся!

Рыба прыгнул на пассажирское сиденье, а Кошкина, мастерски сделав полицейский разворот, нарушив при этом все мыслимые правила движения и едва не столкнувшись с тремя тачками, направила «Пежо» к трассе в сторону города.

— Пробки, мать их! Вся Москва стоит, — сообщила она Рыбе. — Показывай оторванное ухо!

— Во-первых, здравствуй, кисонька...

— Сначала ухо!

— Собственно, его не совсем оторвали... Так, слегка попортили — Рыба ткнул пальцем в больше несуществующую мочку. — Видишь, оттяпали кусок?

— Вот так и знала, что низменно соврешь ради своих корыстных интересов! А ведь раньше ты таким не был, Рыбец. Твоя жидовка тебя научила?

— Не очень-то красиво так выражаться...

— Да ладно! Знаю я их майсы! А что это ты так за нее заступаешься? Ты же вроде с ней расстался...

— Это не повод оскорблять человека. Вообще-то, я хотел сказать, что рад тебя видеть.

— Не могу ответить тем же...

— Спасибо, что приехала. Я бы без тебя пропал.

— А я бы — с тобой, но это к делу не относится. Куда тебя везти-то?

— В том-то и дело, что никуда. То есть — некуда. У меня и знакомых в Москве нет... Но если ты меня приютишь...

— Как это — приютишь?

— Ненадолго, до вечера.

— А потом?

— Потом я мог бы уехать... Ночным поездом в Питер... Если ты ссудишь мне денег на билет, разумеется. А я по приезде сразу же верну... Вышлю на твой новый адрес. Ты же знаешь — за мной не заржавеет!

Кошкина глубоко задумалась. И пока она думала, машинально увеличив скорость до 150 км/ч, перестраиваясь без цели из ряда в ряд и подрезая всех кого не попадя, Рыба-Молот исподтишка рассматривал свою бывшую жену. По профилю, маячащему перед ним, нельзя было понять, насколько сильно она изменилась. Но прическу сменила точно. Раньше, в бытность замужем за Рыбой, она носила волосы до плеч и подвергала их бесконечному мелированию. Теперь на голове Кошкиной красовалась короткая стрижка и мелирование сменил кардинально черный цвет. С каким-то даже фиолетовым отливом. Стрижка шла Кошкиной больше, хотя и делала ее похожей на просвещенную урбанистическую стерву, любительницу экстремального секса и романов Чака Паланика с Рю Мураками. Сам Рыба ни Чака, ни Рю и в руках не держал, но из телевизионных программ по каналу «Культура», под которые хорошо было готовить мамалыгу, плацинды и венгерский гуляш с острым перцем, знал — оба этих писателя принадлежат к альтернативной прозе. Альтернативная проза для интеллектуально неразвитого Рыбы-Молота ассоциировалась с короткометражным кино Тринидада и Тобаго и характеризовалась двумя словами: «куча дерьма».

— Ты прекрасно выглядишь, — сказал Рыба. — Ну так как насчет приюта и денег на билет? Деньги с возвратом, естественно. Могу даже с процентами вернуть...

— Кровосос! — бросила Кошкина.

— А я бы приготовил тебе что-нибудь вкусненькое.

— Вкусненькое? Не жру я вкусненького!

— Конфетки... Тортик... —

в отсутствие рванувших к Северной Земле духов нгылека Рыбе пришлось выкручиваться самому и он избрал свою обычную, искусительно-гастрономическую тактику.

— Ну не знаю. Пупу́ будет недоволен...

— Пупу? А кто такой Пупу?..

— Не смей называть его Пупу! — взвилась Кошкина и даже пихнула Рыбу-Молота в бок.

— Но ты же сама сказала про Пупу...

— Я сказала, а ты забудь. Только я имею право называть Пупу — Пупу. — С алогичным мышлением Кошкиной за то время, что они не виделись, не произошло никаких изменений в лучшую сторону. — А другие пусть выкручиваются, как хотят.

— И как они обычно выкручиваются?

— Называют Пупу Павлундером. Но про Павлундера ты тоже забудь. Павлундером Пупу зовут только близкие друзья.

— А неблизкие?

— Неблизкие? — Кошкина надолго задумалась. — Наверное, Павлом. Так у него в паспорте записано. Хотя и про Павла ты не упоминай. А то он подумает, что я разговаривала о нем с тобой. А он не любит, когда о нем разговаривают за его спиной.

— Как скажешь. — У Рыбы даже голова закружилась от хоровода, который водили вокруг него неведомые Пупу, Павлундеры и Павлы. — Хорошая у тебя машинка... Давно водишь?

— Еще бы! Тачана — высший класс! Это Пупу мне подарил. Не то что ты — трусами и духами отделывался!

Рыба тут же вспомнил, что — помимо трусов и духов — дарил Кошкиной носки, колготки и лифчики, сапоги, косметику, абонемент на фитнесс, керамику ручной работы, ароматические свечи, гели и скрабы, а один раз — полушубок из норки. Вообще-то, Кошкина хотела шубу до пят, чтобы иногда, экстрима ради, выходить в ней голой в соседний супермаркет, — но на шубу не хватило денег.

И как это Кошкина все забыла?

— Что же ты хочешь, кисонька! Этот твой... Чье имя нельзя упоминать... Он, наверное, состоятельный человек.

— Да уж, за него можешь не переживать!

— Не буду... А я — человек небогатый.

— Небогатый, нечуткий и неумный. Где были мои глаза, когда я за тебя замуж выходила?

После такого, довольно обидного пассажа Рыбу так и подмывало напомнить, что это Кошкина (а отнюдь не он сам) приложила максимум усилий для регистрации их постылого брака. Но он не стал этого делать, поскольку находился в машине Кошкиной, а не наоборот.

— Теперь-то у тебя все хорошо... Что прошлое перетирать?

— Как же его не перетирать, когда — вот он ты! Свалился как снег на голову, требуешь помощи, требуешь денег...

— Можно подумать, я у тебя миллион требую! Только на билет. И все — нет меня, растворяюсь в пространстве.

— Но до этого приготовишь тортик, конфетки и что-нибудь мясное. Или рыбное! И вот еще что... Я скажу Пупу, что ты брат моего бывшего мужа. — Кошкина бросила на Рыбу-Молота быстрый взгляд и уточнила: — Сводный.

— А зачем так сложно?

— Затем, что ты похож на идиота, — уж прости за ленинскую прямоту.

— Ничего. Проехали...

— Как-то раньше это было не так заметно... В определенных ракурсах только.

— А теперь?

— Еще не поняла... И это ухо твое дурацкое. И правда как будто откусил кто-то. Кому только понадобилось его грызть?

— А ты не предполагаешь, что это могла сделать женщина? В порыве страсти...

Рыба всегда был человеком простодушным и честным и сейчас сказал самую чистую из всех чистых правд. Но Кошкина заржала так, что едва не потеряла управление и не съехала в кювет.

— Да-а, мозгов в тебе не прибавилось! Представляешь, что будет, если я предъявлю тебя как своего бывшего? Пупу подумает, что я была замужем за идиотом. А кто выходит замуж за идиотов?

— Не знаю... Кто?

— Недалекие женщины, вот кто. Женщины с комплексами, вот кто! Или лохушки деревенские, которым все равно с кем жить — хоть с козлом, лишь бы хоть что-то в штанах телебомкало. Но ты ведь знаешь, что я не такая?

— Конечно, не такая, — с готовностью подтвердил Рыба. — А ты своему... чье имя нельзя упоминать... Вообще про меня рассказывала?

— Ну, в общих чертах, — уклончиво ответила Кошкина. — Сказала, что была замужем, поскольку Пупу нравятся женщины с богатым прошлым. Сказала, что моего бывшего мужа признали новой реинкарнацией Будды и пригласили на Тибет, или куда их там обычно приглашают?

— Не знаю... Куда?

— Как был дураком и неучем, так им и остался! Помнишь, мы еще смотрели киношку про это, с Киану Ривзом в главной роли.

В голове Рыбы забрезжил образ смуглого Киану, сидящего в позе лотос под огромным деревом: то ли дубом, то ли баобабом. Поскольку дерево было уж слишком большим и ни в одну из ныне запертых кабинок памяти не влезло, Рыба скоренько и без всяких усилий вспомнил название:

— «Маленький Будда».

— Вот! Про что я и говорю!

— И он поверил? Этот твой Пу... человек, чье имя нельзя упоминать...

— Еще бы не поверил! Сказал даже, что хочет с тобой познакомиться, когда ты реинкарнируешься оконча-

тельно. Есть у него к Будде несколько вопросов общего... э-э... теософского характера.

— Какого характера? — насмерть перепугался Рыба.

— Теософского. Мистические учения типа... С элементами оккультизма. Пупу в таких вещах большой до-
ка. Брошюры там всякие, амулеты, благовония... Ну и
попросить он кое-что хотел... Так, по мелочи. Не для себя, конечно, — для человечества.

— Вряд ли у меня получится ему помочь.

— А тебя никто и не просит. Ты же не Будда...

Не Будда, точно. Но при помощи духов нгылека он мог
предстать перед бывшей женой кем угодно. Тем, кто вызо-
вет в ней страсть, обожание и готовность идти на все, лишь
бы Рыба-Молот всегда оставался в поле ее зрения. Возможно — Д. Аронофски, возможно — кем-то из концепту-
альных корейцев или китайцев, возможно — тем самым,
только возведенным в десятую степень Пупу. Нынешних
предпочтений мимикрантки Кошкиной Рыба не знал, но
просканировать ее изменчивый умишко духам нгылека не
составило бы особого труда. Эх, где же вы, гаврики?..

Но гаврики упорно не выходили на связь, и до самого МКАДа Рыбе пришлось выслушивать сравнительные
характеристики:

Пупу и себя;

Пупу и знакомых Кошкиной мужчин;

Пупу и мужчин, незнакомых Кошкиной, но богатых
и знаменитых;

Пупу и мужчин, незнакомых Кошкиной, но — возможно — знакомых Пупу. О них не принято говорить
вслух, хотя именно они влияют на все процессы, происходящие в мире.

Все характеристики (кто бы сомневался!) оказались в
пользу Пупу. А въехав на МКАД, Кошкина вообще заявила, что Пупу — масон.

— Жидомасон? — уточнил Рыба.

— Я бы попросила!.. Масон — значит масон. Их вообще двадцать человек на всю планету наберется, не больше.

— Надо же! И что делают эти двадцать человек?

— Определяют, как нам жить дальше и куда двигаться. Думаю, что Пупу отвечает за развитие культуры. Но это большая тайна, он ее даже мне не доверяет. И ты забудь, что я тебе сейчас сказала.

— Уже забыл, — заверил Кошкину Рыба. — А как поживают твои подруги?

— Какие подруги?

— У тебя же их миллион был! Палкина с Чумаченкой, к примеру...

— Даже имена их при мне не упоминай! Заезжали как-то эти мрази в Москву, на какую-то бабскую конференцию, думали у нас тормознуться на халяву. Да Пупу быстренько их раскусил и погнал ссаными тряпками!

— А я тебе что говорил?

— Ты говорил? Не смеши!.. Это Пупу раскрыл мне глаза на жизнь!

Осанна Пупу длилась еще минут сорок, пока Кошкина скакала по московским пробкам, лихо сворачивая под запрещающие знаки, беспрерывно выезжая на встречку и раздавая «факи» всем желающим.

— Лихо ты водишь, — заметил Рыба, без особого, впрочем, осуждения.

— А то! Это Пупу меня научил. Он вообще — король трассы. У него джип, а еще — квадроцикл, а еще — мотоцикл «Харлей», классическая модель. А еще он серфингист, и зимой мы катаемся на снегоходах...

— И когда только работать успевает при такой тотальной занятости? И отвечать за мировую культуру...

— За него не волнуйся! Пупу — бог.

...Бог (он же — серфингист, он же — владелец классической модели «Харлея», он же — масон и один из двадцатки правителей мира) проживал вместе с Кошкиной на Ботанической улице, неподалеку от телецентра «Останкино», в типовой панельной хрущобе. Рыба порыскал глазами по стихийной парковке у дома в поисках мотоцикла, квадроцикла и (на всякий случай) — снегохода. Но ничего такого не обнаружилось, кроме двух джипов — пожилого «RAV-4» и относительно свежей тойоты «Лэнд Крузер».

— Ваша? — ткнул он пальцем в Тойоту.

— Нет, у нас «Вольво» белая. Кожаный салон, полный фарш и даже два телика есть. В спинки сидений вмонтированы. Только она сейчас в ремонте, какие-то мрази весь передок битами расхерачили.

— Заговор против мировой культуры? — без всякой иронии спросил Рыба.

— Да вряд ли, — на полном серьезе ответила Кошкина. — Дауны местные дуркуют. Гопота. Районичик тот еще... Но это временно, Пупу дом строит. Квартиру на Ленинском... он там раньше жил... пришлось его бывшей отдать.

— Благородно...

— Пупу вообще благородный человек. Махатма Ганди во плоти. Вот ты, Рыбец, отдал бы свою квартиру жене, хоть и бывшей?

— Ну, не знаю, кисонька, — честно признался Рыба. — А где бы я сам жил? У меня ведь нет таких возможностей, как у твоего Пу... человека, чье имя нельзя упоминать.

— Так я и знала! Ты мелочный, Рыбец. Нет в тебе широты души. Все понял, что нужно говорить? Ты — сводный брат моего мужа, новой реинкарнации Будды. Которая ныне проживает на Тибете, или что-то в этом роде.

— А в каком месте я сводный брат? По отцу или по матери?

Кошкина еще раз внимательно посмотрела на Рыбу, нахмурилась и сказала:

— Ни капли общей крови, ни клочка общего гена у тебя и реинкарнации Будды нет и быть не может. Вы просто свод-ны-е! Ты от одного родителя, а он — от другого. И никаких точек соприкосновения.

— Ни капли, ни клочка, никаких точек. Сообразил! А я — старший или младший?

— Неважно.

— А Ив Монтан — «Ля бисиклетте»... Жак Брель и Жорж Брассенс, Жорж Брассенс, Жорж Брассенс — они еще в силе?

— Куда ты вечно отправляешь всё и вся? В топку, что ли?

— В пропасть, — поправил Кошкину Рыба.

— Точно! Этих — в пропасть! И не особенно чеши языком, дурь свою не показывай. Если Пупу спросит про Будду... Про твоего сводного брата то есть... Скажешь, что связи с ним не имеешь. Ясно?

— Вполне. Слушай, может мне вообще глухонемым прикинуться? Чтобы, не ровен час, дурь моя не вылезла?

— Я уже думала... Это, конечно, был бы самый оптимальный вариант, наислаждайший. Но Пупу терпеть не может глухонемых, у него один из этой подлой когорты барсетку свистанул на Курском вокзале. Ну, пойдем...

Над обитой дерматином дверью масонской штаб-квартиры висели: латунный колокольчик, индейский «ловец снов» и китайская «музыка ветра». А квадратная металлическая табличка с номером «13» была зачеркнута мелом крест накрест. Тем же мелом был проставлен другой номер — «12-А», не слишком распространенный в российской квартирной нумерологии. Рыба-Молот глубоко вздохнул, втянул ноздрями воздух и почувствовал тонкий, едва ощутимый запах анаши. Но, скорее всего, это были те самые благовония, о которых говорила его бывшая жена.

— Пупу — очень суеверный, — шепотом пояснила Кошкина, указав на перечеркнутую табличку и поворачивая ключ в замке. — Барсетку у него свистанули именно тринадцатого числа.

Оробевший Рыба схватил ее за руку и спросил:

— А зовут-то меня как? Как на самом деле или по-другому?

— Еще в именах путаться не хватало! Как на самом деле, конечно...

За допотопной дверью оказалось вполне современное жизненное пространство: стандартная двушка, переделанная под студию. Зона кухни плавно переходила в зону гостиной и спальни. В эту же панораму удачно вписался санузел, отделенный от жилого помещения двумя роскошными ширмами — шелковой японской и деревянной индийской. Затейливая резьба на ней легко складывалась в картинки из «Камасутры».

Зацепившись взглядом за «Камасутру», Рыба-Молот отметил про себя несколько новых, нестандартных поз и воровато пропихнул их в кабинку с надписью «Технический перерыв». После чего продолжил изучение масонского жилища.

В нем царила полная эклектика, характеризующая хозяина как человека разнонаправленных и необычных интересов. При этом каждая вещь выглядела настоящим эксклюзивом, будь то два старинных граммофона, пять ламповых радиоприемников, огромный плазменный телевизор, скомбинированный из множества маленьких, или расписная карусельная лошадь едва ли не в натуральную величину. Она была прикреплена к полу тугой пружиной и непрерывно покачивалась. Судя по вороху вещей, наваленных на ее круп, лошадь служила своеобразной гардеробной.

Впрочем, здесь все служило гардеробной — все свободные поверхности, вертикальные и горизонтальные. Вещи были преимущественно мужские — так же, как и запахи: дорогого одеколона, дорогой кожи, дорогого табака, дорогих вонючих сигар и уже упомянутой благовонной анаши.

Рыба завертел головой в надежде отыскать хоть что-нибудь женское, *кошкинское*. Тщетно! Ни тебе туалетного столика, заставленного баночками с кремом и прочей косметической дрянью, ни тебе вороха колготок и лифчиков, ни тебе верхней одежды, распиханной где ни попадя. И это при том, что Кошкина всегда была завоевательницей земель на манер известного исторического персонажа Ерофея Хабарова. В самом конце их супружеской жизни Рыба вместе со всем своим барахлом занимал не более семи процентов площади своей собственной квартиры. И, чтобы вывезти из нее имущество Кошкиной, потребовался целый контейнер и час работы двух грузчиков. Судя по всему, контейнер сгинул на пути из Петербурга в Москву — вместе с видеотекой, коллекцией фарфора ЛФЗ и трехстворчатым трюмо, унаследованным от бабушки. И доля Кошкиной в ее новом жилище составляла даже не семь Рыбьих процентов, а что-то около трех. Или полутора.

Но, как ни странно, потерявшая все барахольщица Кошкина вовсе не выглядела несчастной. Она выглядела счастливой, и это навело Рыбу на мысль, что, возможно, где-то существует другая студия, или две студии, доверху набитые кошкинскими вещами.

Счастливая Кошкина между тем проворковала:

— Пупуся, где ты?

Вместо ответа послышался звук смываемой воды, ширмы раздвинулись и перед глазами Рыбы предстал наконец венценосный Пупу.

Пупу был в одних трусах, но назвать его полуобнаженным не поворачивался язык, — так много всего другого на нем произрастало. Завивающиеся fashion-кольцами волосы на груди и животе, татуировки с изображениями экзотических животных, рептилий и птиц, а также изречениями на санскрите, иврите и арабском. С рук и шеи Пупу свисало не меньше килограмма драгметаллов, еще килограмм был вмонтирован в другие части тела, включая пупок, обе брови и верхнюю губу. А когда Пупу оскалился, перекатив во рту толстую гаванскую сигару, в глаза Рыбе-Молоту брызнул ослепительный свет десятикаратного бриллианта чистой воды.

Однако больше всего Рыбу поразил левый мизинец Пупу, украшенный не только перстнем (очевидно, масонским), но и трехсантиметровым ногтем, похожим на кинжал.

Внешне Пупу походил на высокооплачиваемого актера из Болливуда, третьего или пятого в династии. Со специализацией на драках, танцах, песнях и выходах на взморье с теннисной ракеткой (клюшкой для гольфа) в руках. Арт-хаусная Кошкина не упустила бы случая заехать ракеткой (клюшкой) ему по зубам, но арт-хаус, судя по всему, остался в далеком прошлом.

— ...Пупуся-то здесь, а вот ты где шляешься? — без всякой злобы и раздражения сказал Пупу. — Хочу кофе, хочу жрать, хочу, чтобы мне почесали спину, а ты куда-то свинтила, мухер.

— Я же говорила тебе, что еду за ним. — Кошкина ткнула пальцем в Рыбу-Молота. — Это сводный брат моего бывшего мужа.

Пупу пристально посмотрел на Рыбу-Молота и выпустил изо рта пару колец идеально круглой формы.

— А похож на идиота... В хорошем смысле этого слова.

— Провинциал, что же ты хочешь... Из этого... как его...

— Из Шахрисабза. — Рыба, неожиданно для себя, пришел на помощь Кошкиной.

— А это где? — Теперь Пупу обращался к Рыбе-Молоту напрямую.

— В Азии. Средней.

— Так ты прямо оттуда?

— Нет. Я прямо из Салехарда.

— А это где?

— На севере, — сказал Рыба и, подумав, добавил: — Диком.

— А в Москву зачем?

— Низачем. Проездом. Сегодня вечером уезжаю.

— Но до отъезда он приготовит нам обед. Или ужин. Как получится, — снова вклинилась Кошкина. — Он хороший повар. Собственно, я для этого его и привезла.

— А кофе он тоже варит?

— Варю, — ответил вместо Кошкиной Рыба. — По-турецки, по-колумбийски, по-гречески, с солью, с имбирем и корицей и еще тридцатью двумя способами по выбору заказчика.

Пупу поскреб подбородок кинжальным мизинцем, дунул на него и сказал:

— Тогда давай... давай тринадцатый... Испытаем судьбу еще раз. Дадим ей последний шанс.

Рыбу-Молота тряхануло, как при землетрясении в шесть баллов, ведущем к разрушениям несейсмостойких зданий. Под этим номером в его списке шел кофейный напиток «Чертов кал», названный так по имени одного из чрезвычайно редких ингредиентов. Другие ингредиенты были не менее редки, зато вкус получался термоядерным. А эффект, производимый самим напитком, был сродни землетрясению в двенадцать баллов, когда и сейсмоустойчивые здания проваливаются в тартарары — со всеми коммуникациями и инфраструктурой. «Чертов кал» Рыбу научил готовить один малаец с курдскими корнями, впоследствии приговоренный у себя на родине к смертной казни за терроризм. О малайце Рыба-Молот сохранил самые теплые воспоминания. О «Чертовом кале» — самые отвратительные, выносящие мозг и выворачивающие внутренности. Вот и сейчас, от одной мысли о номере тринадцать волосы у него на голове затрещали, а позвоночник заискрил и выгнулся в вольтову дугу. Неизвестно, долетели ли искры до Пупу с Кошкиной, но в студии запахло паленым.

— У тебя ничего не горит? — поинтересовался Пупу у своей мухер.

— А у тебя? — поинтересовалась у Пупу Кошкина.

Рыба же стал судорожно соображать, как бы ему выпутаться из ситуации. Проще всего — откреститься от «Чертова кала», подставить под этот номер другое, менее экстремальное пойло. По-турецки, по-гречески, с невинным и трепетным кардамоном вместо резковатого, но тоже невинного имбиря. И все, дело сделано! Ведь никому из присутствующих, кроме Рыбы-Молота, список неизвестен! Так бы он и поступил, если бы... Если бы не вооруженные юношеской принципиальностью первой трети «Двух капитанов» духи нгылека. Они вылетели изо рта Рыбы на уменьшенной копии шхуны «Св.Мария», покружили над Пупу и Кошкиной и снова вернулись обратно. А Рыба, сам того не желая, сказал чистую правду:

— Не получится.

— Чего не получится? — удивился Пупу.

— Номер тринадцать не получится. Нет составляющих.

— А какие составляющие нужны?

— Асафетида.... Пряность такая, жутко редкая... **Перец кубеба, перец Леклюза, псевдоперец кумба, райское зерно...**

— Ты гонишь!

— Не гоню. Как есть, так и рассказываю. «Чертов кал» без всего этого не приготовить.

— «Чертов кал»? Что за херня такая?

— Не херня, а название.

— Охренеть! Слышь, мухер, мы с тобой до сих пор были не в курсе, что на свете существует «Чертов кал». Жизнь прошла мимо!

Мухер-Кошкина, забежав за спину Третьего-или-Пятого-в-Династии, бросила на Рыбу испепеляющий взгляд и постучала рукой по лбу, что должно было означать: «Ну, не идиот ли ты, *рыбец?* Приличные дома тебе противопоказаны!»

— Могу сварганить что-нибудь другое. — Рыба-Молот попытался исправить ситуацию.

— Ни хера! Будешь готовить «Чертов кал»! — от возбуждения Пупу пару раз чихнул, почесал пах и скомандовал: — Пиши список того, что нужно достать!

— На наших рынках такого не достанешь...

— Херня! Достанем в другом месте.

Написав список необходимого и очень-очень редкого, Рыба принялся за другой список — необходимого и встречающегося на каждом шагу. Без встречающегося на каждом шагу хорошего обеда (ужина) не сочинишь. Так и было сказано Пупу, севшему на три мобильных телефона и один спутниковый — в поисках нужных пряностей. Пупу дал добро на все расходы, и Рыба с Кошкиной отправились в продуктовый культпоход.

— Думаешь, достанет? — спросил он у Кошкиной, едва они вышли за дверь.

— Ты еще не понял? Для Пупу нет ничего невозможного.

— Ну, перцы и псевдоперцы — еще туда-сюда. А вот асафетида — это вряд ли.

— Забьем, что достанет?

Рыба вспомнил спутниковый телефон, татуировки, демонические кольца волос, ноготь на мизинце — и биться об заклад с бывшей женой не стал.

Этот — достанет стопудово.

Две вещи мучили Рыбу на всем протяжении продовольственных закупок. Что такое «мухер» и как так произошло, что всесильный Пупу вдруг остановил свой взор на Кошкиной. Вот если бы на месте Кошкиной оказалась ИзящнаяПтица — тогда бы и вопросов не возникло. Но Кошкина... В Кошкиной не было ничего особенного, кроме груди. Но венценосцы, подобные Пупу, на такую мелочь не ловятся. Или наоборот — ловятся? Один его знакомый бармен (тоже уникум, способный за три минуты приготовить одиннадцать коктейлей) жил с одной бабой только потому, что у нее на щеке была бородавка в виде фасолины. Зрелище, наверное, не особенно приятное, но почему-то именно эта фасолина умиляла бармена до невозможности. И когда дура-баба бородавку свела, то сразу разонравилась бармену и он быстренько с ней расстался. Вспомнив о бармене, Рыба тут же стал вспоминать есть ли у Кошкиной какие-нибудь сверхвыдающиеся над поверхностью кожи бородавки, родинки и папилломы необычной формы. Но ничего путного, кроме двух мозолей на больших пальцах ног, не вспомнил.

Могут ли мозоли вызвать прилив нежных чувств? Неизвестно.

Оставив кошкинские мозоли в покое, Рыба перешел к другим версиям. Что, если Кошкина — не просто Кошкина, неприметная гражданка своей страны, барахольщица, ленивица и лгунишка, а некий богоизбранный передатчик высшего знания, который должен заработать в час «Х» и спасти человечество от страшной напасти? Кошкина и понятия не имеет о своем предназначении — и живет, как обычный человек. А Пупу в таком случае выступает ангелом-хранителем (или демоном-хранителем) передатчика. Ничего удивительного в подобном ходе событий нет, Рыба-Молот с Рахилью Исааковной видели по меньшей мере десяток фильмов с похожим сюжетом. Кстати, Рахили Исааковне роль передатчика подошла бы больше — как существу, похожему на великого физика Эйнштейна, с одной стороны, и представительнице богоизбранного народа — с другой. Но высшие силы выбрали Кошкину — и не Рыбе-Молоту их судить.

Приняв версию передатчика как рабочую, Рыба немного успокоился и стал рассуждать о природе слова «мухер». Проще всего было разбить «мухер» на две части и первую из них перевести на английский. «Му хер» — вот что бы тогда получилось! «Му хер» (он же — «мой член») намекал на то, что Кошкиной, как никому другому, удается поддерживать член Пупу в приподнятом настроении. И что мужская сила Третьего-или-Пятого-в-Династии целиком зависит от бывшей жены Рыбы-Молота. Странно только, что в бытность замужем за Рыбой Кошкина не проявила себя выдающейся любовницей и даже от анального секса отказалась, а вот Вера Рашидовна... Ох, уж эта Вера Рашидовна, волосатая проехидна из гвинейских лесов!.. Может быть, зря он отказался от специфических услуг духов нгылека? Может быть, при их помощи он узнал бы о Кошкиной такое... та-акое...

Но что сделано — то сделано. Пожарную вышку не отменишь. Фарш невозможно провернуть назад. Кончено. Точка.

Потом Рыба вспомнил, что Кошкина постоянно боролась с волосяным покровом на ногах. И частенько использовала в этой борьбе его собственный бритвенный станок, тупившийся из-за кошкинских поползновений в два раза быстрее, чем обычно. У них даже возникали стычки из-за нецелевого использования станка, но сломить Кошкину так и не удалось. Рыба покупал ей все возможные женские варианты станков, с батарейками и без, эпиляторы, восковые полоски — без толку! Она все равно перескакивала на его сермяжный «Жилетт». А волосы на ногах проходили у Кошкиной под кодовым наименованием «мохер».

Что, если у Пупу те же проблемы со станком?

Конечно, мохер и мухер не одно и то же... Совсем, совсем не одно!

— Послушай, кисонька, — спросил измотанный предположениями Рыба у Кошкиной. — Что значит «мухер»?

— Вот только не надо так меня называть, Рыбец!

— Почему?

— Потому что это очень интимная вещь. Так меня называет только Пупу.

— Я просто спросил, что это такое.

— Мухер — женщина по-испански, — нехотя пояснила Кошкина.

— И всех дел? Просто женщина?

— Не просто женщина. А Женщина в хорошем смысле этого слова. Всеобъемлющем. Пупу — поэт. А ты...

— А я — идиот, — покаянно сказал Рыба. — А почему он обращается к тебе на испанском? Он испанец?

— Все может быть. Я уже ничему не удивляюсь. И тебе не советую.

— Хорошо, я тоже не буду удивляться.

266

И все же Рыба-Молот не сдержал обещания. И удивился, когда вернувшись в студию на Ботанической, обнаружил там перец кубеба, перец Леклюза, псевдоперец кумба и райское зерно. Все эти сокровища стояли на столе в мелкой расфасовке, а Пупу, почесывая голый живот, кружил над ними, как ворон.

— Оперативно, да? — спросил он у Рыбы.

— Нет слов!

— Не хватает только главной херни на букву «а», но ее обещали подвезти в течение часа. Как самолет приземлится, так сразу и подвезут.

— Самолет откуда?

— Из Тегерана. Там вроде ее выращивают. Или нет?

Наверное, Пупу и вправду был всесилен. Сегодняшний пробочный опыт подсказывал Рыбе: привезти чтолибо из московского аэропорта в город в течение часа просто нереально. Неужели задействован еще и вертолет?.. А может, специальная машина, которая спускается с небес в тот самый момент, когда ситуация на земле заходит в тупик? У этой машины и машиниста при ней было даже латинское название, но какое именно — Рыба позабыл.

— Здорово у вас все получается. — Рыба с трудом подавил в себе желание бухнуться перед Пупу на колени и попросить о сотворении небольшого и не выходящего за рамки приличия чуда. — У вас, наверное, связи гденибудь наверху... В правительстве.

— Никакого правительства. С правительством связываться — себе дороже, — охотно пояснил Пупу. — У меня глобальные связи на радио. Ну, и с радиолюбителями... в хорошем смысле этого слова.

Радиолюбители — надо же! Понимай, как хочешь. Рыба истолковал «радиолюбителей» в ключе масонской двадцатки и совсем заробел.

Асафетиду доставили через час пять минут.

За этот час Рыба успел состряпать ореховый хлеб, подготовить к запеканию в духовке гуся с яблоками, накрошить три фирменных салата, снять пробу с двух, придуманных еще в прошлом году соусов и невольно подслушать семнадцать разговоров Пупу с неизвестными телефонными собеседниками. Говорилось о:

— жесткой ротации в эфире двух песен;

— поставках вооружения на Средний Восток;

— кровавой гэбне в хорошем смысле этого слова;

— импотентной оппозиции в хорошем смысле этого слова;

— птицефабрике в Кувшиново Тверской области;

— преждевременных родах певицы X;

— сексуальной ориентации певца Y;

— инаугурации каких-то третьесортных президентов;

— спутниковой системе ГЛОНАСС;

— ловле рыбы на Амазонке, планируемой на январь следующего года.

После всех этих разговоров Рыбу прибило окончательно и он с ужасом стал ждать воцарения на Ботанической чертовой асафетиды. Другими названиями которой были: ферула вонючая и дурной дух. Не исключено, что после того, как она появится в доме и пропитает все своим гнусным запахом, Рыбу-Молота ждут большие неприятности. Похлеще, чем гипотетические неприятности с телохранителями Веры Рашидовны. Рыба даже попытался воззвать к духам нгылека (единственным, кто мог его спасти), но разглядеть их в снеговой толще своей души так и не сумел.

Пока готовился ужин, проголодавшийся Пупу стянул кусок орехового хлеба и густо намазал его приготовленным Рыбой соусом.

— Ничё, — одобрил он. — Ты и впрямь спец. Если и с кофе получится... Тебе работа, случайно, не нужна?

— Вообще-то нужна.

— Есть у меня один кореш на примете... Нуждающийся в подобного рода услугах. Если и с кофе получится — сосватаю.

— А зарплата хорошая?

— Зарплата — будь здоров и не в деревянных. Плюс полный пансион. Ты сегодня уезжаешь?

— Хотелось бы...

— Если и с кофе все получится — придется отложить. Ему такой человечек срочняком нужен. Прошлый его повар говнюком оказался — и его... того...

— В пропасть? — насмерть перепугался Рыба.

— Гы-гы! По мне — так точно в пропасть. Но мой кореш — человек добрый. Хотя по нему не скажешь. На дракона похож... В хорошем смысле этого слова. Только голова одна. И огонь изрыгает, если сильно попросить.

Судьба уволенного драконом повара так и осталась непроясненной, потому что прибыла асафетида. Ее приволокли два прыщавых юнца в комбинезонах МЧС. Не проронив ни слова, они подали Пупу бумагу, в которой тот быстро расписался. И получил на руки свинцовую тубу размером с футляр от скрипки. Тара несколько озадачила Пупу и он снова поскреб кинжальным мизинцем подбородок:

— Я не понял... Это херня радиоактивная, что ли?

— Нет, — кротко сказал Рыба. — Но имеет свои специфические особенности.

— Какие?

— Запах.

— Трупятиной воняет?

Любая трупятина в каких угодно масштабах была более предпочтительна, чем жалкие сто грамм асафетиды.

Но Рыба заранее пугать венценосного Пупу не рискнул, сказал только:

— Может, трупятиной, а может, и нет. У кого какие ассоциации. Но я бы на всякий случай удалил из опасной зоны женщин, животных и комнатные растения.

— Охереть! — восхитился Пупу. — А у тебя какие ассоциации?

— Разные.

— А самые основные?

— Ну, не знаю... Землетрясение в двенадцать баллов...

— Опа! Это как раз то, чего мне не хватает! А взрыв Государственной думы подойдет?

— Не исключено.

— А взрыв Пентагона?

— Возможно... Но вы тогда будете под завалами, а не наоборот.

— Годится! А камбоджийская тюрьма, где жара, влажность, паразиты, тридцать человек на один квадратный метр и забитый сток вместо параши?

— Вот это ближе к теме, — со знанием дела заметил Рыба-Молот. — А вы были в камбоджийской тюрьме?

— Еще нет, но хотелось бы побывать...

— Побываете. — Рыбе нравился экстремал Пупу и он искренне хотел, чтобы все венценосные желания рано или поздно исполнились. — Только хорошо бы все-таки отправить вашу мухер прогуляться... Подышать свежим воздухом. Вон у вас ботанический сад под боком...

— Слышь, мухер! — Пупу повернул болливудскую набриолиненную голову в сторону Кошкиной. — Пойдешь прогуляться в ботсад, пока суть да дело?

— И не подумаю, — фыркнула Кошкина.

— Желание женщины – закон, — подвел черту Третий-или-Пятый-в-Династии и протянул руку к свинцовой тубе.

— Я сам! — веско сказал Рыба, перехватывая свинец. — Доверьте эту операцию специалисту.

— Сам так сам. Валяй!

Террорист-малаец, принявший мученическую смерть у себя на исторической родине, учил Рыбу-Молота, как подходить к асафетиде: примерно так же, как к девственнице пятнадцати неполных лет от роду; ни одного лишнего вдоха — сплошной выдох. Ни одного лишнего движения — только те, что ведут к цели.

Так он и поступил: вдохнул в себя побольше воздуха, на счет раз открыл тубу, насчет два выудил из нее тубу поменьше, на счет три вынул из тубы поменьше стеклянный сосуд с плотно притертой пробкой. На дне сосуда хорошо просматривалась омерзительная липкая масса, состоящая из кусочков вещества, по форме напоминающих миндальный орех.

Эти миндалины и вытащил Рыба, и, перемешав с кофейными зернами, сунул в кофемолку. Не прошло и тридцати секунд, как по студии распространился убийственный запах. Похожий на чесночный, но гораздо, гораздо более концентрированный.

— Охереть!!! — в своей обычной манере прокомментировал Пупу, а Кошкина немедленно свалилась в обморок прямо под карусельную лошадь.

Минут десять Рыба-Молот священнодействовал у конфорки, по очереди и строго порционно добавляя перец кубеба, перец Леклюза, псевдоперец кумба и райское зерно. От шеф-повара он добавил еще немного тростникового сахара, немного морской соли для ванн и заполировал варево лаймом пополам с лимоном. Теперь оставался еще один крошечный компонент, купленный Рыбой на рынке. Именно этот компонент (приобрести который можно в любом ларьке за сущие копейки и который Рыба всегда хранил в секрете) запускал все скрытые в напитке механизмы и служил завершающим мажорным аккордом.

Все то время, что шел процесс, Пупу подавал реплики о биологическом оружии нового типа, о химическом оружии нового типа и о сверхмощной бомбе, способной стереть с лица земли половину человечества. Вторая половина при этом мутирует в звероящеров и ископаемых рыб-латимерий. А в дверь непрерывно кто-то звонил с требованиями прекратить несанкционированные химические опыты и угрозами вызвать милицию, ОМОН, спецполк ГИБДД, министра Шойгу и мэра Лужкова.

— Пошли на хер! — орал им в ответ Пупу. — Я сам милиция! Я сам Шойгу! Я сам — Лужков!

Когда «Чертов кал» был готов, Рыба осторожно налил его в чашку из тонкого китайского фарфора и с почтением преподнес Пупу.

— Прошу! — пролепетал он.

— А сам?

— Никогда не ем и не пью то, что готовлю. Только пробую в небольших количествах.

— Ясен пень! У меня то же самое. Ну, на что ставишь? На взрыв Госдумы, взрыв Пентагона или на камбоджийскую тюрьму?

— На землетрясение в камбоджийской тюрьме, — подумав, сказал Рыба.

— Посмотрим!

Лихо перекрестясь на постер группы **Led Zeppelin**, постер Боба Марли и портрет Уинстона Черчилля, висевшие на стене друг под другом, Пупу сделал первый глоток, а потом без перерыва — второй и третий. После третьего все и началось: глаза у Пупу округлились, потом стали квадратными, потом — трапециевидными, потом — сузились, как у китайца, и тут же выпучились. На четвертом глотке послышался легкий треск — это на трусах венценосного лопнула резинка. Трусы упали на пол, а освобожденный Пупу, наоборот, взмыл к потолку.

— Охереть! — протрубил он с высоты в два метра шестьдесят сантиметров. — Охереть! Охереть!..

Рыба на всякий случай заслонился портретом Мартина Лютера Кинга, стоящим у стены.

А Пупу продолжал бесчинствовать: на лету он подхватил трубу от граммофона и с хохотом водрузил его на голову Рыбы-Молота (даже Мартин Лютер не помог). Второй вираж ознаменовался выбросом в окно одного из ламповых радиоприемников. Причем посыпавшиеся вниз стекла вызвали новый прилив яростных соседских воплей.

Граммофонная труба облепила голову Рыбы достаточно плотно: чтобы избавиться от нее пришлось приложить немало усилий. И Рыба, занятый спасением трещащего по швам черепа, пропустил тот момент, когда Пупу осседлал лошадь. Нисколько не напрягаясь, в один рывок он оторвал лошадь вместе с пружиной, пропустил ее у себя между ног и снова — теперь уже с главным карусельным персонажем — взлетел к потолку.

— Дранг нах Остен! — как сумасшедший кричал Пупу. — Вива, Эспанья! Вива, Куба! Вива, команданте!

За лозунгами последовали куплет из революционной песни «Бандьера Росса» и куплет из песни Бориса Гребенщикова «Небо становится ближе». Завершился импровизированный концерт песней Земфиры «Мы разбиваемся», исполненной целиком и максимально приближенной по звучанию к оригиналу.

Рыба-Молот, обеспокоенный состоянием Кошкиной, так и не вышедшей из обморока, упал на колени, затем растянулся на полу и пополз в ее сторону, прикрываясь Мартином Лютером, как щитом. Наличие щита раззадорило Пупу, и на Рыбу (вернее, на Мартина Лютера) шлепнулись яблоки из гуся, сам гусь, один из салатов и один из соусов. Последним на горб Рыбы приземлился ламповый радиоприемник, и в позвоночнике несчастного что-то треснуло.

Явно не резинка от трусов, оставленных в Салехарде.

Несмотря на тупую боль в спине, Рыба добрался-таки до Кошкиной, ухватился за ее руку и стал прощупывать пульс.

Пульс прощупывался, но слабо.

Не дай бог в кому впадет, что тогда делать? — содрогнулся Рыба. — *Здравствуй, здравствуй, камбоджийская тюрьма!*

Стоило ему подумать о камбоджийской тюрьме, как рядом с головой пронеслась латунная фигурка Будды не менее килограмма весом.

Из армейского и последующего ресторанного опыта Рыба знал, что в движущуюся цель попасть гораздо труднее, чем в неподвижную. И, наскоро забросав Кошкину вещами, отвалил подальше, стараясь двигаться по ломаной траектории без малейшей остановки.

Минут через двадцать метательный пыл Пупу несколько угас, а вместе с ним закончились и лозунги. Пупу перешел на стихи Бродского и Райнера Марии Рильке и изрыгание огня из пасти. Ему даже удалось поджечь тайскую ширму, — и если бы не расторопность и находчивость Рыбы, залившего пожар красным вином, — большой беды было бы не миновать.

Еще через полчаса Пупу уронил лошадь и приклеился к потолку наподобие Спайдермена. Рыба посчитал это хорошим знаком, а когда венценосный попросил передать ему сотовый телефон — и вовсе успокоился.

— Ну как вы себя чувствуете? — спросил он у Пупу.

— Охерительно! Слушай, ты гений! Буду тебя продвигать, где только смогу! Тебя и твой энергетический напиток. Это же стратегическое оружие нового тысячелетия! Америка у нас еще попляшет... в хорошем смысле этого слова! Я уже не говорю, что это можно использовать как синтетический наркотик... опять же — в хорошем смысле.

— Злоупотреблять «Чертовым калом» не рекомендуется. — Рыба наставительно поднял палец. — Сильно сажает сердце...

— Да ладно! Сколько той жизни... Вот спроси меня, что выпало в сухой остаток?

— Что?

— Взрыв Госдумы, взрыв Пентагона или камбоджийская тюрьма — помнишь?

— Ну... помню. И что выпало? Камбоджийская тюрьма?

— Ни хера! Перл-Харбор получился, причем с обеих сторон — с японской и с американской.

И хотя у Рыбы было намного больше оснований считать себя пострадавшим в налете на Перл-Харбор, он все же уточнил:

— А с какой стороны ощущения были сильнее?

— Говорю же тебе — с обеих!

Все так же, не отклеиваясь от потолка, Пупу набрал номер и заорал в трубку:

— Слышь, чувак! У меня для тебя охерительная новость! Бросай все свои херовы дела и приезжай немедленно!.. Да мне насрать, что у тебя совет директоров! Ты же знаешь, я тебя по пустякам не беспокою... Короче, приезжай! Жду!..

— Кто-то должен приехать? — спросил Рыба.

— Твой будущий хозяин! Господин Панибратец! Дракон!

— Панибратец?

— Фамилия такая — Панибратец. Тебе что, не нравится?

275

— Да нет, фамилия как фамилия...

— Запомни, как «Отче наш»: господин Панибратец свою фамилию очень любит и терпеть не может, когда на нее смотрят косо.

— Я не смотрю, — с жаром заверил Рыба. — А кто он такой, этот Панибратец? Кроме того, что дракон?

— Ну как тебе сказать, чувак... Слово «олигарх» тебе о чем-нибудь говорит?

Конечно же, Рыба-Молот знал это слово и даже мечтал одно время работать у олигарха. Но не просто у олигарха, которые, как известно всегда ходят под дамокловым мечом из-за финансовой, политической и прочей нестабильности, из-за клановых войн и подковерных игр. Он мечтал работать у олигарха, выгодно продавшего свой бизнес, отошедшего от дел и ведущего жизнь рантье где-нибудь в тихой Швейцарии. Или благословенной Франции с акцентом на Лазурный Берег. Или на предварительно продезинфицированном тропическом острове, где вечное лето, много цветов и по вечерам поют цикады и дельфины. Впоследствии мечта рассосалась сама собой, поскольку реальных выходов на самого завалящего, мелкотравчатого олигарха у Рыбы-Молота не было и быть не могло.

И вот теперь он появился.

А спустя полчаса появился и сам Панибратец.

За время, предшествующее приходу дракона-олигарха, Рыба успел откопать из-под вещевых завалов Кошкину, перенести ее на супружеское ложе и констатировать глубокий отруб.

— Может, «скорую» вызвать? — спросил он у Пупу, по-прежнему висевшего под потолком в раскоряченной позе человека-паука.

— Да щас! Сама оклемается, не впервой...Главное, что дышит. Дышит?

Рыба приблизил лицо к лицу Кошкиной, потом — к равномерно вздымающемуся и по-прежнему соблазнительному декольте, и утвердительно кивнул головой: *дышит*. Попутно он вспомнил, что в некоторых, чрезвычайно редких случаях вдыхание паров асафетиды вкупе с перцем кубеба и псевдоперцем кумба вызывает необратимые органические изменения в мозгу. Но сообщать об этом венценосному Рыба-Молот не стал. И не из шкурных соображений безопасности для себя, любимого. А потому, что был уверен: органические изменения мозга для Кошкиной не в новинку, это происходит всякий раз, когда она встречает нового гуру: будь то Палкина с Чумаченкой или теперь вот — всесильный масон Пупу. Сам Рыба никогда в число гуру не входил, даром что его сводный брат признан новой реинкарнацией Будды...

Стоп!

Нет никакого брата! Он, как бывший муж Кошкиной, и есть новая реинкарнация...

Стоп!

История про бывшего, а ныне реинкарнировавшегося мужа — придумка Кошкиной, чтобы представить себя в выгодном свете. А Рыба повелся, уверовал во весь этот вздор, в бабий бред: и у кого после этого необратимые органические изменения в мозгу? Без всяких паров, на ровном месте, просто так...

От грустных мыслей Рыбу отвлек наконец-то появившийся Панибратец. Он ввалился в квартиру, настежь распахнув дверь, и произвел столько шума, сколько производит гидроэлектростанция средней руки.

— Что за вонь?! — громыхнул он шаляпинским басом и уставился на Рыбу-Молота немигающими желтыми глазами. — Ты кто?

— Повар, — прошептал Рыба.

— А хозяин где?!

Трясущейся рукой Рыба указал на потолок, где сидел Пупу. Панибратец проследил за рукой и свистнул так, что у Рыбы на секунду заложило уши.

— Нормально! Ты чего там делаешь, Павлундер?

— Отдыхаю после аперитива, — сообщил Пупу Панибратцу. — А ты не хочешь хлебнуть для поднятия тонуса?

— Пока повременю... А что за вонь у тебя в доме? Думал, у вас в районе пару боен открыли, а эпицентр, оказывается, здесь... Новый слезоточивый газ испытывали?

— Лучше, много лучше! — заверил Пупу. — Открывали второй фронт.

— Ну-ну... А бардак почему такой? Обыск был?

— Типун тебе на язык! Это я развлекался... Обновлял конфигурацию неожиданно открывшихся возможностей собственного организма... Ты, говорят, единственный в РФ человек, который способен извергать из себя огонь?

— Почему же только в РФ? В Европе тоже...

— Так вот, ты уже не один! — Пупу захохотал знакомым Рыбе демоническим хохотом и выпустил изо рта столб огня. Не такой, впрочем, интенсивности, какая была полчаса назад. Но все равно зрелище получилось впечатляющим.

— Спецэффект? — спокойно спросил Панибратец. — Брал уроки у бывших цирковых?

— Ни хера не спецэффект! Говорю же тебе — новые возможности организма!

— А на потолок зачем забрался? Да еще в голом виде...

— Захотел — и забрался! И заметь, без всякой посторонней помощи. И без всякой страховки.

Демонстрируя новые возможности, Пупу перебежал по потолку из одного угла в другой и завис непосредственно над головой Панибратца.

К чести последнего, он не выказал особого удивления, лишь сказал мрачно:

— Не люблю, когда у меня над душой стоят... Или висят. Выбери другое место, иначе... Ты меня знаешь — испепелю...

— Еще неизвестно, кто кого испепелит, — ворчливо заметил Пупу, но дислокацию все же поменял и вернулся в старый угол.

А напомаженный, наглаженный, благоухающий Панибратец стряхнул с ближайшего к нему кресла пару печеных яблок, протер его носовым платком и уселся, закинув ногу на ногу.

— Ты для этого меня вызвал? Чтобы продемонстрировать, как ты с голой жопой и голыми яйцами висишь под потолком и блюешь пропан-бутаном?

— Вообще-то, это не пропан-бутан. — Рыбу снова потянуло на правду, несмотря на то, что Панибратец, еще более венценосный, чем Пупу, мог испепелить его в любой момент.

— А что?

— Продукт взаимодействия перца кубеба и псевдоперца кумба с организмом здорового мужчины...

— А попроще?

Как объяснить проще Рыба-Молот не знал, и тут ему на помощь пришел Пупу:

— Перед тобой уникальный человеческий экземпляр, чувак! — торжественно провозгласил он.

— Ты, что ли?

— Я — само собой. Но сейчас речь не обо мне, а об этом потрясающем поваре, подарившем миру непревзойденный энергетический напиток, который может быть и оружием, и наркотиком, и... и чем угодно!

— Стало быть, ты висишь под потолком...

— ...потому что накатил его на голодный желудок!

— А если бы — на сытый?

— На сытый был бы тот же эффект, — вклинился Рыба.

— Ясно. А вонь такая почему?

— Издержки производства.

— Я потом изложу тебе все свои ощущения, — снова подал голос Пупу. — Поверь, это нечто. Расширение сознания — самое малое из того, что произошло... Можешь тоже попробовать...

— Пока повременю, — в очередной раз отказался Панибратец, но посмотрел на Рыбу-Молота чуть пристальнее, чем смотрел до того.

— Ну, как знаешь... Я, собственно, вот о чем: тебе ведь нужен был повар...

— И что?

— Этот гениальный чувак и есть повар!

— Я уже понял. И что?

— Он вполне может работать у тебя, вот что!

— Ты же знаешь, котов в мешке я не беру.

— Мои рекомендации устроят? Да он и сам тебе приготовит чего-нибудь на пробу, делов-то!

— Не мне! Повар нужен моим женщинам и детям. А они энергетических напитков не пьют, тем более, таких вонючих.

— Я ведь говорил уже, — Рыба, хоть ему и страшно не хотелось этого, перебил Панибратца, — неприятный запах — следствие приготовления «Чертова кала», и с этим ничего поделать нельзя. Но я специализируюсь не на напитках, а на кухнях. Пятнадцать лет стажа, работал в основном в Питере, организовывал ресторанное производство... Недовольных не было, можете навести справки.

Панибратец бросил взгляд на Пупу и тот наконец свалился вниз, прямо на Кошкину: действие «Чертова кала» закончилось.

— Бери повара, не пожалеешь! — воззвал Пупу с кровати. — Ты же меня знаешь, чувак! Я тебе говна не присоветую!

— Загранпаспорт есть? — неожиданно спросил у Рыбы дракон-олигарх.

— Имеется.

— Можешь приступить к работе в ближайшее время?

— Хоть сегодня. Как скажете.

— Добро. Справки я наведу... А условия обсудим в машине.

* * *

ГЛАВА ВТОРАЯ — *в которой Рыба-Молот окунается в водоворот сложных человеческих отношений в семье Панибратца, получает возможность оценить достижения японской робототехники, принимает участие в подготовке таинственного обряда, посещает башню-призрак и открывает весьма нелицеприятные грани характера и ужасные гастрономические вкусы своего нового хозяина*

...На улице Панибратца (а вместе с ним — и Рыбу-Молота) ждала целая кавалькада машин представительского класса: один «Мерседес» с мигалкой, одна «Ауди» и один внедорожник «Лексус». У машин топтались два телохранителя, еще двое стерегли подходы к подъезду хрущобы. Рыба нисколько не удивился, если бы во дворе обнаружились серьезные люди в штатском, а на крышах соседних домов — снайперы из «Альфы».

Панибратец о чем-то тихо переговорил с вышедшим проводить его Пупу, после чего оба вершителя человеческих судеб пожали друг другу руки. Спустя секунду красный шелковый халат и смуглые татуированные икры Пупу растворились в темноте подъезда, и Рыба-Молот остался один на один с туманным будущим повара олигархической семьи. До того, как остаться, он думал о Кошкиной и о том, что как-то нехорошо все получилось: бывшая жена проявила человечность и откликнулась на его призыв о помощи, а он вместо благодарности сунул ей говна на лопате.

Покаянные мысли о Кошкиной и говне испарились, как только Панибратец кивнул в сторону бронированного «мерса», приглашая внутрь.

Внутри, на переднем пассажирском сиденье, обнаружился еще один человек: юноша в очках в золотой оправе, одетый так же безупречно, как и сам Панибратец. В правое ухо юноши был вставлен миниатюрный микрофон, а на коленях стоял открытый ноутбук.

Панибратец и Рыба заняли места позади шофера и юноши, и машина сразу же взяла с места.

— Нужно пробить одного человечка, Вадик, — сказал Панибратец юноше.

Вадик кивнул и пальцы его замерли над клавиатурой.

— Фамилия, имя, отчество. Год рождения, годы и места учебы, места работы, домашний адрес, электронный адрес, номера телефонов, номер ИНН.

— Чьи? — не понял Рыба.

— Твои, чьи же еще?

Рыба открыл было рот, чтобы слить всю информацию о себе, но с ужасом обнаружил, что ничего не помнит, кроме номера ИНН и того, что он — новая реинкарнация Будды. Все остальное, включая ФИО и домашний адрес, ускакало на карусельной лошади в неизвестном направлении. Оставалось лишь тянуть время в ожидании, что лошадь, сделав круг, все же вернется к исходным рубежам.

— Ну, — в голосе Панибратца послышались недовольные нотки. — Что молчишь?

— Постоянного электронного адреса нет, — отрапортовал Рыба. — Плохая память на пароли. Приходится каждый раз заводить новый ящик.

— А резюме как рассылаешь?

— Не рассылаю. Сарафанное радио.

— И срабатывает?

— Случается, что срабатывает. Номер ИНН следующий...

И Рыба медленно, притормаживая на каждой цифре, продиктовал свой ИНН.

— Не такая уж плохая у тебя память, — заметил Панибратец, наблюдая, как Вадик вводит полученные данные в компьютер. — А насчет всего остального как?

— Фамилия, имя, отчество?

— Да.

Рыба уже представил себе, как его на полном ходу выбрасывают из «мерса», — но не сразу, а постепенно, держа за ноги, — и его бедная голова взрезает асфальт, подобно ледоколу, взрезающему льды. Вот только кто будет держать его за ноги — интеллигентный Вадик или сам Панибратец? Нет, Панибратец не станет делать лишних телодвижений. Панибратец просто его испепелит.

— Джонатан Ливингстон, — неожиданно для себя ляпнул Рыба.

Возможно, Панибратец кое-что слышал о чайке или даже читал Р. Баха в ротапринте, в период своей комсомольской юности. Иной юности у Панибратца быть не могло, поскольку выглядел он никак не меньше, чем на сорок пять. С другой стороны — вполне вероятно, что Панибратец был сыном карьерного дипломата, служившего в посольстве на Западе или на Востоке (но вне зоны советского влияния). Это не исключало комсомольской юности, но добавляло осведомленность в драконьих повадках: ведь хорошо известно, что драконы существовали и существуют везде — за исключением бывшего СССР и его правопреемницы России.

— Джонатан Ливингстон? — переспросил дракон, и его левая бровь приподнялась и с легким шорохом раскрылась, как раскрываются веера или крылья летучей мыши. — Это псевдоним, что ли? Впервые слышу, что у поваров существуют псевдонимы.

— Это имя чайки из книги. «Чайка по имени Джонатан Ливингстон». Слыхали про такую?

Теперь уже приподнялась правая бровь Панибратца.

— Ты меня за дурака держишь?

— Нет.

— Ты сам дурак?

— В хорошем смысле этого слова... Да.

Рыба и глазом моргнуть не успел, как увидел перед собой самого настоящего дракона, а не его аллегорию. Лицо Панибратца (до этого вполне человеческое) изменилось до неузнаваемости: рот вытянулся в сплошную линию едва ли не от уха до уха, на щеках проступили кожаные наросты, похожие на плавники, желтые глаза округлились и зрачки в них приобрели сходство с вертикально поставленными зрачками любой из существующих рептилий.

— Интересные какие линзы у вас, — холодея от страха, пролепетал Рыба.

Внутри Панибратца что-то заклокотало, как будто там шли неведомые геологические и геотектонические процессы, безгубый длинный рот приоткрылся, из него вылетело облачко пара, а следом показались отблески огня, основная масса которого застыла на уровне гортани.

Тут Рыба заметил, что прямо перед его носом непринужденно упала заслонка, отделяющая заднее сиденье от передних. Мощный загривок шофера и утонченный затылок секретаря Вадика скрылись (не исключено, что навсегда), а Рыба-Молот оказался во власти огнедышащего Панибратца — без всякой надежды на спасение. В том, что Панибратец с минуты на минуту пустит огонь в дело, можно было не сомневаться. Как и в том, что салон бронированного автомобиля используется по двойному назначению, — еще и как печь крематория. Об этом свидетельствовали закопченный потолок и еще одна пара таких же закопченных заслонок, опустившаяся на стекла.

Вот и карачун мне... Пришел, откуда не ждали, — тоскливо подумал Рыба, сожалея лишь о том, что в кармане у него нет фаустпатрона или, на крайняк, гранаты РГД-5: тогда еще можно было выторговать несколько минут жизни и отправиться в мир иной, нанеся Панибратцу незначительные телесные повреждения косметического характера.

Но Рыба-Молот недооценил свой карман: там — совершенно неожиданно — заиграли первые такты культовой композиции *депешей* «Back Celebration». Инстинктивно потянувшись за своим телефоном, Рыба с удивлением отметил, что и Панибратец потянулся за своим: сунул руку во внутренний карман пиджака.

— Вообще-то, это меня. Мой телефон, я имею в виду, — заявил Рыба. — Вы позволите принять сообщение?

Опешивший Панибратец кивнул головой.

«СОВСЕМ ОЧУМЕЛ, ИДИОТ! — писала сеть PGN. — ПОМНИ ИМЯ СВОЕ!»

Далее следовали паспортные данные А.Е. Бархатова, его домашний адрес с индексом, адреса всех ресторанов, в которых он работал, и прочие сведения, которые десять минут назад затребовал Панибратец. Венчала сообщение таинственная приписка:

«АЛЛЕРГИЯ НА СТАНДАРТНУЮ ПРИВИВКУ ПРОТИВ МАЛЯРИИ. ТРЕБУЕТСЯ ВВЕДЕНИЕ АНАЛОГОВОГО ПРЕПАРАТА. СЧАСТЛИВОГО ПУТИ!»

Дочитав его до конца и вспомнив о себе все, даже давно забытое (порочную мимолетную связь с уборщицей туапсинского летнего кафе и порочные мимолетные мысли относительно секса с покойной Индирой Ганди и ныне здравствующей Лорой Буш, *как бы это выглядело*), Рыба-Молот поднял глаза на Панибратца.

— Любишь «депешей»? — миролюбиво спросил дракон-олигарх. Теперь — больше олигарх, чем дракон.

— Люблю. У меня и автограф есть. Дейва Гэхана. Показать?

— А у меня есть фото, где мы с Дейвом отдыхаем на Карибах. Показать?..

Последующие полчаса Панибратец, оказавшийся ярым фанатом группы «Депеш Мод», рассуждал о ее влиянии на развитие современной поп- и рок-культуры. Он вытащил из портмоне и продемонстрировал Рыбе карибское фото, на котором были изображены олигарх и фронтмен — в обнимку и в одинаковых купальных трусах. Потом наступила очередь телефона, и Панибратец трижды проиграл на нем «Back Celebration».

— Бывают же такие совпадения вкусов! — восхитился Рыба, позабывший о том, что песня «Депеш Мод» вместо сигнала стояла у него на телефоне триста лет назад. И то, это была совсем не «Back Celebration», а «Barrel of a Gun».

— Бывают, но редко. — Теперь Панибратец смотрел на Рыбу гораздо более благосклонно, чем в начале знакомства. — Имя-то свое, поди, от страха позабыл?

— От него...

— Теперь вспомнил?

— Теперь да.

Дракон-олигарх поднял перегородку, разделявшую салон, одной силой взгляда, и перед Рыбой снова возникли затылки шофера и секретаря Вадика.

— Данный номер ИНН, — как ни в чем не бывало сказал Вадик, — зарегистрирован в налоговой инспекции Петроградского района города Санкт-Петербург и принадлежит...

— Бархатову Александру Евгеньевичу, — закончил вместо Вадика Рыба. — Бархатов Александр Евгеньевич, 1973 года рождения — это я. Место рождения — город Шахрисабз Узбекской ССР. Паспорт мой — вот он...

И Рыба, расстегнув молнию и две английские булавки, вытащил паспорт с заложенной в нем салфеткой с автографом Дэйва Гэхана. Каким образом автограф, всегда лежавший отдельно, оказался в паспорте, Рыба-Молот понять не мог, но... Оказался и оказался.

— Отдай паспорт Вадику и закроем тему.

— С возвратом? Документ все-таки...

Вадик получил паспорт на руки и углубился в свой ноутбук. А дракон-олигарх поведал Рыбе, чем он будет заниматься в самом ближайшем будущем. Это заняло гораздо меньше времени, чем ностальгические рассуждения о «Депеш Мод».

Короткая речь Панибратца сводилась к следующему:

с сегодняшнего дня и до особого распоряжения Рыба-Молот исполняет обязанности семейного повара;

он занимается закупкой продуктов и приготовлением пищи, следит за полноценным рационом и соблюдением санитарных норм;

в случае необходимости (а такая необходимость наступит очень-очень скоро) выезжает с семьей в места отдыха, где исполняет все те же обязанности семейного повара;

с сегодняшнего дня и до особого распоряжения Рыба-Молот проживает в загородном доме Панибратца, с предоставлением ему отдельного жилого помещения;

зарплата выдается двадцать третьего числа текущего месяца и составляет три тысячи условных единиц. Учитывая жилье и полный пансион, это весьма немаленькая сумма.

— Все ясно? — переспросил Панибратец, когда условия работы были оглашены.

— Условные единицы — это доллары или евро?

— Доллары.

— А в случае падения курса?

— В случае падения курса, будешь падать вместе с ним.

Подведя таким образом черту под разговором, Панибратец (силой ·взгляда) включил аудиосистему и из динамиков полился «Депеш Мод».

...Загородный дом Панибратца оказался намного внушительнее, чем предполагал Рыба-Молот. Точнее было бы назвать его усадьбой или поместьем — с полутора тысячью гектарами земли, реликтовым сосновым бором, реликтовой березовой рощей, вертолетной площадкой, полем для гольфа и полем ни для чего, но с мельницей в староиспанском стиле. В комплект также входили река, два озера и искусственный горный массив. Силуэт горного массива полностью повторял силуэт горного массива Монблан с одноименной горой в центре композиции.

И посреди всего этого великолепия стоял готический замок, увенчанный двумя башнями — «Южным Панибратцем» и «Северным Панибратцем». О названиях башен, куда никто и никогда не входил, кроме хозяина, Рыба-Молот узнал чуть позже. Как и о том, что из подвала башни «Северный Панибратец» проложен подземный ход в Кремль, и по подземному ходу курсирует экспресс. *Что* курсирует из подвала башни «Южный Панибратец» и *куда именно* курсирует, доподлинно неизвестно. Но известно, что на территории поместья существуют еще две башни — «Западный Панибратец» и «Восточный Панибратец». Это — башни-призраки, они появляются на закате дня и в совершенно разных местах. В их подвалах тоже существуют подземные ходы, ведущие соответственно в Америку и Китай.

В башни-призраки можно было верить, а можно — не верить, но Рыба-Молот поверил сразу и безоговорочно.

Пока они ехали к замку, — мимо Монблана, реликтовой березовой рощи, лыжного трамплина и множества построек неизвестного предназначения, — Рыба-Молот прикидывал, какое количество человек здесь проживает. И сколько детей и жен имеется в активе Панибратца. О моногамности или, напротив, полигамности драконов Рыбе не было известно ничего, но человеческая ипостась его нового хозяина выглядела вполне европейской, следовательно — моногамной.

Одна жена, — решил про себя Рыба, — *но не первая, а третья или четвертая.* Он их меняет каждые три года, а то и чаще, — обновляет автопарк. Нынешняя жена моложе его лет на двадцать—двадцать пять и является ровесницей его детей от первого брака. Не исключено, что она уже родила ему ребенка, может, даже не одного.

Двух максимум.

Или два раза по двойне.

Или раз по тройне.

Или — р-раз! — и из известного места выскочил один, а потом уже вывалилась тройня.

Вряд ли старшие дети живут с отцом, равно как и их матери, бывшие жены. Итого в семье может насчитываться человек шесть. Плюс обслуга, мамки-няньки, гувернантки, бонны, шофер, составитель личных гороскопов и тренер по верховой езде. Неизвестно почему Рыба-Молот приплел еще и тренера с составителем, но вместе с ними стадо возросло до двадцати голов.

Готовить на двадцать человек ему, профессионалу с пятнадцатилетним стажем, не составит особого труда.

Успокоенный этими подсчетами, но в большей мере — жалованьем в три тысячи у.е., Рыба-Молот посмотрел на свое будущее с оптимизмом. Непонятно было только, как в это будущее затесалась прививка от малярии, но заморачиваться ею в текущий момент времени Рыба не стал. Что будет — то и будет, а чему быть — того не миновать.

Нельзя сказать, что молотовская дедукция сработала на все сто процентов, так — на тридцать—сорок. Но и это можно было считать достижением, учитывая сложность и запутанность внутривидовых связей драконьего семейства.

У Панибратца, действительно, оказалась одна жена (седьмая по счету), но ей было значительно больше двадцати. Тридцать пять или около того. Жену звали попростецки — Мария Сергеевна, сама же она просила звать ее Мари́ и постоянно намекала на французские корни. И на родство со скульптором Огюстом Роденом по отцовской линии и с актером Жаном Габеном по материнской. Ни особой красотой, ни особым умом Марь-Сергевна не отличалась — и было совершенно непонятно, чем она прельстила великого дракона Панибратца. *Вот если бы на ее месте оказалась Изящная Птица,* — уже привычно рассуждал Рыба-Молот, тогда бы и вопросов не возникло. А так — сплошные вопросы.

Рожа у наследницы Родена с Габеном была абсолютно рязанская, глуповатая и веснушчатая. Несмотря на все ухищрения Марь-Сергевны, кремы, притирки и еженедельную чистку лица при помощи постоянно сменяющих друг друга косметологов (один был даже выписан из Берна), — веснушки не пропадали. А если пропадали, то через день появлялись вновь, в еще большем количестве. От постоянных неудач на фронте борьбы с веснушками характер Марь-Сергевны, и без того не сахарный, испортился окончательно. Домашнюю челядь она держала в ежовых рукавицах, гоняла за сто верст по пустякам и изводила мелочными придирками. Из-за этих придирок, произвольной задержки зарплат и общей несправедливости обслуга частенько делала ноги, не дожидаясь выходного пособия. Приезд в замок одинокого Рыбы-Молота почти совпал по времени с бегством целого семейства молдаван, до того исправно работавших в саду у Панибратца лет пять. Они еще помнили предыдущую, шестую жену хозяина. Тоже не отличавшуюся красотой и девичеством, но (не в пример Марь-Сергевне) обладавшую кротким и покладистым нравом. У шестой жены по имени Марь-Васильна был только один недостаток: она любила пострелять по живым мишеням. Не часто, а раз в месяц, в полнолуние. Стоило лишь наступить этой жуткой лунной фазе, как Марь-Васильна, абсолютно голая, с распущенными волосами и глазами, горящими недобрым огнем, выходила на балюстраду замка со снайперской винтовкой в руках.

— Кто не спрятался — я не виновата! — зычным голосом кричала Марь-Васильна и поднимала винтовку.

И горе было человеку или животному в радиусе пяти километров вокруг! Наученные горьким опытом обитатели Панибратцева поместья в эту ночь на улицу не выходили, но пришлых людей, дичь и ночных птиц Марь-Васильна время от времени заваливала. Однажды завалила даже какого-то деятеля с телевидения, заплутавшего на своем джипе по дороге домой и случайно забредшего на территорию спросить дорогу. Панибратцу тогда пришлось задействовать все свои связи на самом верху, чтобы дело замяли. Дело-таки замяли, но тут начала свои выступления радикальная оппозиция, утверждавшая, что деятель с телевидения пал жертвой кровавой гэбни. И что он — первая ласточка, и что кремлядь на нем не остановится, и что призрак нового Сталина уже распростер над родиной черные крыла. Поскольку радикальная оппозиция давала свои страстные комментарии в основном на английском и в основном на западных каналах, информация о них дошла до Панибратца не сразу и в усеченном (если не сказать — искаженном) виде.

И Панибратец сильно расстроился.

Настолько сильно, что в конечном итоге с Марь-Васильной развелся, бросив напоследок вошедшую в анналы фразу: «Из-за тебя, бляди, чуть не произошла оранжевая революция!» А может, не развелся — может, она ушла сама, из боязни, что скорый на расправу Панибратец испепелит ее. Во всяком случае, больше ее никто в замке не видел. Зато ее вроде бы видели в телевизоре, на канале «Спорт», где она выступала за сборную Польши по стендовой стрельбе.

Сведения о предыдущих пяти женах Панибратца отсутствовали напрочь, зато присутствовали четверо их разнополых детей от восьми до тринадцати. Еще двое — трех с половиной и пяти лет, были оставлены отцу-Панибратцу членом польской сборной по стендовой стрельбе Марь-Васильной. Последними в длинном детском списке значились трое собственных детей Марь-Сергевны, прижитых с первым мужем, ветеринаром из Шатуры. А общих детей у них с Панибратцем не было, но Рыба-Молот не сомневался, что рано или поздно они появятся.

Если, конечно, не исчезнет сама Марь-Сергевна.

Этого жаждали все обитатели дома, независимо от пола, возраста и вероисповедания. Прежде чем заснуть, каждый из них (от младшей горничной до смотрителя мельницы на поле «ни для чего») хоть минуту, да уделял сладостной мечте об изгнании стервы Мари из Панибратцева Эдема. О несчастном случае с ней — обязательно со смертельным исходом, пролонгированным и ужасным. «Чтоб мучилась, тварюка, дней пять, криком кричала», — озвучил Рыбе свои пожелания егерь Михей, по совместительству исполняющий обязанности сантехника. «Чтобы ее, гадину, паралич разбил», — озвучила Рыбе свои пожелания старшая горничная Анастасия. Этого страстно возжелал и сам Рыба, стоило ему только познакомиться с Марь-Сергевной.

— Госс-падя, где ж он такие рыла берет, одного другого кошмарнее, — сказала Марь-Сергевна, глядя новому повару прямо в глаза.

Под «он» имелся в виду Панибратец, а под «рылом» — непосредственно Рыба-Молот.

— Где берет? Это наша с ним маленькая тайна, — парировал Рыба. — А вас не устраивает мое рыло? Честно говоря, мне оно и самому не очень нравится. Но, как говорится, что выросло — то выросло. Взад не переделаешь.

В те, первые минуты знакомства Рыба (еще не зная веснушчатой подоплеки дела) попытался найти в Марь-Сергевне товарища по несчастью: не слишком красивый человек всегда человечнее красивого, всегда терпимее. Но в случае с Марь-Сергевной это правило не сработало.

— Еще и хам! — констатировала она.

— Надеюсь, у вас будет время убедиться в обратном...

— И не надейся!

Это было сказано с такой искренней, дистиллированной ненавистью, с таким торжеством, что Рыба сразу понял: он заполучил врага, который будет планомерно отравлять его жизнь на новом месте. И только три тысячи у.е. способны подсластить горькую пилюлю.

И то не факт.

Впрочем, кроме мерцающих в абсолютной тьме, люминесцентных трех тысяч, существовал еще один источник света. Варвара, жена самого-самого старшего сына Панибратца от самого-самого первого брака — Володеньки. Двадцатитрехлетний Володенька, парень не слишком умный, не слишком сообразительный (а попросту — идиот похлеще Рыбы-Молота) был самой-самой бледной копией своего отца.

Он был ящерицей.

Но не комодским вараном, не австралийским молохом и не игуаной, что вызвало бы хоть каплю уважения, — а обычной, ничем не примечательной трехкопеечной ящерицей с Птичьего рынка. Долгое время Панибратец (искренне любивший сына) не оставлял попыток сделать из Володеньки бизнесмена и даже отправил его учиться в Гарвард. Но не прошло и трех недель, как Володенька вернулся, заявив, что «видел ваш Гарвард в гробу, в белых тапках». После неудачи с Гарвардом дракон-олигарх слегка поумерил пыл и попытался научить Володеньку хотя бы изрыгать огонь, для чего запирался с ним вечерами в башне «Южный Панибратец». Но и из этого ничего не вышло. Тогда Панибратец махнул на сына рукой и отдал ему на откуп одну из тысячи своих бензозаправок.

С бензозаправкой дела пошли веселее, потому что Володеньке пришелся по душе запах бензина, запах соляры и запах дизтоплива. И пистолеты в баки он совал совершенно непревзойденно: дул в них на манер ковбоя с Дикого Запада, дующего после выстрела в свой кольт. Роль ковбоя настолько понравилась ему, что он завел себе шляпу, шейный платок и сапоги со шпорами. Так — в сапогах, шляпе и в оранжевом фирменном комбинезоне — Володенька завалился однажды в соседний с бензозаправкой магазинчик «24 часа».

И встретил там юную девушку Варвару, сидевшую за кассой.

И — влюбился.

Юная девушка Варвара глумилась над ковбоем-недоноском и его любовью ровно неделю — до тех пор, пока не узнала, чьим сыном Володенька является. А узнав, изменила свое отношение к нему на прямо противоположное. И, чтобы не откладывать дело в долгий ящик, дала ящерице — прямо на рабочем месте, под кассой, не забыв при этом вывесить на дверь магазинчика табличку «ПЕРЕУЧЕТ». Потом она дала ящерице в административном закутке заправки, потом — на мойке при заправке, потом — в близлежащем парке, потом — в кино, а потом Володенька сделал ей предложение. И она, покочевряжившись с полчасика для порядка, его приняла.

Панибратец отнесся к браку Володеньки с Варварой весьма благосклонно, подарил невестке кольцо с бриллиантом, сыну — галстучную заколку с таким же бриллиантом и отправил их в свадебное путешествие на Мальдивы. Но прежде поимел длинный и обстоятельный разговор с будущей родственницей у себя в рабочем кабинете. Невольными свидетелями этого разговора стали старшая горничная Анастасия (устроившаяся с трехлитровой банкой у стены в гостиной) и воспитательница младших детей Нинель Константиновна (устроившаяся со стаканом у стены в бильярдной) — так что за его подлинность можно было поручиться на все сто.

— Любишь моего идиота? — строго спросил у Варвары Панибратец.

— Люблю, — заверила Варвара. — Жить без него не могу.

— Так он же идиот!

— Это для вас он идиот. А для меня — самый лучший человек на свете.

— Ты же врешь!

— Детектор лжи — в студию! — Находчивая Варвара за словом в карман не лезла. — Будем проверять!

— Я и без детектора вижу.

— Значит, глаза вас подводят. Смените окулиста!

— Я на тебя тут много чего собрал. Картина, знаешь ли, неутешительная. Ты — шалава, каких мало. Пробы ставить негде.

— Оговор!

— Сама по этому поводу высказывалась неоднократно. Есть записи...

— Самооговор!

— А свидетельства очевидцев? Твоих любовников, мать их!

— Облыжные обвинения.

— Испепелю!..

Как утверждали и Анастасия, и Нинель Константиновна, после этого раздались свист и характерное шипение. И старшая горничная даже подумывала отправиться за совком и веником — чтобы вымести останки юной девушки Варвары, посмевшей перечить хозяину. Если, конечно, случится чудо и хозяин пригласит ее для уборки в кабинет, доступ в который строго ограничен. Но все, слава богу, обошлось — и совка с веником не понадобилось.

— Напрасно вы так, дорогой свекор, — уже по-родственному пожурила Панибратца Варвара. — Нельзя по пустякам растрачиваться, огонь метать. Огонь вам в другом месте пригодится... А я что? Я — мелкая сошка, тварь почти что бессловесная, которая любит вашего сына и хочет сделать его счастливым. Вы-то сами ему счастья желаете?

— Желаю.

— Вот видите, тут наши интересы совпадают. Он меня любит, я его люблю... Вот и позвольте нам жить в покое и согласии.

— А если я его наследства лишу? Выгоню, как собаку? — выкатил Панибратец свой последний аргумент. — Будете жить в покое и согласии?

Но железобетонная Варвара и тут нашла нужные слова:

— Тогда покой будет только один — кладбищенский. Ежу понятно, Володенька без вашей опеки пропадет ни за грош. А я — что я? Я-то не пропаду, вернусь туда, откуда пришла. С меня — как с гуся вода, мой перегной меня всегда примет. Но нужен ли вам такой исход мероприятия? С одной стороны — сын ваш счастлив, при вас и при умной жене, с другой — несчастен, одинок и лежит в могиле...

— Что же ты, такая умная, до сих пор за кассой в сельпо сидела?

— Тяжкое наследие девяностых. И родители — не олигархи, а алкоголики. Вам и не передать, что это за ужас, на хрен. Алгебру приходилось закрывшись в ванной делать, а начала анализа — вообще в туалете, на очке. Сама удивляюсь, как удалось до двадцати лет дожить, среднюю школу закончить и остаться приличным человеком... В общем, выбор за вами, дорогой свекор.

Далее последовала продолжительная тишина, после чего Панибратец произнес «Ну ты и сука!» (в интерпретации Анастасии). А может, «Ну ты и стерва!» (в интерпретации Нинели Константиновны).

Сказано это было с невольным восхищением. А Варвара, ободренная такой реакцией Панибратца, тоже выкатила свой последний аргумент:

— Говорят, на детях гениев природа отдыхает. Но на внуках может взять реванш. Вы как думаете?

— Живите, — сдался Панибратец.

И молодые укатили на Мальдивы. А вернувшись, поселились в южном крыле замка, оттяпав себе три спальни, кегельбан и музыкальный салон с клавесином. На котором, по преданию, музицировал еще французский композитор Жан-Батист Люлли.

Женатый Володенька своей бензозаправке не изменил, но магазинчик «24 часа» стараниями Варвары закрыли: чтобы исключить появление новой кассирши, способной увлечь Володеньку. Сама же Варвара (не без помощи свекра) поступила в университет, на юридический, чтобы со временем занять достойное место в одной из дочерних компаний Панибратца.

В быту Варвара оказалась девкой незлобивой, демократичной, всегда помнила великое сидение за кассой и не слишком возносилась. И она была единственной, кто умел накидывать узду на Марь-Сергевну. Показательные выступления по выездке и конкуру проходили, как правило, при большом скоплении людей, потому что Варваре нужны были зрители. Стоило только Марь-Сергевне забыться и прищучить кого-то при Володенькиной молодой жене, как сразу начинались кино и цирк в одном флаконе.

— Смотрю на тебя и удивляюсь, Маха, — вкрадчиво начинала Варвара, после того как Марь-Сергевна, выпустив из когтей очередную жертву, рыскала глазами в поисках следующей.

— Чему же вы удивляетесь, милочка?

— Не, ну надо же — «милочка»! Обоссыха про войну, в натуре! — Лирические отступления всегда были Варвариным коньком. — Долго слово учила-то?

— Я попросила бы...

— И не проси! Ты чего тут наворотила? Человека оскорбила, в грязь втоптала, можно сказать. Тоже, корчит из себя мадам Помпадур! Народом помыкает! Распоясалась, на хрен! А ты вспомни, вспомни, кто ты сама есть!

— И кто же, кто же я есть? — напрягаясь, как на очной ставке в ментуре, частила Марь-Сергевна. — Кто, кто?!

— Известно кто. Жлобиха. Лошара конченая. Ты кем была, пока тебя хозяин не подобрал, дуру набитую? Ты, сучка, просроченными кормами для животных торговала на рынке в Ступино. А до этого — во Фрязино. А до этого в Шатуре...

— И что в Шатуре? Что в Шатуре?!

— Знаем мы, что в Шатуре!..

Подлая Варварина многозначительность сводила Марь-Сергевну с ума. Наверняка в этой самой Шатуре ничего, принципиально отличного от того, что имело место в Ступино с Фрязино, не было. Но интонационно Варвара подавала дело так, что в голову невольно приходили самые ужасные мысли. К примеру, Рыба-Молот (мужчина не с самым богатым воображением) сразу же представлял Марь-Сергевну в роли главаря шайки, торгующей человеческими органами. Были и промежуточные варианты — владелицы мотеля, где происходят убийства семейных пар, и каннибала-одиночки. Но вариант с бандершей нравился Рыбе больше всего.

На Шатуре Марь-Сергевна, до этого пытавшаяся держать себя в руках, ломалась, и аристократический лоск слетал с нее, как шелуха с лука.

— Да как ты смеешь, тварь! — сипела она, непроизвольно сжимая и разжимая пальцы.

— О, клешнями засучила, — веселилась Варвара, комментируя хватательные движения своей врагини. — Видать, задело за живое!

— Сука! — бессильно взывала к небесам Марь-Сергевна. — Поговори мне, сука! Вылетишь отсюда, как пробка из бутылки!

— Ага! Еще неизвестно, кто вылетит!

— Ты вылетишь, ты!

— Ой, не я! Ой, не я!

— Все мужу расскажу! Он тебя испепелит, гадину!

— Еще неизвестно, кого первую испепелит...

— Тебя, муху навозную, тебя!

— Смотрите-ка, кто разговорился! — Варвара заносила руки над головой и тыкала в Марь-Сергевну сразу всеми десятью перстами с облупившимся красным лаком на ногтях. — Аристократка духа, на хрен! Ты давай еще, родственников своих приплети. Французских, мля!

— Не трожь моих родственников, мразь! Они не тебе чета, шлюхе подзаборной!

— Родственников — в студию! Пусть докажут родство с документами в руках. А нет документов — так и не пи...ди! Иди вон, краеведам местным свои басни рассказывай, может они поведутся.

— Убью тебя!

— Ха-ха!

— На куски порубаю и собакам скормлю!

— Хо-хо!

— Живьем в землю зарою!

— Хи-хи...

Впрочем, такие лобовые столкновения (к вящему неудовольствию домашних) происходили чрезвычайно редко: после нескольких рубок с сомнительным для себя исходом Марь-Сергевна встреч с Варварой старалась избегать. И, едва завидев где-нибудь в конце анфилады или балюстрады силуэт ненавистной экс-кассирши, резко меняла траекторию движения. Она даже научилась телепортироваться, если вдруг вероломная Варвара

300

заходила к ней в тыл со спины. Но телепортации эти были, как правило, неудачны: неопытная Марь-Сергевна улетала слишком далеко. В самый глухой конец поместья, к одному из озер. Или на рукотворный Монблан. С Монблана она звонила егерю Михею, чтобы тот, — негодяй, говно говна, *пошевеливайся, скотина,* — приехал и снял свою хозяйку. И доставил ее в дом. Егерь Михей почтительно слушал, кивал и заверял в том, что сию же секунду выдвигается. После этого он еще час околачивался на кухне, либо у старшей горничной Анастасии, либо в одном из санузлов (чинил бачок и менял прокладку на кране). Ровно через час он наконец садился в гольф-кар и отправлялся за Марь-Сергевной.

Однажды, правда, ему пришлось сменить гольф-кар на нормальную машину: телепортационный черт занес Марь-Сергевну в Москву. И не куда-нибудь, а на самую верхотуру памятника Петру скульптора Церетели. Приехавший через пять часов на место события Михей застал там мечущуюся в гигантских парусах Марь-Сергевну, МЧС, ГИБДД, пожарных, службу аэронавигации и несколько телевизионных групп. Операция по спасению, освидетельствование и прочие формальности заняли еще какое-то время, после чего Марь-Сергевна была отпущена.

Подавленная произошедшим, она взяла с Михея слово, что тот никому не расскажет о ее злоключениях, и Михей вроде бы это слово дал (за прибавку к зарплате лишних двухсот долларов). Но жертва оказалась напрасной: сюжет с Петром и Марь-Сергевной, его оседлавшей, прошел по большинству каналов в рубриках «Чрезвычайное происшествие». Телевизионной этики хватило лишь на неразглашение великой олигархической фамилии, но намеки на нее были так прозрачны, что любой мало-мальски информированный человек моментально бы понял, о ком именно идет речь. А желтая пресса вообще вышла с заголовками «Жены олигархов бесятся с жиру». К заголовкам были присобачены несколько — отвратительного качества — фотографий с места трагедии: Марь-Сергевна в одном прозрачном пеньюаре, в одной туфле (вторая сгинула при телепортации), без лифчика, без макияжа, с китайской дешевой заколкой в волосах — похожая одновременно на бегунью Мастеркову и на режиссера Галину Волчек. Мастеркова хотя бы подходила по возрасту, но Галина Волчек — это было слишком!.. Проплакав ночь, Марь-Сергевна два дня кряду истово молилась в домашней церкви преподобному Сергию Радонежскому и Николаю-Чудотворцу, чтоб о столь неприятном факте и его СМИ-последствиях не узнал муж. На это известная своей афористичностью старшая горничная Анастасия сказала: «Одной рукой Богу молится, а другой — в жопе роется». И со смаком сплюнула.

Проскочить на дурик молитвы смогли бы — Панибратец, в силу своей исключительной занятости, телевизор не смотрел вовсе. А если и смотрел, то только два бизнес-канала: ненашенский «Bloomberg» и нашенский РБК.

Понятное дело, дурик не сработал.

Слишком много народу числилось у Марь-Сергевны в «доброжелателях». Варвара — первая. Видимо, она и наступала тестю о скандальном случае с его женой (с соответствующими уничижительными комментариями). Панибратец затребовал все материалы по делу, несколько часов изучал их, а потом пригласил Марь-Сергевну к себе в рабочий кабинет. Весть о приглашении разнеслась по поместью с быстротой молнии. И вся, свободная от хозяйственных дел челядь, вооружившись банками, стаканами и кружками, прильнула к стенам кабинета. Привилегированные места, как водится, заняли: воспитательница младших детей Нинель Константиновна, старшая горничная Анастасия (прихватившая на всякий случай веник с совком) и семейный доктор Дягилев — с фонендоскопом наперевес.

— Нуте-с, моя дорогая, — вполне миролюбиво, лишь с некоторой горчинкой в голосе начал Панибратец. — До меня дошли слухи о прискорбном случае, имевшем место быть третьего дня в самом центре столицы.

— Произошло досадное недоразумение, мой дорогой, — ответствовала Марь-Сергевна. — Казус, если можно так выразиться... Я и сама хотела рассказать вам... Чтобы мы посмеялись вместе...

— Что же не рассказали?

— Не успела. Меня, видимо, опередили?

— Видимо. — Горчинка в голосе Панибратца перешла в горечь.

— Представляю эти комментарии, дорогой мой!

— Нет, вы их не представляете, моя дорогая.

— А вам не кажется, что, мы окружены недостойными людьми, которые спят и видят, как бы вбить клин между нами?

— А вам не кажется, что, очутившись в неположенное время в неположенном месте и непотребном виде, вы выставили меня на посмешище?

— Если бы вы знали все обстоятельства дела, вы бы так не говорили...

— Так расскажите же мне про эти чертовы обстоятельства!

Здесь в разговоре возникла пауза, а фонендоскоп семейного доктора Дягилева зафиксировал легкие атмосферные колебания и подвижки в воздухе кабинета. Эти подвижки предшествовали традиционной ведической практике самовозбешения, которую частенько использовал дракон-олигарх. Также фонендоскоп зафиксировал прерывистое дыхание поставленной в тупик Марь-Сергевны. Телепортация (в которую Панибратец мог и не поверить) была следствием бесконечной войны с Варварой. А война с Варварой, как и всякая другая война, имела свои причины. И свои отправные точки в лице Ступина, Фрязина и Шатуры. Но стоило ли напоминать мужу о своем собачье-кормовом прошлом, слабо коррелирующим с французскими корнями, Роденом и Габеном?..

— Это все сучка Варвара, — решилась наконец на откровение Марь-Сергевна.

— Так это она загнала вас на памятник?

— Нет, но...

— Значит, не она. Значит, вы — по своей собственной блажи и прихоти...

— О, если бы это были блажь и прихоть!..

— Значит, не блажь! Значит, вы оказались там, сознательно преследуя какую-то цель.

— Никакой цели... И совершенно несознательно.

— Бессознательно?

Снова возникла пауза, прерываемая шорохом страниц: это Панибратец листал материалы дела.

— Вы на Фрейда намекаете? — осторожно спросила Марь-Сергевна.

— Я ни на что не намекаю. Зато в прессе куча намеков. Эксгибиционизм, лунатизм, суицидальные мотивы, еще какой-то флэш-моб приплели... Что это еще за флэш-моб?

— Понятия не имею...

— А вот еще интересные заметки с места событий. О том, что вы якобы стояли там с плакатом «Свободу узникам совести». Был плакат?!

— Не было!

304

— А плакат «Освободим Москву от Церетели!» был?

— Побойтесь бога, дорогой мой...

— А это что такое? Это что, я вас спрашиваю?!

— Что?

— Ваша фотография, вот что! Компрометирующая, заметьте, не вас, а меня. Почему без бюстгальтера?! — неожиданно рявкнул Панибратец.

— Забыла надеть...

— А на памятник влезть не забыли? Да надо мной вся Москва потешается! Вчера вообще из «Плейбоя» звонили... Предлагали поставить вас на обложку! Жену Панибратца — в порножурнал, это уму непостижимо!

— Тут вы ошибаетесь, дорогой мой... Это не порножурнал! А высокоинтеллектуальное издание с элементами эротики, — проявила неожиданную вовлеченность в тему Марь-Сергевна.

— То есть вы полагаете, что выглядите эротично?..

— Ну уж, если сам «Плейбой» заинтересовался...

— Во-он!..

К полнейшему разочарованию слушателей, Марь-Сергевна покинула кабинет в целости и сохранности, нисколько не испепеленная. Но безумная надежда попасть на страницы главного эротического издания с тех самых пор не покидала ее сердца. Теперь она шлялась по замку при полной боевой раскраске и в соответствующей экипировке; втайне от мужа она прикупила себе сапоги-чулки из кожи нильского крокодила и провокационное leather-боди, надевавшееся под пеньюар. Выглядело все это довольно комично, а Рыба, по своему обыкновению, снова впал в тяжкое раздумье об олигархических вкусах. Как так получилось, что всемогущий Панибратец (мужчина видный, не лишенный обаяния и в самом расцвете лет и сил) выбрал себе в спутницы жизни не супермодель, не певицу, не мисс Вселенную, а самую обычную бабищу. Рыночную торгашку. Хабалку без капли ума.

Не придя ни к какому выводу и посчитав извращенный выбор хозяина гримасой судьбы, Рыба полностью переключился на кухню. Тем более что готовка на девять душ детей разного возраста, да еще на вдвое большее количество взрослых, да еще на Володеньку с Варварой свободного времени не оставляла вовсе. И Марь-Сергевна с ее постоянным «того не хочу, этого не хочу, говна хочу» одна стоила как минимум десятка гурманов. К тому же по поместью поползли слухи, что Панибратец за бешеные деньги (составляющие годовой оборот торговой сети «Перекресток») выписывает из Лондона супер-пупер-мега-квадро-квази-нано-техно-порно-десять-в-двадцать-четвертой-степени НЯНЮ, которая должна возглавить штат гувернанток и гувернеров, дабы все девять детей получили первоклассное домашнее образование и соответствующее воспитание.

— Тоже удумал, — жаловалась Рыбе Нинель Константиновна. — Своих ему мало, варягов призывает, басурманов! Думаешь, не видели мы этих чертей? Еще как видели — и в фас, и в профиль, и боком, и раком! И французы здесь были, и немцы, и итальяшка один. На клавесине все музицировал, детей пению обучал. А потом сбежал со скрипкой Страдивари, которую хозяин на аукционе купил за два лимона зелени. Еле перехватить успели на подъезде к «Шереметьеву»! Хозяин тогда сильно разозлился.

— И что?

— А что? Испепелил итальяшку, обычное дело. И двух немчур тоже, но немчур позже уже... Или раньше?

— Этих-то за какие грехи? — удивился Рыба.

— А смывать за собой дерьмо забывали. Унитазы загадили так, что пошли нежелательные отложения, один треснул даже.

— Немчура?

— Унитаз! Вот тебе и иностранные специалисты, мать их за ногу...

Как бы ни скрежетала зубами Нинель Константиновна, приезд суперняни был делом решенным и вопрос шел только о сроках. А пока сроки не наступили, Рыба (в промежутках между готовками) капитально прошерстил английскую кухню, выбирая, чем бы встретить дорогую гостью из Лондона. Причем — с таким размахом и помпезностью, чтобы она запомнила кулинарный прием надолго. В порядке эксперимента Рыба смешивал шотландские блюда и блюда из Уэльса, добавляя в них немного йоркширской утонченности и сассекского аристократизма. Он даже скормил несколько таких блюд егерю Михею, но Михей со свойственной ему пейзанской прямотой сказал, что все это — отрава хуже детских смесей и затребовал гречи с подливой и потрошками. Панибратец — вот кто бы мог оценить усилия Рыбы-Молота. Панибратец неоднократно летал в Британию и наверняка был хорошо знаком с тамошней кухней. Но подкатить к Панибратцу не представлялось никакой возможности:

он не ел дома.

Ни вместе со всеми, ни по отдельности — у себя в рабочем кабинете. Понятное дело, уезжал он рано, а возвращался поздно. Но и вернувшись, не притрагивался к еде, обходясь лишь стаканом виски или бокалом вина.

— А чего это хозяин не ест совсем? — поинтересовался как-то Рыба у старшей горничной Анастасии. — Брезгует моей стряпней, что ли?

— Кто ж его знает, — ответила Анастасия. — Может, брезгует, а может, и нет. Мы его за столом тоже не видели. Наверное, у себя в офисе, в Москве кормится. Или на спецдиете сидит для улучшения мозговой деятельности. Или от солнца питается, слыхал про таких людей?

Рыба тотчас вспомнил сюжет, который они с Рахилью Исааковной видели по телевизору: в сюжете рассказывалось о некоей секте, чьи адепты не жрали десятилетиями, утверждая, что все необходимые калории, а также витамины и минералы получают от солнечных лучей. При этом дистрофиками эти адепты не выглядели, а выглядели прохиндеями, оторвавшимися от гамбургера и жареной картошки только для того, чтобы дать интервью. Всемогущий дракон-олигарх Панибратец прохиндеем не был, и Рыба, поколебавшись, отдал свой голос в пользу спецдиеты, способствующей улучшению мозговой деятельности. А также — в пользу таинственной (не исключено, что тибетской или ацтекской) кормежки в офисе.

Отдал — и немного успокоился.

Сколь же велико было удивление Рыбы, когда в один прекрасный четверг (ровно через три недели после вселения в замок) Панибратец вызвал его в свой рабочий кабинет. Впервые Рыба оказался в небесных чертогах, куда до него входили лишь жены и близкие родственники в лице Володеньки и Варвары. Младшим детям входить в отцовский кабинет запрещалось. Так же, впрочем, как и их воспитательницам, гувернерам и прочей обслуге. Даже старшей горничной Анастасии вход туда был заказан, и уборкой занималось доверенное лицо Панибратца, никогда кабинет не покидавшее, — Имамура, робот из Японии.

Имамуру никто и никогда не видел, но о нем ходили легенды похлеще, чем легенда о Семи Самураях. Женская половина замка утверждала, что он и есть самурай — в самурайской прическе, в самурайской одежде и с самурайским же мечом. Более рассудительная мужская считала, что Имамура никакой не самурай, а гейша — с зонтиком, в кимоно с широкими рукавами и в деревянных сандалиях на танкетке. И что, кроме исполнения своих прямых обязанностей, Имамура делает хозяину расслабляющий массаж и читает пятистишия «танку» — собственного сочинения. Поговаривали, что Имамура жрет пыль и, не отходя от кассы, вырабатывает из нее электроэнергию. Что он/она утилизирует перегоревшие лампочки, превращая их металлическую часть в банки для кока-колы, а стеклянную — в богемский хрусталь. Среди других подвигов и чудес, приписываемых Имамуре, значились:

— добыча экстракта мумиё из обыкновенных тараканов;

— изготовление чаев для похудания и биологически активных добавок из двустороннего скотча;

— уничтожение грызунов ультразвуком;

— предсказание роста и падения биржевых котировок посредством ватных палочек для ушей;

— телепатическая связь с летательным аппаратом «Вояджер», исследующим Юпитер и его спутники.

Не мудрено, что Рыба-Молот несколько взволновался, получив приглашение посетить хозяйский кабинет: ведь теперь у него появился шанс увидеть легендарного/ую Имамуру. Как и все остальные мужчины в замке, он втайне надеялся, что Имамура — приятственный для глаз робот женского пола. За час до назначенного времени Рыба принял душ, побрился и загелил волосы. За полчаса — выдавил прыщ на скуле. За пятнадцать минут получил отрезвляющее сообщение от сети PGN:

«ЗАКАТАЙ ГУБИЩУ, ИДИОТ!»

За десять — раскаялся в извращенных робототехнических мечтах, прижег прыщ йодом, удалил излишек геля с волос и немного помедитировал над посадочным талоном Ануш Варданян. ИзящнойПтицы, светлый образ которой оказался заслоненным другими об-

309

разами, отнюдь не такими светлыми. На восстановление его в памяти ушло еще восемь с половиной минут, так что к назначенному времени Рыба-Молот едва не опоздал.

Оказавшись у двери кабинета, он тихонько постучал и услышал в ответ громогласное:

— Войдите!

Первым, что увидел Рыба, переступив порог, была некая конструкция, напоминающая гибрид журнального столика и мини-холодильника «Морозко», давно снятого с производства. На передней панели гибрида мигали три крошечных зеленых лампочки и одна большая красная. С боков свисали шланги, похожие на садовые и заканчивающиеся трехпалыми металлическими клешнями. А верхнюю плоскость украшала надпись «made in Japan».

— Здравствуйте! — утробным металлическим голосом проскрипела конструкция.

— Здравствуйте и вам, — ответил Рыба, слегка напуганный видом диковинного механизма.

— Кто вы?

— Повар. А вы?

— Как вас представить?

— Как повара, наверное... А вы бы что посоветовали?

Вместо ответа гибрид развернулся и покатил вглубь кабинета: так быстро, что Рыба едва успел прочесть надпись на задней панели: «mounted in China»[1].

Кабинет дракона-олигарха был местом во всех отношениях примечательным. Стены его ломились от плазменных панелей с прямой трансляцией со всех мировых бирж, нескольких аукционов, нескольких производств (в том числе и вредных); с нефтеперерабатывающих за-

---

[1] Собрано в Китае (*англ.*).

водов, нефтедобывающих платформ, сборочных конвейеров и газораспределительных станций. А бензозаправка, где трудился сын Панибратца Володенька, была представлена сразу в двух, совершенно различных ракурсах. Промежутки между панелями занимала всякая антикварная всячина, коллекции оружия — холодного и огнестрельного; коллекции жуков, бабочек и саранчи; гербарии, древние манускрипты под пуленепробиваемым стеклом и египетские саркофаги.

Кабинет венчался тремя высокими стрельчатыми окнами, перед которыми стоял массивный стол из красного дерева. За столом, лицом к двери, восседал всемогущий Панибратец.

— Повар! — провозгласила конструкция и, два раза мигнув красной лампочкой, добавила. — Наверное...

— Спасибо, Имамура. — Панибратец оторвался от двух ноутбуков, стоящих на столе. — Займись факсом, что-то он барахлит. И смени картриджи в принтере.

На этот раз гибрид мигнул красной лампочкой трижды и скрылся за дверью справа от Панибратцева стола.

Рыба даже не взглянул ему вслед, так он был разочарован: хваленая гейша Имамура оказалась допотопным холодильником без головы, груди, талии и ног. Что уж говорить об отсутствии зонтика и сандалий на деревянной танкетке!..

Панибратец, между тем, что-то чиркнул на листе перьевой ручкой и промокнул его тяжелым пресс-папье в виде бюста Действующего Президента.

— Ну, — сказал он, закончив манипуляции с бюстом. — Освоился?

— В общем и целом — да.

— Проблемы есть?

— Особых нет. — Рыба посчитал за лучшее не поднимать тем, касающихся сволочной Марь-Сергевны.

— Отзывы о тебе хорошие. Дело свое знаешь, первые блюда не пересаливаешь, вторые не переперчиваешь. Держишь язык за зубами и в интригах не участвуешь.

— А должен?

Панибратец на простодушный вопрос Рыбы не ответил. Он вооружился золотой лупой колоссального разрешения и золотым же пинцетом. На кончике пинцета был зажат блеклый бумажный прямоугольник.

— Одна из первых английских марок, выпущена в 1840 году. Купил вчера по случаю за пятьсот двадцать тысяч фунтов стерлингов. Одобряешь?

Рыба попытался перевести фунты в рубли и умножить полученное на пятьсот двадцать, но ничего из этого не получилось. Неудача постигла его и с долларовым эквивалентом, и с эквивалентом в евро: в одном случае вышла сумма, равная расстоянию от Гринвича до станции Бологое, а во втором — сумма, равная расстоянию от Меркурия до Венеры.

Обе цифры были неверны, что свидетельствовало о математическом скудоумии Рыбы-Молота. В конечном счете, он заявил в своей обычной для последних недель правдорубческой манере «Двух капитанов»:

— Я бы эти деньги отдал голодающим детям Сомали.

— Значит, не одобряешь?

— Или это... Инвестировал в промышленность. В нанотехнологии, или как их там...

— Чтобы страна встала с колен?

— Ну да... Приподнялась слегка.

Панибратец забарабанил пальцами левой руки по мраморной голове Действующего Президента. А правую, вместе с зажатой в ней лупой, поднес к лицу. И пристально посмотрел сквозь нее на Рыбу-Молота.

Впервые Рыба увидел глаз всемогущего дракона-олигарха во всех макроподробностях. Увидел и затрепетал.

И подумал, что загеливать волосы было совершенно необязательно. Сейчас бы они загелились от страха сами и намертво прилипли к коже.

Круглый глаз Панибратца, несмотря на его обманчивую теплую желтизну, представлял собой кусок айсберга, свободно дрейфующий по антарктическому морю Рисер-Ларсена в сторону земли Королевы Мод. Рыбе удалось даже разглядеть на его вершине группу императорских пингвинов, которые немедленно съехали по крутому склону вниз — но не воду, а в раскаленную магму. Вопреки всем законам природы, пингвины не сгорели — поплыли по огненно-красным волнам. Айсберг тоже не таял — очевидно, в глазу Панибратца (как и во всем остальном его организме) действовали другие законы — его собственные, панибратцевские. Допускающие мирное сосуществование вечного льда и такого же вечного огня.

Зрачок Панибратца, в котором не было ничего, кроме тотальной черноты, сузился, вытянулся и снова превратился в вертикальную линию.

Испепелит, — с уже привычной обреченностью подумал Рыба.

Но Панибратец испепелять Рыбу не стал и даже убрал от лица лупу и положил ее на стол.

— Вижу, ты честный человек, хоть и идиот.

— Что есть, то есть, — скромно ответил Рыба, подтверждая оба тезиса. Хотя первый тезис нравился ему несравненно больше.

— Что скажешь о хозяйке?

— О хозяйке?

— О моей жене. Опять от страха все позабыл?

— Нет, помню. Марь-Сергевна, да?

— Так что ты о ней скажешь?

— Стерва, каких мало, — выдал Рыба, проклиная парашютную вышку внутри себя, а заодно Северный морской путь, всех полярных исследователей, летчиков и моряков, все романы воспитания оптом и в розницу, а также духов нгылека. — Стерва и есть! Пепелите и дело с концом!..

И снова дракон-олигарх не стал испепелять безрассудного Рыбу-Молота, лишь крепко ухватился за голову Действующего Президента.

— Стерва, говоришь?

— Лучше бы вы на актрисе Ирине Купченко женились. Или на певице Земфире. Достойные женщины.

Пресс-папье полетело в Рыбу и обязательно размозжило ему голову, если бы он не уклонился в самый последний момент. Главный удар принял на себя древнеегипетский саркофаг, рухнувший на пол и расколовшийся со страшным треском. Из саркофага выпала запеленатая мумия с бескозыркой на голове. Не прошло и секунды, как мумия рассыпалась во прах: осталась только бескозырка с надписью на ленточке: «Эсминец "Стремительный"».

— Можно было еще Кайли Миноуг охомутать, — по инерции продолжил Рыба, не сводя глаз с бескозырки. — Тоже певица и тоже достойная женщина. Жертвует большие суммы на борьбу с онкологическими заболеваниями.

— А мою нынешнюю куда в таком случае девать? — немного поостыв, спросил Панибратец.

— В пропасть, — вырвалось у Рыбы. — И сразу же переключаетесь на указанные мной объекты...

— Никогда, — твердо и почти по слогам произнес Панибратец. — Ни-ко-гда. Хотя эти, как ты правильно заметил, достойные и в высшей степени привлекательные женщины всегда были в моем вкусе.

Странное дело, но на верхушке айсберга, засевшего в Панибратцевом глазу, образовалась прогалина. Доли

314

мгновения хватило, чтобы в прогалине зазеленела трава, а из травы полезли тюльпаны — красные и желтые. При всем своем внешнем великолепии тюльпаны выглядели грустно... Нет, не так — тюльпаны грустили! Цветник схлопнулся так же быстро, как появился, — и снова в глазах Панибратца воцарился вечный антарктический лед с прослойкой из магмы. Рыба непроизвольно зафиксировал и толщину льда, и толщину прослойки, — и дал себе слово, что (если выберется живым из хозяйского кабинета) сочинит десерт согласно данным пропорциям и назовет его «В ледяном плену». А пингвинов можно будет забабахать из цукатов пополам с марципанами.

— В моем вкусе, да, —

повторил Панибратец, отодвинул верхний ящик стола и достал из него плотный конверт. И еще одно пресс-папье в виде бюста — на этот раз человека незнакомого Рыбе, но вроде бы где-то виденного. *Будущий Президент, что ли? Или прошлый?* — озадачился Рыба, но лезть к хозяину с бестактными вопросами не стал.

Панибратец повернул голову в сторону мощной аудиосистемы с тридцатью стереоколонками, и из них полился «Депеш Мод». А из двери справа от стола выкатился Имамура.

— Все в порядке, хозяин, — проскрипел Имамура металлическим голосом. — Факс работает, принтер заряжен.

— Передай пакет повару, — скомандовал дракон-олигарх, голоса которого почти не было слышно из-за громких звуков музыки. — И прибери это египетское безобразие. С души воротит.

Имамура подцепил лежащий на столе конверт трехпалой металлической клешней и, объехав стол по эллиптической траектории, приблизился к Рыбе-Молоту.

— Вы повар? — на всякий случай поинтересовался он.

— Повар, — подтвердил Рыба.

— Вам пакет от хозяина.

После того как пакет перекочевал в руки Рыбы, Имамура двинулся к останкам саркофага.

— Пакет распечатаешь сегодня в полночь без свидетелей. Все. Больше тебя не задерживаю, — сказал напоследок Панибратец и смежил веки. — И помни еще об одном: держать язык за зубами — благо. Моя мысль ясна?

— Куда уж яснее...

Рыбе очень хотелось посмотреть, что сделает Имамура с древнеегипетскими досками, прахом от мумии и бескозыркой. И во что он их перепрофилирует. Но дракон-олигарх явно намекнул, что аудиенция закончена и негоже было злоупотреблять временем и терпением патрона.

Прежде чем выйти из кабинета, Рыба (уже знакомый с самобытными нравами обитателей замка) спрятал конверт за брючным ремнем и прикрыл его рубашкой. Затем, подумав, переместил пакет в трусы и снова прикрыл рубашкой.

И толкнул дверь.

В коридоре было тихо и пустынно, но, пройдя метров десять в сторону анфилады, ведущей на кухню, Рыба-Молот нос к носу столкнулся со старшей горничной Анастасией. В правой руке Анастасии была зажата трехлитровая банка, а в левой — веник с совком.

— Привет, рыбонька моя, — елейным голосом сказала Рыбе Анастасия. — Куда путь держишь?

— На кухню, куда же еще...

— А я вот уборкой занимаюсь.

— И цветы, я смотрю, поливала? — Рыба кивнул на пустую банку.

— И цветы. Обязательно!

— Ну-ну...

Рыба с Анастасией совместно сделали еще несколько шагов в сторону кухни и налетели на вывернувшую из-за угла Нинель Константиновну.

— О! — воскликнула не растерявшаяся Нинель Константиновна. — На ловца и зверь бежит! А я к тебе, рыбонька!

— Да что ты!

— Вот, хотела медовухи у тебя выпросить. Ты, говорят, медовуху приготовил? У меня и стакан при себе...

Рыба и впрямь с самого утра готовил медовуху по старинному рецепту опричников Ивана Грозного — с тайным прицелом на хозяина. Хотя процентов на девяносто пять был уверен, что Панибратец к медовухе не притронется и придется сцеживать ее егерю Михею и всем остальным желающим. Но Михею — прежде всего. Михей последние несколько недель находился в состоянии легкой депрессии: из-за тех самых двухсот баксов, которые обещала ему Марь-Сергевна за молчание. Но когда история с церетелиевским Петром стала известна всем, Марь-Сергевна не только не добавила к зарплате Михея обещанные двести, но и урезала ее на четыреста.

Сидя на кухне у Рыбы-Молота, Михей клял хозяйку последними словами, матерился, угрожал бросить на хер охотничьи угодья и сантехнику и перейти в службу внешней разведки, где у него остались связи со времен Горбачева.

— Ну, пойдемте, девушки... Угощу!

Сказав это, Рыба стал прикидывать, кто из двух дамочек не выдержит и первой спросит о его визите в хозяйский кабинет. Не выдержала Нинель Константиновна, чьи нервы были расшатаны до последней возможности общением с младшими детьми Панибратца.

— А ты, рыбонька, вроде от хозяина идешь? — бросила пробный шар воспитательница.

— От него.

— Вызывал-то зачем?

— Текущие вопросы. Утверждение меню на Новый год и все такое...

— Когда еще тот Новый год, — разочарованно протянула Нинель Константиновна, а Анастасия добавила:

— Он вообще меню не занимается, хозяйка все решает, не к ночи будь помянута...

— Может, раньше так и было, а теперь вот решил заняться!

— А еще что? — продолжала допытываться Анастасия.

— Да ничего. Музыку слушали... «Депеш Мод».

— Лично мне Земфира не нравится, — снова не выдержала Нинель Константиновна. — Дерганая она какая-то. Надька Кадышева всяко лучше...

— Ты бы еще Бабкину вспомнила! — заржала Анастасия. — По мне так все эти певички ничуть не лучше нашей... Такие же суки!

— И кого же ты предлагаешь?

— Хакамаду! — Анастасия неожиданно проявила ультралиберальный подход к ситуации. — Баба с мозгами — раз, и не бедная — два. Деньги к деньгам, как говорится...

— Да ну! Хакамада тоже дерганая. И цены себе не сложит. Начнет по ток-шоу шастать, в бизнес вмешиваться и права качать — хозяин не выдержит и испепелит ее к чертовой матери. Представляешь, какой вой поднимется? Век не расхлебаем... И если уж на то пошло — Машка Арбатова поспокойнее будет.

— Арбатова?! — Анастасия заржала еще громче, чем когда услышала про Кадышеву. — Эту он еще быстрее испепелит с ее идеями дурацкими про равноправие полов...

— Зато... — Нинель Константиновна набрала в легкие побольше воздуха. — Зато Машка Арбатова кто?

— Кто?

— Мария! Ма-рия! Марь-Васильна была, Марь-Сергевна — сейчас. И предыдущие тоже вроде как Мариями были... Традиция, мать ее за ногу! Не-ет, у Арбатовой больше шансов, чем у Хакамады...

Слушая бесплодную полемику прислуги, Рыба вознес хвалу небесам за прозорливость Панибратца, так вовремя включившего «Депеш Мод». А пассаж о Хакамаде, главной японке РФ, натолкнул Рыбу на мысль, как отвлечь обеих дамочек от скользкой темы разговора с драконом-олигархом.

— Видел Имамуру, — скромно заявил он.

Анастасия с Нинелью Константиновной тотчас забыли о претендентках на руку и сердце хозяина и уставились на Рыбу.

— И? — спросила старшая горничная.

— И? — поддержала ее воспитательница младших детей.

— Мужик! Самурай! И меч, и доспехи — все как в кино, — соврал Рыба.

— Обалдеть! — ахнула Анастасия.

— С ума сойти! — охнула Нинель Константиновна. — А он при тебе ничего такого не делал?

— Чего?

— Ну там... Чудес всяких...

— Особо нет... Кроме того, что мумию оживил.

— Какую еще мумию? — севшим голосом спросила горничная, а воспитательница затряслась.

— Известно какую. Древнеегипетскую.

— А зачем он ее оживил? Для каких целей? И так народу в доме полно, не протолкнуться...

— А теперь еще и мумия будет, — пообещал Рыба. — Я так думаю, что за порядком следить. Чтобы все занимались своими делами и не отвлекались на пустяки. Отвлечется кто — мумия его и сцапает. Предаст казни египетской. Фильм смотрели?

— Какой?

— Да про мумию же! Он так и назывался — «Мумия». Старшая горничная Анастасия наморщила лоб, пытаясь вызвать в памяти искомый голливудский кинопродукт. Нинель Константиновна вспомнила быстрее и, вспомнив, заплакала.

— Этого еще не хватало, — сквозь слезы сказала она. — Мало нам душевных потрясений... Прямо хоть увольняйся, честное слово!

— Ну, думаю, до крайности не дойдет, — успокоил обеих женщин Рыба. — Про казнь египетскую я загнул, конечно. Мумия — тоже человек. Пожурит слегонца, если что случится, — и опустит на все четыре стороны...

Обсуждение скверного характера египетских мумий продолжилось на кухне, за медовухой. Сошлись на том, что все это надо пережить (*и не такое переживали!*), отнестись к ситуации философски, но держать ухо востро и не *давать мумии лишних поводов для экзекуций.* Попутно Нинель Константиновна вспомнила, что у семейного доктора Дягилева есть несколько книжек по египтологии, а старшая горничная Анастасия заказала в видеотеке замка фильмы «Мумия», «Мумия возвращается», «Мумия из чемодана» и «Мумия на 5-й авеню». А также максимально приближенные по тематике «Проклятье фараона» и «Тайну египетской гробницы».

Затем наступило время детского ужина, затем — ужина для взрослых. Затем Марь-Сергевна потребовала омара, лангустов, салат с мидиями и свежий гусиный паштет. Остаток вечера Рыба крутился как белка в колесе и попал в свою комнату только к половине двенадцатого.

До назначенного Панибратцем времени оставалось полчаса.

Эти полчаса ушли на уговаривание себя не вскрывать конверт раньше, чем было предписано. И гаданием, что же такого может там находиться. Самым приятным было бы обнаружить в толстом конверте премиальные в размере двух... нет, четырехмесячной зарплаты. Проанализировав свое трехнедельное пребывание в поместье, Рыба пришел к честному и однозначному выводу: премию ему выдавать не за что. Он всего лишь исполнял свои обязанности, стараясь кормить домашних не только правильно, но и вкусно. А разве не то же самое должен делать любой повар?

То же.

Следовательно, премиальные отпадают.

С мыслью о поощрении расставаться все же не хотелось. И Рыба предположил, что в конверте могут быть:

а) билеты на концерт «Депеш Мод», когда они в очередной раз соберутся на гастроли в Москву;

б) горящая путевка в Египет (что было особенно актуально в свете треснувшего и развалившегося саркофага);

в) контракт на промышленную разработку и продажу энергетического напитка «Чертов кал», где черным по белому написано: А.Е. Бархатову, как одному из создателей напитка, принадлежит двадцать процентов возможной прибыли.

Сразу же усовестившись, Рыба скостил свой процент до десяти, а потом и до восьми. А потом решил, что и трех будет вполне достаточно, за глаза и за уши.

Но даже один процент не обломился Рыбе-Молоту, поскольку в конверте был вовсе не договор о намерениях относительно «Чертова кала».

Ровно в полночь конверт засветился странным синеватым светом и из него брызнули желтые и золотистые сполохи. Такого развития событий Рыба не ожидал; он схватил одеяло, чтобы начать тушить конверт раньше, чем тот самовозгорится и исчезнет навсегда. Но конверт и не думал самовозгораться, а сияние вокруг него все усиливалось: к синим и золотисто-желтым сполохам прибавились фиолетовые и карминно-красные.

Рыба тотчас вспомнил любимое слово Рахили Исааковны «пипец» и решил, что это он и есть.

Конверт — радиоактивный!!!

А он, идиот, сунул радиоактивную гадость в трусы! Отвалится, все отвалится на хрен! А если не отвалится, то перестанет должным образом функционировать! Как бывало и раньше, мнительность Рыбы сыграла с ним злую шутку: в самых разных (но в основном — приближенных к паху) частях тела начались боли, рези и онемение. Боли и рези длились не дольше пятнадцати секунд, а потом пришло сообщение от сети PGN:

«ЭТО НЕ ТО, ЧТО ТЫ ДУМАЕШЬ, ИДИОТ! ПРОСТО КОЕ-КОМУ ПОРА ПОДКРЕПИТЬСЯ».

Сообщение всезнающего сотового оператора несколько успокоило Рыбу. Он все же взял конверт, повертел его в руках и сломал сургучную печать с оттиском дракона, кусающего себя за хвост. Когда печать была сломана, пасть дракона неожиданно переместилась себе же на горло, а яркое свечение вокруг конверта пропало.

Ободренный Рыба вытащил из него толстенный лист бумаги, на поверку оказавшийся пергаментом. Пергамент был густо исписан, и Рыба, присев на кровать, углубился в чтение. А прочел он вот что:

ПАМЯТКА ДЛЯ БЕССТРАШНОГО ПОМОЩНИКА ВЕЛИКОГО ДРАКОНА:

1. Утро пятницы встречаешь на кухне, лицом на восход. Под рукой должны быть: стакан чечевицы, стакан пшена, стакан манной крупы, два стакана гречневого продела, одна репа, одна брюква, три морковки средней величины, три головки чеснока, вилок капусты белокочанной, 500 грамм брюссельской капусты, 500 грамм капусты кольраби, 100 грамм лука-порея, куриные потроха от одной курицы, два говяжьих языка, соль, сахар, перец горошком, яблочный уксус, кетчуп, лавровый лист.

2. Дождавшись восхода, варишь чечевицу, пшено, манную крупу и гречневый продел до готовности. Сваренные крупы смешиваешь, заправляешь яблочным уксусом, солью и сахаром по вкусу. После того, как каша будет готова, отвариваешь говяжьи языки и куриные потроха. Куриные потроха измельчаешь, языки нарезаешь кубиками и соединяешь с кашей. Овощи тушишь на медленном огне и тоже добавляешь в кашу. Емкость с ней ставишь в теплое темное место.

Рыба был настолько возмущен изложенной в первых двух пунктах гастрономической абракадаброй, что вскочил с кровати и забегал по комнате с пергаментом в руках. За идиота, что ли, его держат?.. Ну да, за идиота, как и было сказано сегодня в кабинете. Но... если на роль мыслителя Рыба-Молот подходил мало, то в своих профессиональных качествах он был уверен полностью. Пятнадцать лет безупречной работы по призванию! Сотни восторженных отзывов посетителей ресторанов, где он трудился шеф-поваром (десятки возмущенных относились к дурному обслуживанию и не имели к кухне никакого касательства). Две жены, в конце-концов! Искренне полюбившие Рыбу за его кулинарный талант — и за кулинарный талант же бросившие. И вот теперь ему, профессионалу экстра-класса, предлагают участвовать в мерзости, потому что иначе как мерзостью данный бескрылый продукт не назовешь. Ему плюют в лицо, пытаются надругаться над его естеством и эстетическими принципами!.. А говяжий язык чего стоит? Рыба знал двадцать восемь способов приготовления языка, но этот он никогда бы не внес в список под номером двадцать девять!

Такую хрень только свиньям скармливать, — подвел итог Рыба и решил дальше не читать, хотя титул «бесстрашного помощника» чрезвычайно льстил ему. Но решение так и не было исполнено, потому что чертов пергамент пристал к пальцам и никак не хотел отлипать. Перепуганный Рыба попытался оторвать его при помощи зубов, но в результате прикусил себе язык. Отскрести пергамент бритвенным станком и поддеть зубной нитью тоже не получилось. Испробовав все способы и потерпев фиаско, он решил вернуться к чтению.

3. Вечер пятницы встречаешь с западной стороны мельницы, на поле «ни для чего», лицом на закат. С тобой должна быть емкость с кашей и овощами, завернутая в штандарт французского маршала Сен-Сира. Штандарт лежит в верхнем правом ящике буфета в Голубой гостиной, в северном крыле. Операция по изъятию штандарта и доставки емкости в указанное место должна проводиться тайно и вдали от посторонних глаз.

4. Дождавшись заката, внимательно наблюдаешь за тенью от верхнего мельничного крыла. Когда тень упадет на одинокую сухую лиственницу, стоящую неподалеку, лиственница исчезнет. А на ее месте возникнет башня и откроется проход. Смело иди к башне и стучи в ее ворота три раза. Подождав тридцать секунд,

снова стучи три раза. Когда ворота откроются — входи не раздумывая и ничему не удивляйся. И помни: держать язык за зубами — благо.

5. Данная памятка обязательна к неукоснительному исполнению.

Пятый пункт был последним по счету. Когда Рыба дочитал его до конца, пергамент вспыхнул синим пламенем и в долю секунды догорел дотла. Даже пепла от него не осталось. Зато пальцам Рыбы стало нестерпимо горячо, как будто он обжегся о раскаленную сковороду. По инерции поднеся пальцы к мочке и не найдя ее на привычном месте, он тут же вспомнил волосатую проехидну Веру Рашидовну. И мысленно послал ей очередное проклятье, снабдив его воздушным поцелуем. Воздушный поцелуй потащил за собой мысли о поцелуе французском — как прелюдии к тому безобразию, которое произошло между Рыбой и Железной Леди в полярном Салехарде. Безобразие — скадрированное, смонтированное и хорошо освещенное — предстало перед внутренним взором Рыбы, как живое. И, вызвав легкое волнение в крови, моментально растаяло. Единственным положительным результатом его недолгого визита стала уверенность Рыбы в том, что конверт все-таки не был радиоактивным и все приближенные к паху органы функционируют нормально.

Пользуясь моментом, он вспомнил еще и змею-бортпроводницу (как она размахивала форменным жакетиком, намереваясь показать стриптиз), Кошкину (на заре супружеской жизни), Рахили Исааковну (на заре супружеской жизни), сестру Рахили Исааковны — Юдифь Исааковну, сволочной механизм, который хотелось разобрать до основания. На Юдифи Исааковне завод у Рыбы-Молота кончился.

Вместе с заводом улетучились и все пять пунктов из Памятки для бесстрашного помощника Великого Дракона». Остались лишь их жалкие обрывки в виде штандарта французского маршала Сен-Сира (а может — немецкого маршала Гудериана?), лежащего то ли в верхнем, то ли в нижнем ящике какого-то буфета в какой-то из сраных гостиных, число которым квадрильон. Сколько стаканов гречневого продела необходимо для приготовления каши-микс? Сколько моркови? Сколько головок чеснока? О каком сухом дереве шла речь? О сосне из реликтового бора? О березе из реликтовой рощи? Единственное, что дословно вспомнил Рыба, был пункт №5:

«Данная памятка обязательна к неукоснительному исполнению».

Но Памятки больше не существует, она сгорела к чертовой матери! Тот, кто придумал фокус с пергаментом, — тот еще придурок, неважно — человек он или Великий Дракон. Нельзя требовать от среднестатистического повара, чтобы он запомнил кучу текста с одного прочтения! К тому же пятница (кажется, в пергаменте речь шла именно о пятнице) уже наступила.

Рыба стал биться головой о стену — в надежде, что первые четыре пункта всплывут в мозгах на гребне ударной волны. Но стена, залепленная амортизирующими тканевыми обоями, успешно гасила волну, на которую так надеялся Рыба. И он переместился в санузел и стал биться о кафель. Со все тем же плачевным результатом. Содержимое черепа, недовольное столь варварским к себе отношением, немедленно начало подсовывать Рыбе решения одно нелепее другого:

можно проникнуть в кабинет Панибратца и договориться с Имамурой, чтобы тот раздобыл копию пергамента;

можно проникнуть в кабинет Панибратца и договориться с самим Панибратцем о том же самом;

можно никуда не проникать, а просто сказать хозяину, что пакет был утерян безвозвратно;

можно навсегда свалить из поместья под покровом ночи, как свалило семейство молдаван, оставив после себя лишь пустые плечики в платяном шкафу.

Но где гарантии, что его не перехватят у Ленинградского вокзала, как перехватили вороватого итальяшку на подъезде к «Шереметьеву»? Не перехватят и не испепелят?..

— Ты ох...ел, скот! — раздался в голове основательно подзабытый голос Гоблина. — Ты чё здесь колебания устраиваешь?! И без тебя, нах, всю жизнь трясет в этой гребаной стране, а ты еще добавляешь! Не хочешь срать — не мучай жопу.

Пока Рыба соображал, что могло бы означать последнее гоблинское высказывание, прорезался синхронист-переводчик Володарский:

— Иди-ка ты спать, любезный, — покашляв и посопев в микрофон, сказал Володарский. — Утро вечера мудренее.

Это была первая здравая мысль за последние пятнадцать минут, и Рыба решил ей последовать.

Утро вечера мудренее. Это точно. А там, глядишь, все и рассосется.

...В эту ночь сны Рыбе-Молоту не снились. Но проснулся он намного раньше, чем просыпался обычно, — где-то в пятом часу. Причиной столь раннего пробуждения стала резь в глазах неясной этимологии. Не вставая с кровати, Рыба принялся тереть глаза руками, но резь не проходила. Тогда он попытался поднять веки, но вместо привычного комнатного интерьера возникла заставка (какая бывает, когда телеканалы уходят на профилактику): цветные вертикальные полосы и маленький логотип телевизионной башни в левом нижнем углу.

Вот оно! Началось! — с ужасом подумал Рыба. — «Памятка обязательна к неукоснительному исполнению»! А если у кого-то недостаточно клепок, чтобы вызубрить ее, — тот, предварительно помучавшись, лишается зрения. А без зрения список занятий, которым можно посвятить себя, резко сокращается. Из доступных на ум Рыбе пришли лишь сомнительного качества профессии телевизионного проповедника, публичного политика, эстрадного певца и — гораздо более благородные — оперного певца и настройщика роялей. Про слепого настройщика они с Рахилью Исааковной видели фильм по телевизору. И Рахиль Исааковна даже плакала над его горестной судьбой, но в самом финале выяснилось, что настройщик — преступник, сексуальный маньяк и серийный убийца. На преступление и сексуальное насилие Рыба не способен, так же как и на настройку роялей. У него нет голоса, чтобы петь в опере. И нет ни шизофрении в обостренной форме, ни изощренного цинизма, чтобы стать телевизионным проповедником. Остаются профессии публичного политика и эстрадного певца. С этими-то Рыба справился бы стопудово, но, опять же, — необходим первоначальный капитал, хотя бы в миллион зеленых. А такие деньги есть только у Панибратца, хотя...

У Панибратца не деньги, а финансовые потоки.

Пока Рыба-Молот раздумывал, чему посвятить себя, когда придет полная слепота, резь в глазах не то чтобы стала сходить на нет, но приобрела любопытный вектор. Как будто нечто острое и колючее, засевшее в глазах, стремилось выбраться наружу. Профилактическая заставка мигнула, сменилась заставкой какой-то новостийной программы, затем заставкой программы «Серебряный шар», затем заставкой программы «Играй, гармонь!», а потом перед взором Рыбы возник Действующий Президент, который принимал у себя в кремлевском кабинете кого-то из силового блока. Внизу, бегущей строкой, шли курсы валют. Рыба отметил про себя, что евро вырос, а доллар, наоборот, опустился. Интересно, как долго продлится его падение и каким образом это отразится на зарплате?..

Между тем роскошный кремлевский кабинет сменила собственная комната Рыбы — с тканевыми обоями, платяным шкафом, комодом, кроватью, креслом, дверью в санузел, дверью в общий коридор и похожим на одуванчик икеевским торшером. Теленаваждение кончилось, а вместе с ним прекратилась и резь в глазах. Нечто острое и колючее вырвалось на свободу и зависло перед физиономией Рыбы в виде сильно увеличенного, почти гигантского, лабораторного стеклышка для сбора мазков. Сквозь это стекло и просматривалась комната; и полному обзору пе мешал даже убористый текст, написанный на стекле черным маркером.

Присмотревшись, Рыба узнал в тексте первые четыре пункта «Памятки бесстрашному помощнику Великого Дракона»!

Вот и решение проблемы! Прав, прав был умница-синхронист Володарский: «Утро вечера мудренее».

Прочтя написанное не меньше двадцати раз, Рыба попытался убрать лабораторную гадость от лица или хотя бы отодвинуть ее. Но ничего толком не получилось, вместо вполне осязаемой на вид стеклянной поверхности руки то и дело наталкивались на пустоту.

Аналогов этому явлению в мировом кино- и телеискусстве Рыба-Молот не нашел.

Самого Рыбу факт наличия стекла перед глазами смущал мало — стекло и стекло, что ж теперь — волосы на жопе рвать? Другие люди иногда живут с гораздо большими неудобствами типа искусственного горла или протезов. Или вообще — с выносной почкой, прикрепленной изолентой к пояснице, — и ничего, держатся, не впадают в депру. Единственное, что беспокоило его, — вдруг на стекло шлепнется такой же увеличенный слой чьей-то крови, слизи или гноя. Вещь неприятная, да и что с ней делать? Куда передавать на анализ?.. И потом — увидит ли кто-нибудь стекло с текстом? А если увидит — то что подумает? И как это соотнесется с фразой из Памятки насчет тайны и полной конфиденциальности?

Дальнейшая практика показала, что никто, кроме Рыбы, стекла с текстом не увидел. Да и видеть поначалу было некому: следуя инструкции, Рыба встретил утро пятницы на кухне, лицом на восход. Со всеми ингредиентами в комплекте. Заглянувшее на кухню солнце осветило процесс приготовления чудовищной каши-микс; причем Рыба ежесекундно хватал себя за руки, чтобы не добавить какой-нибудь вдохновляющей хреновины. Майоранчик там, розмарин, тмин, орегано, оливковое маслице, сливочное, маслинки, зеленюшка... А лучше всего — выбросить все к свиньям и приготовить что-нибудь особенное, с нуля! Кашу так кашу! — но пусть это будет, к примеру, кукурузная, несколько часов протомившаяся в духовке, приправленная травками и овечьим сыром, с темно-золотистой корочкой... Так думал Рыба, и лишь строгий пятый пункт Памятки останавливал все его шеф-поварские порывы в самый последний момент. Когда крупяное пополам с бобовым дерьмецо подоспело и субпродукты с овощами дошли до кондиции, Рыба вывалил все в заранее приготовленный судок, спрятал его в шкаф, где хранились невостребованные кастрюли и пароварки.

И занялся своими обычными делами.

Все было как всегда, и лишь стекло, маячившее перед глазами, напоминало: *все совсем не как всегда, рыбец!*

Окружающие, будто сговорившись, не обращали никакого внимания на стеклянный довесок к Рыбьей физиономии. Рыба, в порядке эксперимента, даже подкатывал к домочадцам с одним и тем же вопросом:

— Не замечаете во мне ничего необычного?

Нинель Константиновна, после пристального изучения, брякнула:

— Бороду, что ли, отпускаешь?

Старшая горничная Анастасия вынесла прямо противоположный вердикт:

— Побрился, что ли?

Егерь Михей выразился в том духе, что вроде бы правую щеку Рыбы слегка раздуло, уж не флюс ли его посетил? А может, зуб мудрости режется? А может, наоборот, — раскрошился к псам? У самого Михея зубы были больным местом. Мало того что они росли вкривь и вкось, так еще с недавнего времени в верхней челюсти стал образовываться дополнительный второй ряд, находившийся непосредственно за первым. Зубы из второго ряда были не обычными, а железными. И феномен их возникновения никто объяснить не мог. Михей даже ездил в Москву, к своим друзьям из службы внешней разведки. При их посредничестве один из зубов был изъят и отправлен на всестороннее микробиологическое и химическое исследование. Результаты исследования показали, что в состав зубной ткани входит не только железо, но и молибден, вольфрам, ванадий, кобальт, никель и цинковая руда. Радости от этой таблицы Менделеева во рту Михею было мало, но, с другой стороны, там могли оказаться и полоний с радием и ураном. А это было бы значительно хуже. С третьей стороны, намного лучше было бы, если б во рту обнаружились золото. серебро или платина. И чтоб они вылезали из десен сразу в слитках. Тайной надежды на это Михей не терял, как и на активный рост во рту бриллиантов (необработанных алмазов, на крайняк). Он даже пообещал парочку гипотетических драгоценностей старшей горничной Анастасии, с которой водил шашни. Анастасия достаточно долго не подпускала егеря к себе, но, узнав про второй ряд зубов, подпустила. А узнав про бриллианты и платину, чье прибытие ожидалось со дня на день, подпустила еще ближе. Факт соития болезненно восприняла бывшая подружка егеря — Марго, убиравшаяся на половине Володеньки с Варварой и вроде бы окончившая химфак Тамбовского университета. Она попыталась под сурдинку извести неверного любовника, для чего (через других горничных) запустила слух об обработке десен хлоридом аммония и серной кислотой. От этого-де платина пойдет в рост и заколосится, как ненормальная. А алмазные отложения не замедлят появиться на гландах и на стенках гортани. Неизвестно, воспользовался ли советом Михей, но очередной анализ очередного зуба из второго ряда показал наличие еще и висмута, стронция и бериллия.

Предположение егеря о режущемся зубе мудрости не соответствовало истине: зубов мудрости у Рыбы не было никогда — ни в прошлом, ни в настоящем. Не намечались они и в будущем. Вот если бы речь шла о зубах доверчивости и простодушия — тогда пожалуйста, их было сколько угодно, включая два передних, крупных, как миндальные орехи. И боковых — чуть поменьше, но тоже похожих на орехи. На этот раз — экзотического сорта «макадамия».

— С зубами — мимо кассы, — грустно сказал Рыба егерю Михею и отправился к семейному доктору Дягилеву, человеку науки. Кто, как не человек науки, почтенный и умудренный фармацевтическим, клиническим и просто жизненным опытом ветеран медицины, сможет продиагностировать стекольный довесок к Рыбьему лицу?

— Не замечаете во мне ничего необычного? — задал уже привычный пятничный вопрос Рыба, долго и пристально глядя прямо в глаза доктору, свободно разместившиеся между третьим и четвертым пунктами Памятки.

— Уже давно заметил, — почему-то взволновался доктор.

— Правда? — Рыба взволновался не меньше доктора. — Вам это странным не кажется?

— Нет. Думаю это вполне естественно.

— И что с этим делать?

— А что с этим можно сделать? Ничего. Только принять, как должное. И перестать стыдиться. И уж тем более комплексовать...

— А все это видят?

— Не все. Далеко не все... Люди, знаете ли, обращают мало внимания на ближних своих. В нашем случае это, конечно, благо.

— Вы полагаете?

— Уверен. Избавляет от ненужных кривотолков. Ведь кривотолки нам не нужны?

— Ни боже мой! Но вы-то видите?

Семейный доктор Дягилев одернул рукава белоснежного щегольского халата, пару раз вздохнул и приложил правую руку к нагрудному карману с вензелем «СД». А левой подхватил Рыбу-Молота под локоть и постарался увлечь в сторону процедурной, отделанной дубом и карельской березой.

— Честно говоря, я не был уверен до конца, — шепнул он Рыбе. — Вы совершенно не производите впечатление...

— Так вы видите или нет?

Дягилев придвинул свое лицо к лицу Рыбы — так близко, что стекло с Памяткой слегка помутнело от докторского прерывистого дыхания. Рыба, со своей стороны, тоже придвинул лицо, чтобы доктор смог разглядеть дефект повнимательнее. И даже высунул кончик языка от усердия и помахал пальцами у себя перед носом. Стекло, как и во все предыдущие разы, ускользнуло, зато пальцы Рыбы угодили прямиком в подбородок доктора. Рыба смутился и пробормотал:

— Извините! Виноват!

— Не надо извиняться... Что вы... — На дряблые дягилевские щеки взбежал совершенно юношеский румянец.

Какой деликатный человек, — подумал Рыба и снова повторил вопрос:

— Так вы видите?

— Теперь вижу!

— А текст видите?

— Какой текст?

— Написанный. Только с вашей стороны он должен читаться справа налево. Зеркальное отражение.

— О-о, как интересно! — Дягилев закатил глаза и хихикнул. — Это такая игра, да?

— Почему игра? Я думаю, что все очень серьезно.

— Какой вы шалун, право!

— Чего?

— Шалунишка!..

Только теперь в голове Рыбы зародилось смутное подозрение, что они с семейным доктором Дягилевым не совсем понимают друг друга и говорят о разных вещах. Оставалось только выяснить, что это за вещи и почему доктор назвал Рыбу «шалунишкой».

— Стоп, доктор! — воззвал к Дягилеву Рыба. — Давайте не будем клеить друг другу ярлыки. Это несколько преждевременно. И начнем разговор сначала. Вы что имеете в виду?

— А вы? — заюлил Дягилев, и на смену юношескому румянцу пришел еще более нежный девичий.

— Вот это самое стекло между мной и вами. Это оптический обман или что-то более серьезное? Обзор оно, конечно, не перекрывает. Но уже достает, если честно... И... Хоть бы текст поменялся, что ли! Пустили бы что-нибудь умное, для общего развития. «Чайку по имени Джонатан Ливингстон», во! Читали про чайку, доктор?

Дягилев пропустил замечание о Джонатане Ливингстоне мимо ушей.

— Да вы поэт!.. Но смею вас уверить — между нами нет никаких преград.

— А стекло?

— Это метафора?

Слово «метафора» Рыба-Молот ненавидел лютой ненавистью, потому что его, наряду со словами «эскейпизм», «куртуазность» и «просперити», частенько употребляли кошкинские подруги Палкина с Чумаченкой. Со временем нелюбовь к слову перенеслась на нелюбовь к тем, кто это слово произносит. Вот и сейчас Рыба-Молот почувствовал, что ветеран фармакологии ему неприятен. Неприязнь усилилась, когда вытянутые в трубочку губы доктора пошли на сближение с его собственными губами. При этом на лице Дягилева, слегка искаженные рельефом, проступили конец третьего и весь четвертый пункты Памятки.

— Вы что удумали? — спросил Рыба, с трудом увернувшись от поцелуя. — Вы ко мне пристаете, что ли?

— А разве не вы сами... намекали мне...

— Я? Намекал?!

— Эти пристальные взгляды... Туманные разговоры о том, что между нами что-то существует! И потом — вы показали мне кончик языка... И руки тоже протягивали! Вот только что, две минуты назад! А в столовой...

— Что — в столовой?

— Вы все время подкладывали мне лучшие кусочки! С самого начала! Скажете нет?

Это была чистая правда. Рыба-Молот, всегда благоговевший перед людьми благородных и самоотверженных профессий (к коим, безусловно, относилась профессия врача), старался накормить скромнягу Дягилева повкуснее. И разве мог он подумать, что его искренний порыв будет понят так превратно? А сам доктор... сам доктор скажется человеком не совсем правильной в понимании Рыбы ориентации!

— Дык он пидор гнойный! — подал голос из будки синхронистов Гоблин. — Вали его нах, крысу!

— Поспокойнее, коллега, поспокойнее, — попытался урезонить Гоблина Володарский, мужчина интеллигентный, толерантный и попереводивший на своем веку немало утонченных кношек со страдающими от общественного неприятия героями-гомосексуалистами. — Зачем же сразу валить? Можно просто набить морду и этим ограничиться.

Но бить морду ветерану Рыба не стал.

— Вам не стыдно? — спросил он. — Пристаете к нормальным людям с гадостями... А еще детей лечите!

— Провокатор! — взвизгнул семейный доктор Дягилев и стукнул Рыбу по груди вялым кулаком. — Низкий человек!

— Кто бы говорил!

— На кого работаете, провокатор?

— На хозяина, — честно признался Рыба.

Упоминание о всемогущем драконе-олигархе произвело на доктора угнетающее впечатление. Он сморщил лицо и заплакал тихими слезами.

— Семь лет безупречного служения семье и Гиппократу... И ни одна душа, ни одна душа не была в курсе... Пока вы, провокатор...

Сердобольному Рыбе стало жаль несчастного Дягилева, опростоволосившегося не без его участия. Жаль настолько, что он тоже выпустил слезу солидарности.

— Вот что, доктор, — сказал Рыба. — Давайте забудем про этот разговор. Забудем и все.

— Забудем? — Семейный доктор воспрял духом. — И вы никому ничего не скажете?

— Никому.

— Никогда?

— Никогда. Могила.

Безумная надежда мелькнула в глазах Дягилева, а его губы снова потянулись к губам Рыбы-Молота.

— Можно я вас расцелую? В знак признательности... За понимание.

Рыба снова с трудом увернулся от поцелуя и — совершенно непроизвольно — подпрыгнул и ударил доктора коленом в солнечное сплетение. Преданный слуга семьи и Гиппократа согнулся пополам и стал хватать ртом воздух.

— Не доводи до греха, — попросил Рыба и, приложив два пальца ко лбу в качестве прощального жеста (этот, не лишенный лихости жест он видел в каком-то фильме про жестокие нравы на кораблях US Navy), покинул процедурную.

Рыба-Молот решил больше не испытывать судьбу и не приставать ни к кому с проклятым стеклом: ведь совершенно неизвестно, какие еще гнусности могут выползти из обитателей поместья Панибратца. К тому же его ждал исполненный тайны и — возможно — опасностей вечер у мельницы на поле «ни для чего».

Рыба выдвинулся к мельнице чуть позже, чем того требовала Памятка: со всеми гомосексуальными и прочими перипетиями он совершенно забыл о штандарте французского маршала Сен-Сира. И вспомнил в самый последний момент, когда висящий перед глазами пункт с упоминанием о нем вспыхнул тревожным красным цветом, с таким же тревожным красным подчеркиванием каждого слова двумя линиями. Линии озадачили Рыбу, отослав прямиком к школьному курсу *русс.яз.*, где долго и нудно разъяснялось: двумя линиями подчеркивается сказуемое. А подлежащее подчеркивается одной сплошной чертой, а определение — волнистой, а обстоятельство... Каким образом выделяется обстоятельство? И почему в одном несчастном предложении столько сказуемых? Этого не может быть по определению, которое, в свою очередь, подчеркивается волнистой... Уф-ф...

Так, в размышлениях о синтаксисе и пунктуации Рыба добрался до Голубой гостиной, нашел буфет, нашел верхний левый ящик, оказавшийся незапертым в противовес остальным восьми ящикам. С максимумом предосторожностей он изъял штандарт, вернулся с ним на кухню, завернул в него судок и никем не замеченный выскользнул из дома.

Размышления о синтаксисе и пунктуации сменились размышлениями о том, почему же ему никто не встретился? Ведь обычно в доме и шагу ступить невозможно, чтобы не наткнуться на кого-нибудь из обитателей. Занимающихся своими делами или шляющихся без дела, сплетничающих, подслушивающих и подглядывающих. Единственным приемлемым объяснением подобного мора было наличие в телевизионной сетке некоей информационно-художественной бомбы. Но черно-белое время «Семнадцати мгновений весны» прошло, а бело-пушистое время послания Президента Федеральному собранию еще не наступило.

Зато время заката не заставило себя долго ждать.

Рыба, прискакавший на поле «ни для чего» в тот самый момент, когда предпоследний пункт Памятки рас-

338

калился докрасна, а каждое слово в нем оказалось подчеркнутым уже не двумя, а тремя линиями, едва успел поймать тень от мельничного крыла. Она плашмя упала на одинокую сухую лиственницу, стоящую неподалеку. Немного покочевряжившись и посучив мертвыми ветками, лиственница таки растворилась в воздухе, а на ее месте возник слегка подрагивающий силуэт Спасской башни.

Нихерасе! — разинул варежку Рыба-Молот. — *Вот интересно, московские власти в курсе или нет?* Впрочем, Спасская башня радовала повара недолго: ее сменил Биг-Бен, затем настала очередь Тадж-Махала, затем — пирамиды Хеопса, затем — еще одной пирамиды (безымянной ацтекской), затем — покосившейся башни из Пизы, Стоунхенджских столбов, базилики Сакре-Кер и Дворца пионеров у Аничкова моста. После Дворца пионеров в слайд-шоу наступил небольшой перерыв, за время которого Рыба успел высморкаться, сплюнуть, подпустить шептуна и едва не выронить из рук судок с кашей-микс. Перерыв закончился явлением среднестатистической сказочной башни в стиле «неоготика». В отличие от всех предыдущих архитектурных шедевров, башня не дрожала и не выглядела как мираж в пустыне. Из чего Рыба сделал вывод, что это и есть искомое строение.

И смело (как и было предписано в Памятке) направился к ней по невесть откуда взявшейся дороге из желтого кирпича.

На воротах (при ближайшем рассмотрении оказавшихся самой обыкновенной пуленепробиваемой дверью с глазком и со ста степенями защиты) висела скромная табличка:

«ВОСТОЧНЫЙ ПАНИБРАТЕЦ».

Вот она, башня-призрак с подземным ходом, ведущим прямо в Китай!

Теперь Рыбе стали ясны макроэкономические предпочтения всемогущего дракона-олигарха, забившего на
Запад и обратившего свой взор к Востоку. Но на всем
остальном происходящем лежал плотный, как арахисо-
вое масло, слой тумана.

Стукнув в дверь три раза, Рыба старательно сосчитал
до тридцати и снова стукнул. В ту же секунду металли-
ческое бельмо с глазка спало, и из открывшегося отверстия диаметром полтора сантиметра высунулся красный
луч, напоминающий лазерный.

Лазер прошелся по Памятке, уничтожая один пункт
за другим. Напоследок он уничтожил и само стекло,
разлетевшееся в пыль. После того как дело было сделано, луч изогнулся в форме вопросительного знака и завис над головой Рыбы-Молота.

— Повар я, повар, — ткнул себя в грудь Рыба и потряс
кашей-микс, завернутой в штандарт Сен-Сира. — Кушать подано!

Луч покачался еще пару мгновений и юркнул обратно в отверстие. Следом за этим послышался лязг откры-
ваемых замков, и дверь в башню «Восточный Панибратец» распахнулась настежь. За дверью нарисовался
мрачный каменный коридор с коптящими факелами на
стенах. Под ближайшим факелом Рыба разглядел кри-
воватую, нарисованную мелом стрелу и уточняющую
надпись для дебилов:

ИДТИ СЮДА!

Хотя Рыба и не относил себя к дебилам, но совету
«идти сюда!» все же последовал. Аналогичная надпись
вместе со стрелами разной степени кривизны встрети-
лась ему еще раза четыре, после чего он уткнулся в деревянную рассохшуюся дверь на ржавых петлях. Справа от
двери, на влажной, кое-где покрытой мхом и плесенью
стене, все тем же мелом было начертано:

ЭТО ЗДЕСЬ!

— Понял, — сам себе сказал Рыба-Молот и толкнул дверь.

Вопреки его ожиданиям, та не поддалась. И прошло еще некоторое количество времени, прежде чем Рыба сообразил: толкать нужно не от себя, а на себя.

Справившись наконец-то с рассохшимся деревом, он оказался в довольно просторном зале с низким сводчатым потолком. Окон в зале не было, но их с успехом заменяли факелы. В отличие от коридорных, зальные факелы не коптили, а горели ровным и немного зловещим синим огнем, похожим на огонь от газовой конфорки. Рыба тотчас почувствовал настоятельную необходимость сделать огонь поменьше: чтобы, не дай бог, не выкипел суп и не подгорело овощное рагу. Но рычагов влияния на газ так и не нашел — и сосредоточился на изучении помещения.

Прямо посредине зала стоял массивный, грубо сколоченный деревянный стол. Стол был явно обеденным; об этом свидетельствовала одинокая чистая тарелка, столовые приборы и салфетница под бронзу с видом Иерусалима. Точно с такой же салфетницей в качестве приданого явилась в дом Рыбы Рахиль Исааковна. Но Рахиль Исааковна принесла с собой еще и менору[1], а здесь никакой меноры не было.

Рыба, сам того не желая, погрузился в воспоминания о меноре и о том, как Рахиль Исааковна потащила его на праздник Хануки в «Октябрьский», где выступали Розенбаум с Кобзоном и хор Турецкого. А также группа «Воровайки» в качестве специального приглашенного гостя. Было довольно весело, хотя Рыба все время отвлекался на ермолку, которую водрузила на его абсо-

---

[1] Менора — восьмиствольный ритуальный подсвечник.

лютно круглую и абсолютно русскую голову жена. Ермолка то и дело слетала с макушки, а Рыба думал о том, что вот какие все-таки странные люди — евреи! Даже в такой малости, как головной убор, они идут по пути наибольшего сопротивления. Ведь для головы куда удобнее кепка, или шапка-ушанка, или папаха, или буденновка. Или солдатская пилотка, на худой конец. Ан нет — ермолка, и хоть ты тресни!..

Еще более странной, чем евреи, Рыбе показалась тарелка, стоявшая на столе. Уж очень она была большой и напоминала, скорее, блюдо. Причем блюдо, которым пользовалось не одно поколение в семье: с мелкими сколами, щербатыми краями и одной разветвленной, похожей на паутину трещиной. Рыба решил было, что это какая-то невиданная, антикварная вещь, и даже перевернул ее в надежде увидеть иероглифическую метку периода китайской династии Суй (известной широким кругам общественности гораздо меньше, чем династии Мин и Тан). Но никаких следов династии Суй не обнаружилось, зато обнаружился унылый логотип фарфорофаянсового завода г. Конаково, цифра «1980» и пять полустертых олимпийских колец. Рыба в очередной раз решил, что совершенно ничего не понимает в олигархических пристрастиях и, поставив тарелку на место, продолжил изучать зал. Он отметил про себя, что к столу — с разных его концов — приставлены два кресла с высокими спинками и подлокотниками в виде изготовившихся к прыжку львов. Кресла явно нуждались в реставрации, поскольку бархат — и на спинках, и на сиденьях — протерся, залоснился и потерял первоначальный цвет.

Больше из мебели не было ничего.

И на стенах не было ничего. И на полу. Один голый и негостеприимный камень.

Кроме двери, через которую Рыба-Молот проник в зал, существовала еще одна — ведущая в лифт. Самая обычная, какие встречаются в любой панельной девяти- и двенадцатиэтажке. На ней висела табличка с номерами служб, ответственных за эксплуатацию. А ее поверхность украшало некоторое количество стандартных подъездных надписей и пиктограмм. Будь их больше, и столбик непонятных цифр обязательно затерялся бы. А так он читался совершенно отчетливо:

1984
1988
1991
1998
2002
2005

Никакой определенной системы в цифрах (а вернее — датах) не просматривалось. И поначалу, — вспомнив о кольцах на тарелке, — Рыба решил, что речь идет об олимпиадах: следующей после московской лос-анджелесской и так далее. Но 1991-й в олимпийский цикл не вписывался, зато отсылал к августу и смене власти в стране. Дефолтный 1998-й продолжил линию знаменательных событий, а вот на 2002-м и 2005-м линия благополучно обрывалась. Нельзя же назвать судьбоносными для России год знакомства Рыбы-Молота с первой женой Кошкиной. И год знакомства со второй женой Рахилью Исааковной.

Рыба еще успел подумать, что, возможно, это цифры из магического квадрата Альбрехта Дюрера, восстановленного знаменитым уфологом В.Г. Ажажей. А вот про зашифрованную *формулу создания философского камня* подумать уже не успел: в недрах «Восточного Панибратца» что-то ухнуло, крякнуло и загудело.

Это спускался лифт.

Когда дверцы его распахнулись, Рыба увидел всемогущего дракона-олигарха и его жену Марь-Сергевну. Панибратец был в смокинге, а Марь-Сергевна — в длинном вечернем платье цвета давленой вишни и такого же цвета перчатках. И с крошечной сумочкой «D&G» на сгибе правого локтя. Глаза у Марь-Сергевны были завязаны.

Увидев Рыбу с судком, Панибратец подмигнул повару и приложил палец к губам.

— Ну же, дорогой мой! Скоро уже? — капризным голосом произнесла Марь-Сергевна.

— Потерпите, моя дорогая. Еще несколько минут и мы будем на месте.

Сказав это, Панибратец подхватил Марь-Сергевну под руку и стал вместе с ней нарезать круги по залу.

— А что это за место? — спросила жена дракона-олигарха на середине дистанции.

— Москва-Сити, — бросил Панибратец.

— Но ведь она же еще не достроена!

— Вверху не достроена. А внизу, на подземных этажах, давно и успешно функционирует.

— У меня уже глаза болят... И веки режут... И ресницы затекли... А макияж? Что будет с моим макияжем?

— Ничего страшного с ним не случится, поверьте!

— И кто только придумал эти дурацкие повязки?!

— Не я, поверьте! Это условие Клуба Избранных. Первый визит в клуб осуществляется именно так, с завязанными глазами, в сопровождении как минимум одного действительного члена...

— И жене Лужкова завязывали?

— Конечно.

— И Чубайсу?

— Безусловно.

— А кто его сопровождал?

— Кто-кто... Егор Гайдар, кто же еще...

— Выходит, Егор Гайдар главнее, чем Чубайс?

— В определенном смысле — главнее, как более старый член клуба.

— А певица Валерия?

— Певица Валерия тоже через все это прошла и не жаловалась, что у нее ресницы затекли...

— Ой, как интересно! Значит, вы видели Валерию?

— Неоднократно.

— Я ее очень, очень люблю! А как вы думаете, дорогой мой, ее нынешний муж, Пригожин — приличный человек?

Панибратец скривил лицо и поднес два пальца к горлу, всем своим видом показывая, как ему осторбыл весь этот никчемный, псевдосветский разговор.

— Вполне, вполне приличный, моя дорогая!

— А они тоже сегодня будут?

— Кто?

— Валерия с мужем Пригожиным.

— Не исключено.

— И вы меня им представите?

— Думаю, проблем не возникнет...

— А жена Лужкова будет?

— Обещала приехать.

— А кто-нибудь из знаменитых иностранцев? Ну там — сэр Элтон Джон... Или Патрисия Каас?

— Дорогая моя, иностранцы не могут быть членами нашего клуба. Только граждане РФ. Но в своем непосредственном качестве они иногда присутствуют.

— В своем непосредственном качестве?

— Развлекают публику.

— И я всех увижу?

— Всех до единого.

Марь-Сергевна неожиданно остановилась и принялась подпрыгивать на месте и размахивать сумочкой.

— Чудесно! Чудесно!.. А вам должно быть совестно, дорогой мой! Мы вместе так долго, а вы ни разу не выводили меня в свет. Я уже начала думать, что вы меня стыдитесь...

— Теперь пришло время исправить ошибку, — заявил Панибратец и увлек Марь-Сергевну к одному из кресел. Усадив в него жену, он сообщил громовым голосом: — Пришли!

— Пришли? — переспросила Марь-Сергевна.

— Да. Конец пути.

Словосочетание «конец пути» показалось Рыбе-Молоту зловещим и заставило поежиться. Зато Марь-Сергевна никакого подвоха не почувствовала. И снова начала хлопать в ладоши и нетерпеливо подпрыгивать — теперь уже в кресле. И Рыба подумал: чем черт (а уж тем более всемогущий дракон-олигарх) не шутит! Может, они и вправду находятся в подвалах Москва-Сити; и сейчас распахнется единственная дверь, а лифт начнет порционно выплевывать сильных мира сего, о которых упоминала жена Панибратца.

Но за дверью было тихо, а лифт и не собирался работать на спуск.

Панибратец между тем аккуратно снял повязку с глаз Марь-Сергевны и отступил на два шага от кресла. Прозревшая Марь-Сергевна потерла пальцами глаза и закрутила головой в разные стороны. Спустя несколько секунд выражение радостного ожидания на ее лице сменилось недоумением, а затем и растерянностью.

— Это и есть клуб? — разочарованно протянула она.

— Да, — коротко ответил Панибратец. — Одна из его гостиных.

— Ужасное место. Подземелье какое-то. И сыро. И мебель дрянная. Никогда не поверю, что здесь бывают жена Лужкова и певица Валерия!

— Да и плевать, что не поверите.

Последняя реплика мужа произвела на Марь-Сергевну угнетающее впечатление. Она сморщила лицо, собираясь заплакать, и тут увидела Рыбу-Молота, тактично подпиравшего стену и прижимавшего к груди судок с кашей-микс.

— Что за хреновина! — воскликнула Марь-Сергевна, сразу передумав плакать. — Это же наш повар! Ты что здесь делаешь? Он что здесь делает?!

Панибратец, по каким-то своим олигархическим соображениям, проигнорировал вопрос. Рыба тоже проигнорировал вопрос — просто потому, что сказать ему было особенно нечего. Он (так же, как и несчастная Марь-Сергевна) не въезжал в происходящее.

— И он является членом клуба? — выдвинула свою версию Марь-Сергевна.

— Старейшим и самым главным, — осклабился Панибратец. — Без него то, что вскорости случится, никогда бы не произошло.

Подобная характеристика чрезвычайно польстила Рыбе-Молоту. Он сразу же почувствовал себя героем того самого сложнопостановочного голливудского блокбастера, где повествуется о простых и честных людях, которые спасают мир. От дьявольских козней преисподней, падения астероидов, нашествия недружелюбных инопланетян, стремящихся поработить человечество; от черных дыр, сгенерированных недавно и с помпой запущенным швейцарским коллайдером; от насекомых-мутантов, взбесившейся техники, взбесившихся ученых-одиночек. Вот где работенка, достойная А.Е. Бархатова, на первый взгляд, скромного повара, а на второй — Супермена, Спайдермена, Человека-Молнии и Капитана Сорвиголова! Моментально уверовав в свою суперменскую сущность, Рыба стал ждать, что рубаха и штаны, в которые он был одет, треснут и разойдутся по швам. И их сменит красно-синее трико с большой буквой «S» на груди. Причем буква «S» расшита бисером, а само трико произведено не на подметной фабрике в Китае, а в золотошвейных мастерских Сергиева Посада, где шьют парадные облачения для высших иерархов церкви.

Но рубаха со штанами и не думали трещать по швам, а буква «S» все не появлялась и не появлялась. Тогда Рыба несколько поумерил аппетиты, решив что быть просто старейшим и самым главным членом Клуба Избранных тоже очень почетно. Необходимо только обсудить с хозяином вопрос взносов и членского билета. Дает ли этот билет право на бесплатный проезд в общественном транспорте? Наверняка!.. Еще можно выторговать себе бесплатные поездки по ЖД (два раза в год) и бесплатную автобусную экскурсию по городам Золотого кольца. А еще... Еще можно попросить приглашение на один из венских балов. Шансы встретить там ИзящнуюПтицу чрезвычайно велики. И он предстанет перед ИзящнойПтицей не дауном и не бедным родственником, а старейшим и самым главным членом Клуба Избранных, куда входят жена Лужкова, Гайдар с Чубайсом, певица Валерия с мужем Пригожиным и множество других достойных людей, вплоть до Администрации Президента. А может, и самого... Тсс... Самого През...

— Мне здесь не нравится, — вторгся в мечты Рыбы-Молота голос Марь-Сергевны. — И где обещанные гости?

— Их не будет, — неожиданно заявил Панибратец.

— Как не будет? А что будет?

— Ужин.

— Романтический? При свечах? — Марь-Сергевна не теряла надежды, что все еще может быть красиво, дорого и богато.

— Ну, романтическим, пожалуй, его не назовешь...

— Здесь почему-то только один столовый прибор. — Жена дракона-олигарха, сосредоточившись на изучении поверхности стола, пропустила последнее замечание Панибратца мимо ушей.

— А больше и не нужно, дорогая моя.

— То есть как это — не нужно?

— А так. Ужинать буду я.

— А я?

— А вы украсите стол в качестве блюда. Главного и единственного.

Марь-Сергевна глупо хихикнула:

— Это шутка, мой дорогой?

— Нет, дорогая моя. Я не шучу.

Всемогущий дракон-олигарх и вправду не шутил. Рыба-Молот понял это намного раньше Марь-Сергевны и совершенно не знал, что ему предпринять. Согласно собственному моральному кодексу, пункт первый которого гласил: «Женщин, детей и стариков нельзя обижать», а пункт девятый: «Увидел сволочь — разберись, не сходя с места», Рыбе следовало немедленно вступиться за недоделанную принцессу Марь-Сергевну и победить дракона в честной борьбе. Рыба прикинул даже, что судок, завернутый в штандарт маршала Сен-Сира, сойдет за пращу, — если его хорошенько раскрутить и метнуть в голову Панибратца. Но здравый смысл тут же подсказал Рыбе: цели импровизированная праща не достигнет. И потом — Панибратец никакая не сволочь, а самый настоящий благодетель, хоть и олигарх. А Марь-Сергевна, хоть и женщина, но редкостная сука. И не сам ли Рыба вместе с другими обитателями поместья желал ей скорой и мучительной кончины?

Сам. Желал.

Следовательно, пункт первый и пункт девятый не канают, — разве что огрызок последнего, насчет «не сходя с места». Его-то и можно принять как руководство к действию. Что Рыба, в конечном счете, и сделал, застыв у стены неподвижной фигурой из детской игры «Море волнуется раз, море волнуется два, море волнуется три! Морская фигура замри!»

— Вы все-таки большой шутник. — Марь-Сергевна по-прежнему энергично отторгала от себя печальную действительность. — Это вы для меня такое испытание диковинное придумали, да? А в чем его суть?

— Испытанием это, положим, будет для меня, — заявил Панибратец. — Вернее, для моего желудка. Еще неизвестно, как вы переваритесь.

— Это уже не смешно, дорогой мой.

— Согласен. Мне и самому это не очень нравится... Но что поделаешь, жрать-то хочется. Хоть и раз в несколько лет, а что-то надо в топку закинуть.

— Закиньте его! — Марь-Сергевна ткнула пальцем в морскую фигуру «Рыба-Молот».

— Не получится. Он мужчина. А мне нужна особа женского пола.

— Ну, знаете ли! Если уж на то пошло — в доме полно женщин. Выбирайте любую! Варвару, к примеру, она помоложе. И наверняка вкуснее...

— Не получится. Мне предписано есть только своих жен.

— Кем предписано?

— Семейным преданием. Мой отец, секретарь Тульского обкома, это делал. И мой дед, парторг судостроительного завода имени Хосе Марти, ныне Черноморский судостроительный завод. И мой прадед, замнаркома здравоохранения Туркестана. И все остальные...

— Да что вы! Как интересно! А почему вы никогда об этом не рассказывали, дорогой мой?

— Потому что это великая, не поддающаяся разглашению тайна. Умрет она вместе со мной. А в вашем случае — вместе с вами, соответственно.

— Выходит, вы каннибал?

— Нет, моя дорогая. Я — дракон. И отец мой был драконом, и дед, и прадед. И все остальные...

На веснушчатом простецком лице Марь-Сергевны появилась легкая рассеянная улыбка, какая бывает у психиатров, в очередной раз диагностирующих делирий у своих пациентов.

— Значит, это семейное предание передается по наследству?

— Именно так. Предание и инструментарий ему сопутствующий.

— А ваш сын Володенька — он тоже будет есть своих жен?

— Увы. Володенька — не дракон. Но он и не единственный мой сын, как вы знаете. Придет время и какой-то другой, не он...

Марь-Сергевну, похоже, нисколько не волновали какие-то другие кандидаты на драконий трон.

— Значит, Варваре ничего не грозит? — прошипела она.

— В контексте семейного предания — ничего.

— Нет, ну мыслимое ли дело?! Я, можно сказать, в глубоком анусе, а Варька и здесь вылезает сухой из воды! И вообще — о таких вещах предупреждать надо еще до свадьбы. Прописывать аршинными буквами в брачном контракте! А то что получается? Заманили девушку, пообещали золотые горы, а сами ни разу в свет не вывезли! Даже в казино не была, не говоря уже Куршавеле!.. Раз уж пошла такая пьянка, дорогой мой, то я с вами развожусь!

— Не получится, моя дорогая, — твердо сказал Панибратец и раскрыл драконьи брови наподобие вееров. — Поздно. Механизм запущен и остановить его не в силах никто.

— Ничего, прокуратура остановит, — пригрозила мужу Марь-Сергевна. — Вот прям сегодня заявление и накатаю! И это еще не все, дорогой мой! Я адвоката Дубровинского найму, слыхали про такого?! Он еще в телевизоре с бабочкой сидит и в подтяжках! Лучший специалист по бракоразводным процессам, ни одного не проиграл. Он вас, дорогой мой, голым в Африку пустит за ваши фокусы!

Послышался легкий шорох: это заколыхались веера олигархических бровей.

— Вот только не надо меня бровями пугать, пуганая уже! — Марь-Сергевна закусила удила. — И предупреждаю: если хотя бы один волос упадет с моей головы...

В то же мгновение ст ее головы отделился самый длинный и самый тонкий волос, больше напоминающий рыболовную леску. Влекомый таинственными воздушными потоками, волос подлетел к Панибратцу и остановился на уровне его подбородка. Дракон-олигарх даже не стал тратить горючее для испепеления — он просто дунул на волос, и тот вспыхнул. И исчез за считанные секунды, оставив после себя неприятный запах сгоревших лавсановых колготок.

— Вот видите — упал, — нараспев произнес Панибратец. — И ничего не случилось.

Марь-Сергевна — наконец-то! — поняла, что дракон-олигарх не шутит, и сейчас произойдет страшное и непоправимое. И затряслась вместе с креслом. А потом попыталась встать с него, но Панибратец (одной силой взгляда) пригвоздил ее к спинке.

— Как вы мне надоели, жлобские рожи! — с тоской произнес он. — Будь моя воля — женился бы на приличной женщине. На красавице. На умнице. На лапушке. Которую не стыдно друзьям показать. А ведь был... был влюблен в актрису Ирину Розанову... И она мне знаки внимания оказывала... Святая женщина. Э-эх...

— Вот и забирайте свою святую! — проблеяла Марь-Сергевна. — А я уж как-нибудь... И даже в Генпрокуратуру не пойду...

— Нет уж! Буду вас жрать. Стерв конченых. А умницы и лапушки пусть живут счастливо.

Сказал это уже не Панибратец-человек, а Панибратец-дракон. Не так давно, первый раз сидя в машине хозяина, Рыба-Молот имел несчастье видеть метаморфозы, с ним происходящие. Но те, мерседесовские метаморфозы, не шли ни в какое сравнение с этими, предшествующими ужину. Теперь перед застывшим Рыбой и окаменевшей Марь-Сергевной предстал самый настоящий дракон, каким его изображали в средневековых бестиариях. Смокинг, в который был облачен Панибратец, растворился в чешуйчатых складках кожи — толстой, как кожа слона. Пасть Панибратца теперь украшали длинные, кинжальной остроты зубы, язык раздвоился, а с верхних клыков капала слюна.

Дракон бросил взгляд в сторону Рыбы-Молота, — и штандарт французского маршала Сен-Сира отделился от каши-микс. И скатертью лег на стол. Рыба тут же отметил про себя, что выглядит скатерть довольно привлекательно: кремовый фон и геральдический знак посередине — четыре скрещенные мортиры и стилизованная шапочка с пятью перьями. Такую скатерть не стыдно постелить и в ресторане пятизвездочного отеля — при условии, что все остальное тоже будет соответствовать: от столовых приборов времен Людовика Пятнадцатого до колец для салфеток времен Наполеона Третьего.

Второй драконий взгляд предназначался Марь-Сергевне, и та под его воздействием вылетела из кресла, взмыла вверх и на несколько секунд зависла под низким сводчатым потолком. А потом вернулась обратно — но уже не в кресло. Теперь она располагалась в горизонтали, строго параллельно плоскости стола. Даже ее сумочка, презрев все законы всемирного тяготения, вытянулась и замерла.

Не дай бог заставит готовить и эту сучку-хозяюшку, — подумал Рыба, *— а как ее готовить, скажите на милость? Как заливное? Как поросенка с гречневой кашей? Как осетра? Как рыбу-фиш? Как утку с яблоками? А если прикажет на фарш смолоть? Вот, блин, попадос!..*

— Я, конечно, глубоко извиняюсь, хозяин... Но прикладывать свои руки к этой панихиде не буду... Что хотите со мной делайте, а с человечиной я никогда не работал. И не собираюсь. Такие у меня моральные принципы...

Судя по всему, моральные принципы Рыбы-Молота были Панибратцу по барабану. Он и внимания не обратил — кто это там развыступался возле стены, полностью сосредоточившись на Марь-Сергевне. Которая поступательно, без всякого мотора, парусов и весел, а исключительно на внутренней тяге, двигалась к пасти головой вперед. Не прошло и трех минут, как Марь-Сергевна полностью скрылась в Панибратце — вместе с вечерним платьем, перчатками, туфлями на шпильке и сумочкой «D&G». Феерическое действо по пожиранию стервы живо напомнило Рыбе-Молоту фильм «Анаконда», который они с Рахилью Исааковной смотрели не менее трех раз. И еще одну передачу, которую Рыба смотрел уже без Рахили Исааковны по каналу «Animal Planet»: в ней повествовалось о пищеварительном процессе у пресмыкающихся, и в частности змей.

Заглотнув жену, Панибратец захлопнул пасть, прикрыл глаза и застыл в неподвижности. Неподвижность длилась около часа, и за это время съеденная драконом Марь-Сергевна успела передать на волю несколько приветов: сначала сквозь толстую кожу драконьего горла проступили шпильки. Затем, сквозь толстую кожу драконьей грудной клетки, проступил оттиск физиономии. И наконец, сквозь толстую кожу драконьего брюха, проступил логотип «D&G».

Рыба, пребывавший в легкой прострации от всего увиденного, чего только не передумал: например, что у него никогда не было вещей от «D&G». Был, правда, ремень из якобы натуральной крокодиловой кожи, впоследствии проявившей себя как банальный кожзам. А «Дольче и Габбана» на поверку оказались малоизвестной китайской фирмой «Кольче и Жаббана», а Рыба-Молот этого не просек, купившись на дешевизну. Послав запоздалые проклятья «Кольче и Жаббане», Рыба переключился на мысли о несбалансированности Панибратцева питания. Мало того что хозяин принимает пищу совершенно нерегулярно и с большими временными промежутками (что само по себе ведет ко всяким неприятностям типа язвы и гастрита), так он еще и совершенно не заботится об эстетической и медицинской стороне дела. Жрать кого бы то ни было вот так — с одеждой и туфлями — не есть хорошо. Это сродни тому, как жрать немытые овощи и фрукты, рискуя подцепить дизентерию или, того хуже, — холеру и сальмонеллез. Надо бы провести с Панибратцем разъяснительную работу и мягко попенять ему на легкомысленное отношение к собственному здоровью и жизни. Заложив закладку на странице, посвященной профилактике инфекционных заболеваний, Рыба переместился на другую страницу — с сообщениями от сети PGN. Сеть все знала заранее, иначе бы не прислала эсэмэс о том, что *кое-кому пора подкрепиться*. Хорошо бы и сейчас получить от нее весточку с расписанием дальнейших событий. Хорошо бы... Да-а...

По прошествии часа Панибратец открыл оба глаза и бросил на Рыбу-Молота третий по счету взгляд. Под воздействием этого взгляда судок с кашей-микс вырвался из рук Рыбы и полетел в сторону драконьей пасти со скоростью гораздо большей, чем летела Марь-Сергевна. Рыба даже не успел прикинуть, сожрет ли Панибратец сам судок или ограничится только его содержимым, как и он, со свистом втянувшись, безвозвратно исчез в пасти.

А желудок-то луженый! — невольно восхитился Рыба. — *Вот интересно, он все может хавать или чего-то все-таки не может? Ядерную боеголовку смолотил бы? А урановые стержни? А установку «Град»?..*

Зачем после приема внутрь довольно упитанной Марь-Сергевны Панибратцу понадобилась еще и каша, так и осталось невыясненным. Рыба предположил, что каша является важным составляющим в процессе обратной метаморфозы — из абсолютного дракона в дракона-олигарха. Возможно, он был прав, так как Панибратец, спустя незначительное время, снова предстал в привычном виде моложавого и довольно привлекательного мужчины сорока пяти — сорока восьми лет. С обветренным лицом, выдающим яхтсмена, пилота легкомоторного самолета, альпиниста, археолога, и вообще — вечного искателя копей царя Соломона. Благородной седины в волосах Панибратца поубавилось — так же, как и морщин. А свежести и блеска в глазах, наоборот, поприбавилось. Даже смокинг оказался в порядке — не морщил и сидел как влитой

Дракон-олигарх откинулся на спинку стула, достал из кармана зубочистку и принялся ковырять ею в зубах.

— Лихо у вас все получилось, — попытался завязать разговор Рыба. — Я заценил. А урановые стержни смогли бы съесть? А установку «Град»?

— Как есть идиот, — лениво процедил Панибратец.

— Пепелить будете? Как нежелательного свидетеля?

— Не мешало бы. Ты ведь язык за зубами не удержишь. По всему нашему гадюшнику разнесешь...

— Все может быть. — Честность Рыбы бежала впереди паровоза без всякой надежды соскочить с рельсов. — Как говорится, что знают двое — то знает свинья. Полностью поручиться за себя не могу. Вдруг во сне проговорюсь? Или по пьяни.

— Злоупотребляешь?

— Нет. Как говорится, от тюрьмы и от сумы не зарекайся. А в моем случае еще и от языка, что как ботало болтается...

— А другие на колени падали. Божились, что никогда и никому не расскажут. Матерями клялись, детьми...

— И помогало?

— Нет.

— Пепелили?

— Как два пальца об асфальт. Значит, падать на колени и божиться не собираешься?

— А толку-то? Вы же сами сказали, что на вас это не действует.

— Вижу, ты бесстрашный человек, хоть и идиот.

— Этот текст уже произносился, — напомнил Панибратцу Рыба. — Только в тот раз вместо «бесстрашного» был «честный».

— М-да... И повар ты хороший...

— И в интригах не участвую. Об этом вы тоже упоминали.

— И что прикажешь с тобой делать?

— Не знаю. Как говорится — ХэЗэ. А вообще я другое хотел сказать... Про актрису Ирину Розанову...

— А что — про Ирину Розанову? — сразу насторожился дракон-олигарх. — Ты ее знаешь?

— Ну... Нельзя сказать, что вот прямо знаю... Видел несколько раз в кино. Красивая, нежная... И такая... м-м... положительная. Сразу понятно: подлости не совершит, предательства не допустит, за сирых и убогих заступится и перед сильными шапку ломать не будет. Любовь такой женщины ни за какие деньги не купишь...

— Как ты прав, идиот, как ты прав...

— Но дело не в этом. Раз уж у нас откровенный разговор завязался... Позволю себе заметить: чем жениться на стервах и потом незнамо сколько с ними мучиться, прежде чем... э-э... скушать, — не проще ли любовницу завести? Ту же Ирину Розанову... Жена — для пополнения рациона, а любовница — для души и тела...

— Не сметь! — заорал Панибратец и так долбанул кулаком по столу, что стены зала затряслись, а Рыба вознесся к потолку, больно стукнувшись теменем о камень. — Не сметь упоминать ее имя всуе! Испепелю!!!

— Вы не поняли, хозяин, — зачастил Рыба, рухнув вниз и больно ударившись пятками об пол. — Любовница — в хорошем смысле этого слова. Любимая то есть. Не хотите Ирину Розанову — возьмите Ирину Купченко, моя протеже. Певицу Земфиру опять же! Певицу Кайли Миноуг...

— Да не могу я иметь любовниц! — Зубы Панибратца скрипнули и вдрызг размолотили зубочистку. — Семейное предание, оно же — проклятие, не позволяет.

— А игнорировать его пробовали?

— Один раз рискнул. Сам чуть не помер и триста тринадцать человек на тот свет отправил. Их потом выдали за жертвы оползня. Так что лучше уж малой кровью. Раз в несколько лет по стерве, ну и с десяток прохиндеев для острастки. Иногда, правда, в клинч впадаю на пустом месте — и более-менее приличным людям достается. Гневлив больно, но тут уж ничего не поделаешь. Стихия. Слепой рок.

— Инжир надо есть, — посоветовал хозяину Рыба. — Причем молотый. Пополам с жареным миндалем. Подавляет чувство гнева и успокаивает нервы.

— А мне говорили: вроде как апельсины для этого больше подходят.

— Апельсины — в пропасть! Инжир, и только он!

— Инжир, апельсины — какая разница? Я все равно ничем, кроме стерв не питаюсь, — вздохнул дракон-олигарх.

— А хватает стерв-то?

— Насчет этого не беспокойся. Стерв в мире полно.

— Да я не про количество! Хватает одной стервы на столько-то лет? Или, может, как-нибудь меню разнообразить? Увеличить рацион? Все-таки работа у вас ответственная. Столько вещей приходится в голове держать, за стольких людей отвечать, столько проблем разруливать...

— А я их долго перевариваю. Особенности пищеварения и строения желудочного тракта, обусловленные семейным преданием, оно же — проклятье. Против генетики не попрешь, так-то. Ладно. Попробуем обойтись без крайностей. Подойди-ка ко мне.

Рыба повиновался и приблизился к хозяину на расстояние вытянутой руки. Панибратец снова прикрыл глаза (на этот раз — совсем ненадолго). А когда открыл их и немигающим взглядом уставился на Рыбу, тот почувствовал странный холод в середине головы — там, где до сегодняшнего вечера находилась будка синхронистов.

— Беспредел, нах! — как сквозь толщу воды услышал Рыба голос Гоблина. — Вообще ох...ели, пидермоты! Заморозить, нах, решили...

Перед глазами Рыбы поплыли радужные круги, конусы и параллелограммы; в ритме аргентинского танго продефилировали парочка артишоков, один салатный перец, один переспелый манго и пучок петрушки, в глубине которого прятался светлый образ карусельной лошади из квартиры Пупу. Лошадь заржала, высунула из петрушечных зарослей копыто и со всей дури ударила Рыбу по лобной кости. После такого удара Рыбе оставалось только потерять сознание, что он незамедлительно и сделал.

* * *

ГЛАВА ТРЕТЬЯ — *в которой Рыба-Молот влезает в шкуру тибетского яка, прощально машет крылом Вере Рашидовне, отправляется в Юго-Восточную Азию на частном самолете, видит сны о Пятой республике, вступает в переговоры с древесными лягушками и едва не сгорает в доменной печи дружеского поцелуя*

...Рыба проснулся с жуткой головной болью и ломотой во всем теле.

Пил я вчера, что ли? — подумал он. — А если пил — то с кем? Хорошо бы — с Михеем. А если, не дай бог, с семейным доктором Дягилевым? Доктор стопудово стал ко мне приставать, я, естественно, смазал ему по морде, но этим не ограничился, а еще пару раз засандалил в солнечное сплетение — как уже было. Но и это, вполне возможно, мне показалось недостаточным. И тогда я мог взять нож (с меня станется) и ткнул доктору в селезенку... Вот ужас-то!

Вытянувшись на кровати, Рыба поочередно поднял обе ноги (ноги не тряслись и следов гематом на них не было), затем перешел к осмотру рук (кровь на руках отсутствовала) и, наконец, подвигал челюстью. Челюсть находилась в относительном порядке, и он немного успокоился. И вроде бы вспомнил, что часть вечера и ночь убил на чтение книги Марселя Пруста «Обретенное время».

«Время» нашлось незамедлительно: оно лежало на прикроватной тумбочке, с закладкой на странице № 431.

От удивления у Рыбы отвисла нижняя губа: неужели он собственноручно и собственноглазно осилил это херово количество плотного, без всяких зазоров, без всяких картинок текста? Он, который не до конца справился даже с таким малостраничным худышкой, как «Чайка Джонатан Ливингстон»?

Быть того не может!

Осторожно, стараясь не потревожить закладку, Рыба скользнул взглядом по предшествующей странице № 430. Затем переместился в начало и пролистал еще несколько страниц. Подлючие, приваренные друг к другу не иначе как автогеном слова тут же впились ему в лицо мелкими иголками. А некоторые, особенно гнусные («германофильство», «дрейфусары» и «неузнаваемый Д'Аржанкур») постарались повредить хрусталик и наехать на сетчатку с целью ее полного уничтожения.

Рыба отпрянул от книги, как от больного проказой; при этом голова у него заболела с новой силой, поясницу прострелило и обе ноги (вот новость, так новость!) свело судорогой.

Точно читал! — утвердился он в самых худших своих опасениях. — *И чего это на меня нашло? А не читал бы — так и чувствовал себя огурцом.*

Дождавшись, пока судорога отпустит ноги, Рыба побрел в ванную и с некоторой опаской взглянул на себя в зеркало. Его встретила помятая до последней возможности физиономия, всклокоченные волосы и синяк на лбу, в очертаниях которого явно просматривалось конское копыто.

Нихерасе! — озадачился Рыба. — *Кто это меня так? Господин неузнаваемый Д'Аржанкур, что ли? Или госпожа Вердюрен? Или Альбертина?*[1] *Теперь-то и концов не найдешь! А еще говорят, что французы — культурная нация... Вот ведь гады!..*

Кое-как задрапировав поврежденный лоб волосами, Рыба оделся и вышел в коридор.

И сразу почуял неладное.

Воздух в доме был наэлектризован до крайности. То здесь, то там мелькали электрические разряды, скользили линейные и шаровые молнии, вспыхивали огни святого Эльма. Стараясь не сталкиваться с грозными атмосферными явлениями, наводнившими дом, Рыба быстренько и очень удачно заземлился при помощи оставленной кем-то швабры. И мелкими перебежками двинулся к кухне.

На полпути он столкнулся со старшей горничной Анастасией. Очевидно, Анастасия начала бороться с молниями еще раньше, чем Рыба-Молот, получивший необходимые навыки на метеостанции Ую: на голове ее красовался пробковый шлем, а ноги были обуты в резиновые сапоги.

— Привет, рыбонька, — просюсюкала Анастасия.

— Привет, дорогусечка, — в том же ключе ответил Рыба.

— А что это ты такой грустный?

— Книжку печальную всю ночь читал — вот и взгрустнулось.

---

[1] Персонажи романа «Обретенное время».

— А ты печальные не читай — ты читай веселые. Иронические детективы, вот! И грусть как рукой снимет. А синяк на лбу почему?

— Опять же — из-за книги. Она не только печальная, но и толстенная. Заснул, а она, зараза, из рук вывалилась — и хрясь по лбу! Хожу теперь с отметиной...

— В очередной раз рекомендую тебе иронические детективы. Объем совсем небольшой, можно сказать — крохотуля. Так что, даже если он упадет тебе на лицо — никаких последствий не будет. Проверено опытным путем.

Еще при первом упоминании об ироническом детективе над головой старшей горничной зависли сразу две молнии — линейная и шаровая. Теперь, выждав небольшое количество времени, обе молнии бросились в атаку.

— Осторожно! —

успел крикнуть Рыба-Молот, но было поздно. Шаровая молния влетела Анастасии в рот, а линейная ударила в самый центр пробкового шлема. Удар в шлем обошелся без криминала, зато шаровая молния, внедрившись в организм старшей горничной, осветила все самые темные его закоулки. Видок у организма был тот еще — примерно, как у чемодана, который просвечивают в аэропорту. В чемодане моментально обнаружилась контрабанда:

• колье Марии-Антуанетты, по слухам, упавшее в канализацию три года назад;

• серьги Екатерины Второй, по слухам, унесенные сорокой два с половиной года назад;

• табакерка императора Наполеона, по слухам, принятая за старую солонку и выброшенная нерадивой уборщицей год назад;

• две бутылки коллекционной «Вдовы Клико» 1864 года разлива, по слухам, разбившиеся при транспортировке семь месяцев назад.

Из не слишком значимых, но приятных мелочей Рыба-Молот отметил комплект десертных ложек, старый полковой горн, наперсток с золотым напылением, серебряный оклад от иконы, две броши и браслет в виде самки ягуара. Там было и еще что-то, но что именно — Рыба не разглядел: Анастасия, собравшись с силами и наскоро сделав пару вдохов и выдохов по гимнастике цзяньфэй, выплюнула непрошенную гостью и вытерла рот двумя пальцами. А потом сняла шлем и легонько постучала по нему.

— Пробка, — заявила она. — Отличный изолятор.

— Учту на будущее.

— А как тебе новость про эту сучку Марь-Сергевну?

— Про Марь-Сергевну? — удивился Рыба. — А что случилось с Марь-Сергевной?

— А ты не знаешь?

— Нет.

— Правда, что ли?! Все уже всё знают, а ты не в курсе?

— Да что произошло-то?

Старшая горничная в предвкушении того, что станет первой, сообщившей повару о некоем происшествии с Марь-Сергевной на правах эксклюзива, раздула щеки и округлила глаза. И выпалила:

— Она сбежала!

— Как это «сбежала»?

— А как сбегают? Под покровом ночи, естественно. С вечера еще была, а утром кинулись — и нет ее!

— Так, может, она в Москву поехала? — высказал предположение Рыба-Молот. — Или снова неудачно телепортировалась...

— В том-то и фишка, что не поехала и не телепортировалась! А отчалила самым натуральным образом. Причем не одна...

— А с кем?

— А вот отгадай с трех раз!

— И пытаться не буду. Ну, с кем?

— С роботом-самураем. С Имамурой, вот с кем! Оказывается она, сучка эдакая, уже давно с ним шашни водила за спиной хозяина. То-сё, мусё, икебана там всякая, записончики в стихах, клятвы верности — тьфу, мерзость!..

— Да быть того не может!

— Как же не может, когда так оно и есть! Я тебе больше скажу: они с Имамурой кровью обменялись в знак вечной любви. Этот самурайский полудурок себе мечом живот разрезал, а сучка булавкой сиську проколола. А потому приставили места пореза и прокола друг к другу — и готово!

— Какая же кровь у робота? В роботах кровь не течет.

— Ну, не знаю. За что купила, за то и продаю... Нет, но какова гадина! Бедный хозяин... Так ему в душу насрать! Приволок эту дрянь с помойки ступинской, отмыл, одел, как кукленка, научил, как вилку с ножом в руках держать. А она такой фортель выкинула. Гиена!!!

— Так значит именно поэтому в доме нестабильность?

— А ты думал — почему? Конечно, поэтому.

— И что теперь будет?

— Кто ж его знает... Хозяин наверняка новую найдет, когда оклемается. Свято место пусто не бывает. А нам только надеяться остается, что новая супруга будет лучше старой.

— Может, коллективные моления устроить по этому поводу?

Спонтанная идея Рыбы-Молота чрезвычайно понравилась Анастасии:

— Мысль хорошая, рыбонька. Причем привлечь надо бы не только православных. Пусть все молятся, и мусульмане, и буддисты, и адвентисты Седьмого Дня. У нас здесь всякой твари по паре, так что проблем не возникнет...

Ажитация по поводу вероломного побега Марь-Сергевны с Имамурой продолжалась весь день. А сам побег оброс невероятными подробностями. Две младшие горничные якобы видели воздушный шар с иероглифами, на котором улетели преступные любовники. Горе-химичка Марго утверждала, что они улетели не на воздушном шаре, а на самолете-невидимке «Стеллс», и что Имамура — никакой не робот, а агент ЦРУ, работавший под прикрытием. Воспитательница младших детей Нинель Константиновна потрясла всех откровением, что роботом на самом деле является Марь-Сергевна. Это-де последняя разработка отечественного ВПК, которая ест, пьет, скандалит, ходит в туалет и — самое главное — исправно выполняет супружеские обязанности. Но в последнее время стали происходить небольшие сбои в работе системы, и Марь-Сергевну изъяли для устранения неисправностей. Со временем такие высококлассные роботы и почти что люди смогут заменить первые лица государства, а также депутатский корпус и Совет Федераций в полном составе. А в перспективе — мэров, губернаторов, чиновников и работников всех и всяческих министерств и ведомств. Подобную замену можно считать абсолютным благом для многострадальной Родины: ведь роботам не требуется зарплата, откаты, взятки, особняки на Рублевке, замки в Моравии, виллы на Французской ривьере, телохранители, самолеты, яхты и автомобили представительского класса. А высвободившиеся за счет роботов колоссальные средства пойдут на решение социальных и демографических проблем, и в стране наступит коммунизм по типу шведского.

Рыбе-Молоту, вовремя вспомнившему о роботах-исполнителях и роботах-вершителях из фильма «Отроки во Вселенной», тоже удалось внести свою лепту в развитие животрепещущей темы.

Лишь к вечеру напряжение несколько угасло, а вместе с ним стали сходить на нет грозные атмосферные явления, сотрясавшие дом. Без жертв, правда, не обошлось: ответственного за пожарную безопасность поместья татарина Ильяску долбануло огнем Святого Эльма и его увезли на «скорой».

На следующий день, из лагеря младших горничных, пришли сообщения о том, что робот-самурай Имамура и Марь-Сергевна засветились на канале «Евроньюс»: они сидели в ложе прессы на очередном заседании ПАСЕ. Эти сообщения вступили в противоречие с другими сообщениями, пришедшими с канала ТНТ и распространенными садовником-айзерпупом Эльчином, заменившем семейство молдаван. В программе «Невероятно, но факт» Марь-Сергевна с Имамурой выступили в неожиданной ипостаси инопланетян-гуманоидов, прилетевших на Землю с миссией доброй воли. Версия Эльчина вступила в некоторое противоречие с версиями младших горничных и Нинели Константиновны, но и она имела право на существование.

Неизвестно, сколько бы еще перетиралась тема любовников-беглецов, если бы на смену ей не пришла новая: массовый выезд панибратцевских детей на курорт.

Выбор курорта показался Рыбе-Молоту неожиданным: египтам, турциям и прочим местам массового скопления среднестатистических россиян Панибратец предпочел довольно экзотический и совершенно неокученный Вьетнам.

Помимо девяти детей, под вьетнамские знамена были рекрутированы:

— Рыба-Молот, семейный повар, призванный готовить еду;

— господин Дягилев, семейный доктор, призванный следить за здоровьем отпрысков Панибратца;

— отец Пафнутий, семейный священник, призванный молиться за всех отдыхающих в басурманской стране;

— егерь Михей, на все руки от скуки, призванный охранять и защищать;

— Нинель Константиновна, воспитательница младших детей, призванная (как ей и положено) воспитывать.

Кроме того, во Вьетнам выезжали: две горничных, три няньки, два телохранителя, один кинолог, приставленный к трем бультерьерам и одному ротвейлеру (также взятых для охраны). А непосредственно во Вьетнаме к и без того внушительной делегации должна была присоединиться лондонская супер-пупер-мега-квадро-квази-нано-техно-порно-десять-в-двадцать-четвертой-степени няня. Что несколько испортило настроение Нинели Константиновне.

Отлет был назначен на ближайшее по времени воскресенье, в связи с чем все заинтересованные лица в пожарном порядке получали загранпаспорта (у кого их не было), делали прививки (у кого их не было) и паковали чемоданы. Рыбе, пришедшему в дом Панибратца практически в рубище, паковать было особенно нечего. Но и он, поддавшись общему психозу, выцыганил у старшей горничной Анастасии огромную сумку на колесах.

— Значит уезжаешь, рыбонька? — скорбно выгнув губы подковой, спросила Анастасия.

— Уезжаю, дорогусечка.

— А я вот остаюсь... Каких-то прошмандовок, что без году неделя в доме, взяли. А меня не взяли... Справедливо это, я тебя спрашиваю?

— Может, к хозяину пойти имеет смысл? Надавить ему на гланды...

— Нет уж! Анастасия Миллер никогда никому в ноги не кланялась. И теперь не будет!

Памятуя о том, что старшая горничная пожертвовала ему сумку, Рыба-Молот попытался подсластить горькую пилюлю несправедливости:

— Я полагаю, хозяин решил: поместье без тебя развалится. Надо же кому-то здесь за порядком следить и людей строить. А ты у нас самая главная, тебе и отвечать за все.

— Думаешь?

— По другому и быть не может, не сомневайся.

— Ладно... Переживу. Одна радость, что и эту кобылу Маргошку завернули. Вьетнам ее медным тазом накрылся, а она уже и купальник себе прикупила, идиотка! Видел бы ты этот купальник! Мне младшие горничные про него рассказали — убожество сплошное. А она еще раздельный взяла — это при ее-то фигуре недоделанной! Не бедра, а спасательный круг! И жиры с боков свисают! Вот скажи, рыбонька, у кого фигура лучше — у меня или у Маргошки?

Фигуры обеих горничных находились на одной и той же ступени развития: от условной стройности к безусловной грузности. Они с головой выдавали примитивный колхозный вкус егеря Михея, которому требовалось много мяса без костей. И если Марго, действительно, можно было назвать женщиной, засунувшей под юбку спасательный круг, то Анастасия проходила по ведомству женщин с фигурой лампочки. Рыба-Молот тут же вспомнил безупречное декольте Кошкиной, манящий зад Рахили Исааковны, роскошную чешую змеибортпроводницы, аппетитные формы Веры Рашидовны и неземную стройность ИзящнойПтицы... О-о! ИзящнаяПтица — вот о ком он должен был подумать в первую голову, но почему-то опять начал думать с самого начала своего короткого донжуанского списка.

Идиот и есть, как утверждает сеть PGN, дракон-олигарх Панибратец и другие заинтересованные, малозаинтересованные и совсем незаинтересованные лица!

— ...У кого фигура лучше? Конечно, у тебя, дорогусечка! Тут двух мнений быть не может.

— Вот и я так думаю. А еще хочу попросить тебя по-дружески, рыбонька. Последи там за Михеем. Чтобы он там по местным потаскухам не шлялся. А то еще привезет заразу какую-нибудь на конце, а оно мне надо?

— Послежу, не переживай. Сделаю все, что в моих силах.

— Ну и покупайся там за меня в океане...

Рыба мысленно прикинул объем работ по прокорму целой оравы детей и взрослых и сказал с сомнением в голосе:

— Уж не знаю, получится ли покупаться. Но если получится — и за тебя нырну лишний разок, будь спокойна.

За день до отъезда Рыба (последним из делегации) сделал прививку от малярии. Как и было предписано сетью PGN, он настаивал на введении аналогового препарата из-за аллергии на стандартный. И семейному доктору Дягилеву в связи с этим неожиданным геморроем пришлось съездить в жутко засекреченный институт вирусологии под Дубной и привезти новейшую вакцину, которую до сих пор вводили лишь лабораторным крысам. К вакцине было приложено тридцатистраничное соглашение о сотрудничестве. Из этого соглашения Рыба-Молот не понял ничего, кроме того, что в случае непредвиденной кончины его тело отправится в институт для дальнейшего изучения и всестороннего анализа тканей, органов и лимфосистемы. Рыба выразился в том духе, что всегда мечтал послужить развитию отечественной науки, и лихо подписал соглашение, едва не порвав ручкой страницу.

— И чего там намешано? — спросил он у Дягилева перед ответственным моментом начала вакцинации.

— Сие мне неведомо. Но по секрету могу сказать, что вакцина состоит из тысячи двухсот компонентов, включая экстракт коки, экстракт спорыньи и вытяжку из семенной жидкости тибетского яка.

— Нихерасе! — восхитился Рыба. — А рога у меня не вырастут?

— Сие мне неведомо. Может, и вырастут. Так колоть или нет?

— Колите!..

Экспериментальная вакцина начала действовать ближе к вечеру. Рыба, то и дело подбегавший к зеркалу посмотреть, режутся ли тибетские рога, обнаружил в нем посторонних. А именно — двух мужчин в возрасте около сорока (точнее определить не получалось), с короткими стрижками и многомудрыми, отягощенными недюжинным интеллектом лицами. Один мужчина был небрит, а на носу у другого сидели попсовые очки в золотой оправе.

— О! — Рыба почему-то страшно возрадовался появлению мужиков. — Вы кто?

— Ну не х..я себе, — сказал небритый голосом Гоблина. — Ты даешь, образина! Совсем ох...ел, своих не признаешь?

— Н-да... Экземплярчик тот еще, — поддержал Гоблина очкастый голосом синхрониста-переводчика Володарского. — Повезло нам, коллега, как утопленникам. А могли бы к приличному человеку пристроиться... Романа-то Абрамовича из-под носа увели.

— Нам, татарам, конечно, все равно — что еб...ть подтаскивать, что еб...ных оттаскивать, — меланхолично заметил Гоблин. — Но тут ты прав. С Абрамовичем всяко веселее было бы.

— Умнее, — добавил Володарский.

— И английская премьер-лига на шару. В режиме live, — добавил Гоблин. — И какого только х..я масть не пошла? С твоим, видать, еврейским счастьем.

— Гоблиныч!!! Господин Володарский!!! — От избытка чувств Рыба несколько раз стукнулся головой о зеркало, стараясь прорваться к кумирам. — Рад! Счастлив безмерно! Автограф дадите? Детям буду показывать, внукам!

— Иди на х...й, — посоветовал Рыбе Гоблин, но тот пропустил обидное напутствие мимо ушей. И задал давно интересующий его вопрос:

— А вы когда «Зиту и Гиту» до конца переведете? А то в Интернете только кусочек выложен, а хочется целиком посмотреть! Насладиться в полной мере...

— С тобой, х...ем моржовым, разве есть время переводить? Иди, иди, на х...й, не пыли!

— Вы, наверное, голодные? Столько времени в будке сидеть — это же умом тронуться можно! А у меня жаркое есть из зайца с перепелками. Свежайшее, только сегодня забубенил. Принести? Сейчас принесу!..

Рыба со всех ног бросился на кухню, но, когда вернулся, неся перед собой кастрюлю с жарким, зеркало встретило его безмятежной пустотой.

Минут двадцать Рыба простоял перед ним в надежде, что кто-то из двоих харизматичных личностей возникнет с той стороны амальгамы, но ни Гоблин, ни Володарский так и не соизволили явиться. *Наверное, питаются в другом месте*, — решил про себя Рыба, — жаль, конечно, что не попробовали зайчатины, но понять можно. Будем надеяться на следующий раз...

В тот самый момент, когда Рыба решил дождаться следующего раза и всучить-таки переводчикам кое-что из своих здоровых гастрономических начинаний, зеркало неожиданно заколыхалось, пошло волнами и мелкой рябью. И зевнуло, втянув в себя кастрюлю.

— Приятного аппетита! — крикнул вслед кастрюле Рыба-Молот. — Если будет возможность — сообщите, понравилось или нет! И еще сообщите, что хотелось бы отведать! Мигом для вас сготовлю, все в лучшем виде получится, будьте покойнички!..

Приняло ли зеркало свой обычный вид, Рыба не запомнил. Потому что на него накатило такое... Та-акое! Что только может накатить после всасывания в дурную кровь экстракта коки, экстракта спорыньи и вытяжки из семенной жидкости тибетского яка. Какая из составляющих вакцины солировала, выяснить не удалось; наверняка та, в которой присутствовал наибольший процент лизергиновой кислоты, жизненно необходимой для производства элэсдэшных «промокашек», «марочек» и «оконных рам».

Рыба, лишь несколько раз в жизни куривший анашу, и понятия не имел, что галлюциногенная вакцина сыграет с ним злую шутку.

А шутки начались сразу же, как только Рыба отполз от зеркала. Сначала он почувствовал непреодолимое желание раздеться догола. Затем (уже раздевшись догола) он почувствовал непреодолимое желание почесаться. Причем почесона требовал каждый квадратный сантиметр кожи, от макушки до пяток. Хуже всего обстояло дело со спиной — дотянуться до нее Рыба-Молот был не в состоянии. И потому принялся тереть спину о дверной косяк. После нескольких довольно интенсивных возвратно-поступательных движений косяк треснул, а дверная коробка — вместе с кусками цемента и пакли — ввалилась внутрь комнаты.

Увидев расхераченные плоды рук своих (а вернее будет сказать — спины своей), Рыба захохотал как ненормальный. И хохотал пятнадцать минут кряду. Очередной взрыв смеха вызвала шерсть, попершая из каждой поры. Шерсть была мягкая, шелковистая, с отливом в умбру с охрой — и чрезвычайно понравилась Рыбе.

— Тибетский як! Тибетский як! — заорал он дурниной. — Рога дайте! Дайте рога, суки!!!

Так и не дождавшись рогов и бонуса в виде хвоста и копыт, Рыба выскочил в коридор и стрелой помчался по дому. За последующие сорок минут он в извращенной форме изнасиловал средневекового рыцаря (стоявшего в Зеленой гостиной), чучело гепарда (стоявшее в Пурпурной гостиной) и мраморную фигуру греческого бога торговли Гермеса (стоявшую в Главном Зале Приемов). После чего временно мутировавшее либидо Рыбы-Молота потребовало еще более острых ощущений, которые мог дать ему только семейный доктор Дягилев.

В поисках Дягилева Рыба ворвался в процедурную, опрокинул кушетку и две капельницы, взломал паркет и содрал со стены дубовую обшивку — вдруг ушлый Дягилев схоронился там? Естественно, доктора (который на свое счастье отправился в Главное аптечное управление закупать витамин С в ампулах) за дубовой обшивкой не обнаружилось. Зато обнаружилась железная дверь с латунным кольцом на медной ручке и покрытой благородной патиной табличкой:

«Кабинет Начальной Военной Подготовки».

Не справившись с дверью, но оторвав кольцо, Рыба-Молот попытался вставить его себе в нос, чтобы сходство с тибетским яком было полным. Кольцо вроде бы вставлялось, но держаться на хрящах отказывалось категорически. Тогда Рыба зажал его края первым подвернувшимся под руку медицинским инструментом (им оказались хирургические щипцы) — и продолжил поиски доктора уже с кольцом в носу.

Поиски успехом не увенчались, и, слегка поумерив изыскательский пыл, Рыба вернулся к себе в комнату, обнаружил сумку на колесах, презентованную старшей горничной Анастасией, и решил что сейчас самое время заняться сборами во Вьетнам.

Вещей, как уже говорилось, у Рыбы было немного: купленные третьего дня синтетические черные плавки с надписью «Bamby», несколько футболок, шорты, вьетнамки, гавайская рубаха навыпуск, соломенная шляпа, солнцезащитные очки (топорная подделка под фирму «Vogue») и красный шейный платок. Все это добро заняло ровно одну пятидесятую объема сумки, и Рыба решил дополнить утлый багаж еще каким-то скарбом. Порыскав по дому, он принес шторы из Пурпурной гостиной, две сковороды, аэрогриль, вафельницу и соковыжималку из кухни, тиски из слесарной мастерской и паяльную лампу из кладовки. Теперь сумка была заполнена ровно наполовину и выглядела весьма внушительно. Как у настоящего путешественника. Как у вечного искателя копей царя Соломона. Удовлетворенный Рыба бросил сверху еще и Марселя Пруста с закладкой на странице № 431, после чего попытался приподнять сумку.

Сделать это ему не удалось.

Почесав репу и посовещавшись сам с собой, Рыба выложил Пруста и снова попытался приподнять сумку. Теперь мандула на колесах пошла ему навстречу и легко оторвалась от пола. Рыба снова сунул Пруста, выложив при этом шторы, паяльную лампу, аэрогриль и соковыжималку. Но даже при отсутствии всех этих вещей сумка оказалась неподъемной. Еще несколько часов Рыба экспериментировал с Прустом и остальными обитателями мандулы. Оказалось, что хреново «Обретенное время» — со скрипом и скрежетом зубовным — может терпеть рядом с собой лишь три вещи: плавки, соломенную шляпу и шейный платок. Логичнее было бы отказаться от Пруста в пользу всего остального, включая такие необходимые для курорта причиндалы, как тиски и паяльная лампа. Но измененное вакциной сознание Рыбы зациклилось на чертовом Прусте, как будто в конце чертова повествования его ждали миллион долларов и вид на жительство в швейцарском кантоне Граубюнден. А последним аргументом в пользу «Обретенного времени» стало то, что теперь Рыба-Молот вовсе не Рыба-Молот, а самый натуральный тибетский як с шерстью до пола. И всякие там футболки с шортами и гавайскими рубахами ему вроде бы больше не нужны.

Так же, как и полотенце, бритвенный станок, зубная нить и прочие гигиенические приблуды.

Это неожиданное и в высшей степени чудесное открытие вдохновило Рыбу-теперь-уже-Яка на новые подвиги по раскатыванию дома по бревнышку. Взяв за образец процедурную, он вскрыл паркет еще и в многострадальной Пурпурной гостиной, прижег зажигалкой оригинал картины Клода Моне «Пруд в Монжероне» и сломал о колено мраморную каминную доску. После чего метнул ее осколок в голову прибежавшего на шум Михея. Пролетев в полуметре от егеря, доска столкнулась с переносицей прибежавшего на шум садовника Эльчина. Крепкий, взращенный на азербайджанских фейхоа, Эльчин сумел устоять на ногах и даже послал осколок обратно в Рыбу.

Точный удар в мгновенье ока лишил Рыбу сознания.

Все последующее зафиксировалось в его памяти крошечными, никак не связанными между собой отрывками. Причем большинство отрывков носило ярко выраженный анимационный характер, как будто Рыба сидел в темном зале и смотрел мультфильм из собственной жизни. Местами этот мультфильм был кукольным, местами — рисованным, местами — так перегруженным компьютерными спецэффектами, что у Рыбы становилась дыбом вся его тибетская шерсть.

Выглядело это примерно так: к сидящему в кинозале Рыбе самопроизвольно подплывал экран со стоп-кадром кукольного доктора Дягилева (Дягилев в видениях Рыбы всегда возникал в виде куклы).

— Не жилец! — авторитетно заявлял Дягилев, открывая кукольный рот и тыча в Рыбу кукольным пальцем. — Кома — вещь серьезная и непредсказуемая. Боюсь, что в данном конкретном случае мы наблюдаем термальное состояние.

На этом кукольная тема обрывалась и начиналась рисованная — с егерем Михеем. Михей подкатывал к Рыбе вместе с другим мультперсонажем — садовником Эльчином, подозрительно смахивающим на товарища Саахова в исполнении народного артиста Этуша. Из глаз Эльчина-Саахова-Этуша лились слезы раскаяния, а из заросшей пасти — универсальное кавказское междометие «Вах, вах, вах!».

— И чё это за фигня такая? — спрашивал егерь.

— Термальное состояние — не что иное, как конечная стадия жизни. Преагония, агония и, как вы можете догадаться, — клиническая смерть, — пояснял доктор.

— Да-а! Что и говорить! Все там будем, прости господи...

— Вах, вах, вах!

— А тебе, Эльчинушка, еще и дадут на всю катушку. За непредумышленное убийство!

— Вах, вах, вах!..

— А шерсть на нем почему выросла, доктор? — никак не хотел уняться любознательный Михей. — Тоже термальное состояние?

— Думаю, это побочный эффект вакцинирования...

— Его, наверное, побрить придется... Перед тем, как в гроб класть. Собакой-то в гробу лежать радости мало. Или этим... волосатым... мамонтом, во! И вообще — не по-христиански в таком виде его закапывать... Человек все-таки, какой-никакой.

— Можно и побрить, — подумав, согласился Дягилев.

На следующих нон-стоп киносеансах Рыба увидел:

— старшую горничную Анастасию (искренне сожалевшую о несчастье, произошедшем с поваром);

— недоделанную химичку Марго (искренне сожалевшую, что несчастье произошло именно с поваром, а не с гнусным изменником Михеем);

— воспитательницу Нинель Константиновну, приведшую младших детей посмотреть на то, что бывает с людьми, которые не едят манную кашу и нарушают режим дневного сна;

— семейного священника отца Пафнутия, осенявшего себя крестным знамением и требовавшего изгнания бесовского отродья за пределы поместья;

— старших детей, норовивших сунуть пучок сена, шоколадный батончик и синтетическую собачью кость.

Последним, — в венце из астероидов, протуберанцев, двойных звезд, красных карликов и голубых гигантов, — явился всемогущий дракон-олигарх Панибратец. Рыба прямо-таки поразился, как далеко продвинулась технология компьютерных спецэффектов: астероиды над головой Панибратца летели сплошным потоком, протуберанцы ослепительно сверкали, двойные звезды двоились, красные карлики светили красным, а голубые гиганты — голубым светом. Присмотревшись внимательнее, Рыба заметил еще и крошечный звездолет «Заря» с отроками на борту; звездолет вылетал из одной ноздри Панибратца и влетал в другую, двигаясь строго по часовой стрелке.

— Что с ним? — строго спросил дракон-олигарх у Дягилева.

— Не жилец... Термальное состояние. Кома, — завел старую песню доктор.

— А шерсть откуда?

— Последствие вакцинации, я полагаю...

— Что за препарат?

— Экспериментальный. У меня записано...

— Название препарата и отчет о происшедшем — мне на стол!

— Будет сделано, господин Панибратец. Не извольте беспокоиться.

Рука Панибратца, увеличенная до размеров сан-францисского моста «Золотые ворота», протянулась в темный кинозал и максимально приблизилась к Рыбе. Теперь он мог разглядеть гладкие, как искусственный лед, ногти хозяина: по льду синхронно скользило некоторое количества фигуристов, хоккеистов, конькобежцев и уже знакомых Рыбе императорских пингвинов. А у самого края (там, где ногти плотно примыкали к коже) расположилась группа любителей подледного лова.

— Что за шерсть? — спросил Панибратец, и Dolby-surround звук его голоса едва не оглушил Рыбу.

— Полагаю, что это шерсть тибетского яка.

— Отменная, отменная...

— Да уж. — Семейному доктору Дягилеву ничего не оставалось, как поддержать хозяина. — И страшно дорогая. Если бы наладить ее производство...

— Вы полагаете, доктор, что можно наладить производство?

— Не исключаю такой возможности. Поставим вакцинацию на поток и...

— Жду от вас развернутого бизнес-предложения.

— Собственно, я ведь врач... Не бизнесмен.

— Дела это не меняет. Бизнес-предложение — мне на стол.

— Ну хорошо, я попробую... А с поваром что делать? Нового искать? Мы ведь завтра улетаем во Вьетнам, если вы помните.

— Помню. Повара искать не надо.

— Как же так, помилуйте...

— Грузите в самолет этого.

— Но ведь он не жилец... Не сегодня-завтра преставится. Что с телом-то делать в чужой стране?

— Этот — не преставится, — уверенно заявил Панибратец. — Этот выкарабкается, зараза. Грузите, и дело с концом.

...Дракон-олигарх как в воду глядел: Рыба не помер. Хотя и провел в коме все время, предшествующее полету. Слегка поднадоевший кинозал он сменил на парение на неизвестном летательном аппарате над самим собой и всеми остальными. После некоторых размышлений Рыба пришел к выводу: неизвестный летательный аппарат — не что иное, как планер новейшей конструкции, способный зависать на критически низких высотах. Именно отсюда, с критически низкой высоты, Рыба наблюдал, как его запихивают в специально оборудованную клетку и везут: сначала в Москву, затем — по Москве, затем — по трассе, ведущей в один из столичных аэропортов. Какой именно — Рыба не понял, потому что все время отвлекался на другие клетки: в них сидели три бультерьера и один ротвейлер, взятые для обеспечения охраны вьетнамского отдыха. Приставленный к ним кинолог находился тут же, но самым подлым образом кемарил и пускал пузыри во сне. Собаки же, предоставленные сами себе, так и норовили дотянуться до бесчувственной туши Рыбы-теперь-уже-Яка и куснуть его. Ничего из этого не получалось, и псы злились, скалили зубы и рычали.

— Что, суки, лапы коротки? — торжествовал парящий в планере над всем этим безобразием Рыба. — От мертвого осла уши вы получите, а не меня!

Порыскав глазами по кабине летательного аппарата, он обнаружил целый пакет грецких орехов и весь остаток пути развлекался тем, что метал орехи в бультерьеров и ротвейлера. Несколько раз ему удалось попасть собакам прямо по носу, что вызвало торжествующий смех одной заинтересованный стороны и жалкий скулеж другой.

Рыба прекратил ореховую экзекуцию только тогда, когда они выехали на летное поле и покатили к стоянке частных самолетов.

Увидев два десятка «Сессн», «Авионов», «Торнадо», ЯК-40 и всего лишь один ИЛ-86, Рыба поставил на ИЛ — и не ошибся: меньшие масштабы вряд ли бы удовлетворили всемогущего Панибратца. Но самое интересное — загрузку клеток в утробу ИЛа — он пропустил, запримстив в стае легкомоторных «Сессн» кое-что интересное. Неожиданное и вызвавшее легкий приступ волнения и ностальгии.

Поначалу Рыба не поверил глазам и, рискуя разбиться на своем планере, снизил высоту не просто до критической-критической, а до суперэкстракритической.

Ошибки быть не могло: у одной из «Сессн» стояла и курила сигару Вера Рашидовна!

Железная Леди Ямало-Ненецкого автономного округа. Госпожа Родригес-Гонсалес Малатеста. *Либен клейне Габи.* Волосатая проехидна из влажных горных лесов Новой Гвинеи.

То ли потому, что се́кс с Верой Рашидовной был (как показало время) самым потрясающим событием в его довольно тривиальной интимной жизни; то ли потому, что любовь Железной Леди была страстной и искренней, несмотря на совершенно искусственное происхождение; то ли потому, что Рыба сам оволосел до последней возможности, —

эта случайная встреча вызвала в нем бурю чувств.

А сигара ей идет, — подумал Рыба.

Душенька, — подумал Рыба.

О-о, как же она хороша! — подумал Рыба.

А не повторить ли нам?.. — подумал Рыба.

«СОВСЕМ ОЧУМЕЛ, ИДИОТ!!! В КОМЕ ЛЕЖИТ — А ТУДА ЖЕ!!! НИ СТЫДА НИ СОВЕСТИ!» —

тут же отчитала его сеть PGN: за неимением оставшегося в ныне бесполезных штанах телефона — бегущей строкой по лобовому стеклу планера.

И то верно, я ведь в коме лежу в ста метрах отсюда, — подумал Рыба.

И к тому же — такой волосатый, что и лица не разглядеть, — подумал Рыба.

Она и не признает меня, душенька, — подумал Рыба.

А было бы неплохо... — подумал Рыба, но на лобовом стекле тут же зависло весьма недвусмысленное предупреждение:

Предупреждение таки достигло своей цели: Рыба изгнал неконструктивные мысли о Вере Рашидовне и сосредоточился на безвинном ее созерцании. Нескольких мгновений хватило, чтобы понять — Железная Леди не забыла, отнюдь не забыла Рыбу-Молота!

На правом, ближнем к Рыбе боку ее «Сессны» сияла свежей краской надпись **«АЛЕКСАНДР БАРХАТОВ»**. Шею Веры Рашидовны укутывал легкий шарф, сшитый из рататуевских трусов. А в ее волосы... В ее волосы была воткнута орхидея ИзящнойПтицы! Рыба узнал бы эту орхидею из миллиона, хотя над ней и потрудились неизвестные дизайнеры: цветок был высушен, выварен в соли, покрыт сусальным золотом и алмазной крошкой, сверкавшей на солнце подобно драгоценным камням. А может, это и были драгоценные камни, кто знает?..

Душенька! Кисонька! Милая! Помнит обо мне! Наверное, и прилетела, чтобы меня найти. А я — в коме, вот кошмар! — мысленно (а по-другому бы и не получилось) зашелся в сухих рыданиях Рыба-Молот. И завертел головой в поисках привета, который можно было передать Вере Рашидовне — в знак благодарности за верность и память.

Привет нашелся в том же самом месте, где давеча лежали грецкие орехи. Им оказалась коробка конфет ручной работы, которых Рыба за свою долгую жизнь в профессии понаделал немало. Коробка была обвязана красной бархатной лентой с приколотым к ней пластмассовым сердечком. А на крышке имелся выбитый типографским способом логотип: **«А.Б.».**

Неплохо, неплохо! Надо бы запомнить оформление. На будущее, — подумал Рыба, прежде чем метнуть коробку в Веру Рашидовну.

Тренировки на собачьих носах даром не прошли: коробка упала непосредственно в руки Железной Леди Ямало-Ненецкого автономного округа. Едва взглянув на нее, Вера Рашидовна затряслась, залилась слезами и подняла голову вверх, чтобы проследить начало траектории движения конфет. Естественно — ничего, кроме безоблачного неба, она не нашла. Зачарованный Рыба

383

так бы и наблюдал всю жизнь, как Вера Рашидовна мечется по полю, падает на колени, не щадя колготок, и молитвенно протягивает руки к небесам. Но тут снова проклюнулась сеть PGN:

«ЗАХЛОПНИ ХАВАЛЬНИК, ИДИОТ! НАШЕЛ ВРЕМЯ ПЯЛИТЬСЯ! И ПОТОРОПИСЬ НА БОРТ — ОПОЗДАЕШЬ!»

Рыба вздохнул, скрипнул зубами и, махнув напоследок Вере Рашидовне невидимым крылом, устремился в сторону ИЛ-86.

Его новейшей конструкции планер едва успел юркнуть в щель между фюзеляжем и люком, как тот с лязгом захлопнулся. Почти сразу же послышался шум заработавших двигателей, и ИЛ-86 покатился по взлетной полосе.

Поболтавшись некоторое время под потолком, Рыба (помимо воли) спланировал в клетку с самим собой — все еще волосатым и находящимся в коме. Вопреки опасениям Рыбы, прохождение плотных слоев тибетской шерсти прошло плавно и без травматических последствий. Но планер, который он уже успел обжить, самоликвидировался, и Рыба оказался в непонятном и совершенно незнакомом месте. К тому же тьма в нем была такая, что глаз выколи. От ужаса у Рыбы похолодели несуществующие конечности, а вслед за ними — несуществующее тело и несуществующая голова. Что придало мыслям неожиданное направление: он находится ближе к северу, чем к югу. И ближе к востоку, чем к западу.

Полярная ночь! — осенило Рыбу, и он тут же переключился на размышления о том, что если уж здесь есть полярная ночь, то есть и полярный день, и просто день. Нужно только выбрать направление поюжнее и позападнее.

Но выбрать направление в кромешной темноте не удалось, а несуществующая физическая оболочка холодела все больше.

Так и есть.

«Пипец котенку», как любила выражаться Рахиль Исааковна.

Тот, *большой и настоящий Рыба-Молот,* наконец-то окочурился, как и предрекал семейный доктор Дягилев. Он окочурился, и сейчас полным ходом идет трупное окоченение. И *маленький и ненастоящий Рыба-Молот,* а попросту — девятиграммовая душа настоящего, с минуты на минуту тоже отлетит! Бедная, бедная Вера Рашидовна... Она никогда не узнает, что бедный, бедный Рыба помер! И никогда не принесет букетик пармских фиалок на его могилку. Да и сама могилка, скорее всего, будет безымянной, с покосившимся крестом из необработанных, наспех сколоченных сосновых досок. В досках поселятся короеды, проволочники, ложнопроволочники и долгоносики. И именно они станут новой семьей Рыбы-Молота.

Новой и вечной.

От жалости к самой себе девятиграммовая душа Рыбы-Молота едва не заплакала.

И тут где-то вдалеке зазвучали серебряные колокольчики.

Вот оно!.. Музыка сфер, намекающая на то, что время вышло! Прощай, душенька Вера Рашидовна! Прощайте Кошкина, Рахиль Исааковна, сестра Рахили — Юдифь и змея-бортпроводница! Прощайте, официантки Катюха, Надюха, Варюха и Сабина Робертовна! Прощайте, посудомойки Ирода и Мавлюда, наше вам с кисточкой за мимолетный, но вполне качественный секс! Прощайте, безымянная уборщица из туапсинского летнего кафе, безымянная проводница поезда «Санкт-Петербург—Брянск», безымянная сотрудница библиотечного коллектора Петроградского района — минет был вполне на уровне!.. И ты, так и не встреченная Изящная Птица, — прощай! Прощай и не поминай лих...

Звук колокольчиков между тем приблизился вплотную, а вместе с ним приблизились как минимум три собачьи упряжки. Ими управляли суровые ездовые с мужественными и открытыми, способными на любой подвиг лицами. Ездовые, подхватив душу Рыбы-Молота, усадив ее на нарты и укрыв меховым пологом, понеслись вроде бы вперед и вроде бы вверх.

Духи нгылека!

Это был не кто иной, как духи нгылека, преображенные до неузнаваемости величайшим романом воспитания всех времен и народов — «Два капитана». От дымных волков и оборотней с оскаленными рожами не осталось и следа, что еще раз подтвердило тезис о великой силе печатного слова. В которой Рыба-Молот не сомневался еще со времен бесплодных попыток одолеть «Чайку по имени Джонатан Ливингстон».

Ай да гаврики! — восхитилась душа Рыбы-Молота. — Ай, молодца! Надо бы расширить список рекомендательной литературы, чтобы путь назад, к абсолютному злу, был гарантированно закрыт навсегда!

Кромешная тьма отступила, сменившись неверным молочным светом; теперь упряжки неслись по равнине, к яркой точке на горизонте, которую душа Рыбы-Молота поначалу приняла за восход солнца. Но по мере приближения контуры восхода изменились — и вместо солнца выплыла пагода Погребенных Волос из Гуанчжоу. Эту пагоду Рыба с Рахилью Исааковной трижды видели по телевизору, причем — в разных программах: о достопримечательностях Кантона, о Сунь Ятсене[1] и о Второй опиумной войне. И вот теперь она снова предстала во всем своем великолепии, а на самой ее верхотуре сидели Гоблин с господином Володарским.

---

[1] Китайский политический деятель.

Синхронисты-переводчики мирно играли в нарды, время от времени отвлекаясь на кастрюлю с жарким, не так давно переданную Рыбой посредством зеркала.

— Гоблиныч! Господин Володарский! — беззвучно заорала душа Рыбы-Молота. — Рад! Счастлив безмерно! Ну как вам зайчатинка?

Не отрываясь от нард, Гоблин показал средний палец.

Вряд ли это стало причиной того, что душа Рыбы выскользнула из мехового полога. А выскользнув, понеслась на бреющем вниз.

И — опс, упс, крак! — заняла свое привычное место где-то в районе мозжечка.

А большой и настоящий Рыба-Молот наконец-то вышел из комы и обвел салон частного самолета дракона-олигарха Панибратца бессмысленным взглядом.

— Он очнулся! Очнулся! — с некоторым даже сожалением закричали старшие дети, последние пятнадцать минут стерегущие клетку, в надежде стать свидетелями кончины повара.

В салоне возникло волнение, перешедшее в легкую турбулентность: это человеческие массы стали стихийно перемещаться к клетке с Рыбой.

— Всем отойти на безопасное расстояние! — скомандовал семейный доктор Дягилев.

Старшие дети нехотя повиновались и отошли, увлекая за собой младших, а доктор, наоборот, приблизился.

— Вы меня слышите? — спросил он у Рыбы.

— Слышу, конечно, — после небольшой паузы ответил тот.

— Как вы себя чувствуете, любезный?

— Я в порядке.

— Никаких неприятных ощущений не испытываете?

— Вроде бы нет...

— А меня узнаете?

— Конечно. Вы доктор.

— А себя? — поколебавшись, задал краеугольный вопрос Дягилев.

— Себя тоже.

— Кто вы?

— Повар. А почему я в клетке?

— Меры предосторожности, любезный. В последнее время вы вели себя несколько неадекватно, вот и пришлось...

— А шерсть на мне почему выросла? — севшим голосом прошептал Рыба.

— Думаю, это побочный эффект вакцинации.

— Mierda!!![1]

— Вы знаете испанский? — безмерно удивился доктор.

— Нет! Stronzo!!![2]

— Изучали итальянский?

— Вы о чем, доктор? Какой на хрен итальянский?.. О-о, Stuhl!!![3] Scheiße-Scheiße-Scheiße!!![4] Pile of shit!!![5]

Просклоняв модификации «дерьма» на всех европейских языках, за исключением румынского и албанского, Рыба уставился на опешившего Дягилева:

— И что теперь делать, доктор?

— Честно говоря, не знаю... Но будем надеяться...

— Надеяться?! Надеяться?!.

Отчаяние Рыбы-Молота было так велико и безгранично, что он принялся биться о прутья клетки и рвать

---

[1] Дерьмо!!! (*исп.*)

[2] Дерьмо!!! (*ит.*)

[3] Бараний кал!!! (*нем.*)

[4] Говно-говно-говно!!! (*нем.*)

[5] Дерьмо на палочке!!! (*англ.*)

на себе проклятую шерсть. Это оказалось на удивление безболезненной процедурой; более того, шерсть (очевидно, воодушевившись порывом Рыбы) стала выпадать сама, целыми массивами. И пяти минут не прошло, как Рыба предстал перед Дягилевым совершенно голым. Невинным, как младенец, со свежей, слегка тронутой золотистым загаром кожей. Семейный доктор при виде такой неземной красоты покраснел и театральным жестом прикрыл глаза:

— Вы прямо Адонис, — заявил он Рыбе.

— Ну... Это вы хватили, доктор! — Теперь уже смутился Рыба. — На Ахилла с Патроклом я бы еще согласился, но Адонис — это чересчур. Выпустите меня?

— Конечно, конечно...

— И это... Не мешало бы что-нибудь накинуть на чресла! А то тут дети все-таки...

Через довольно непродолжительное время все текущие проблемы Рыбы, связанные с экипировкой и свободой передвижения, были решены. Разомлевший ветеран фармацевтики (по-прежнему смущаясь и краснея) презентовал ему весьма фривольные трусы-стринги с танцующим Джоном Траволтой на гульфике и гипюровую футболку от Джанфранко Ферре. И попытался было всучить еще и украшенные стразами и кружевными вставками брючата от Гуччи. Но Рыба, памятуя о детях, вежливо отказался, предпочтя гуччиевской гомоэротичной разнузданности кондовые, купленные на Черкизоне треники егеря Михея.

Одевшись, Рыба почувствовал себя значительно лучше. И ощутил зверский аппетит: и то правда — со времени последнего приема пищи он успел побывать тибетским яком, зрителем в кинозале, планеристом, мучителем собак, душой, отделившейся от тела и снова в него вернувшейся. Он успел увидеться с Верой Рашидовной, изменившимися в лучшую сторону духами нгылека и синхронистами-переводчиками Гоблином и господином Володарским (с этими — даже дважды). Столь интенсивный график встреч и перевоплощений требовал подпитки, и Рыба направился к импровизированному кафе-бару, находящемуся в хвостовой части самолета. За прилавком, уставленным йогуртами, десертами, вазами с фруктами и бутылками с прохладительными напитками, никто не просматривался. Но, подойдя ближе, Рыба заметил чью-то спину, облаченную в форменный летный жакет.

Несколько раз кашлянув и побарабанив пальцами по стойке (на месторасположении спины это никак не отразилось), Рыба-Молот сказал:

— Синьора! Пердоно, пор фавор! Эта каса, блять, трабаха?[1]

Чего это со мной? — поразился Рыба. — *Вроде как на испанском запричитал, этого еще не хватало! А вдруг родной язык вдрызг позабудется, что тогда делать? В Пиренеи эмигрировать, к тамошним овцам? Да не хочу я к овцам, о мадрэ миа!..*

Пока Рыба сокрушался относительно возможной эмиграции в абсолютно непривлекательную, покрытую коркой вечной мерзлоты Испанию, спина под прилавком разогнулась.

А в принципе, можно стать переводчиком, — еще успел подумать он, — *Сервантесов там всяких переводить, Лоп де Вег, Лас Кетчупов... Не, Лас Кетчуп — это вроде группа, в которой три девки поют и пляшут. Но девки — тоже хорошо, хотя и не так высокохудожественно... А лучше — синхронистом у испанского короля! И Гоблиныч с господи-*

---

[1] Синьора! Простите, пожалуйста! Это заведение работает? (*иск. исп.*)

ном Володарским помогут, разовьют навыки, не дадут пропасть... Опа! Кого я вижу!

Восставшая спина, а вместе с ней и фронтальная часть корпуса с насаженной на него головой принадлежала не кому-нибудь, а уже знакомой Рыбе-Молоту змее-бортпроводнице.

— Вы что ругаетесь? — спросила змея. И добавила, понизив голос: — Здесь же дети!

— А разве я ругаюсь? — искренне удивился Рыба. — Не думал, что испанский язык — ругательство...

— Дураком-то не прикидывайтесь! Сам сказал «блять» и сам же отнекивается.

— Тише, тише! — замахал руками Рыба. — Здесь же дети!

— Вот именно!

— А вы... вы меня не узнаете? Мы с вами виделись и не единожды...

На лице змеи отразилось недоумение, сменившееся попыткой уловить хоть что-то знакомое в гипюровом абрисе Рыбы-Молота.

— Гей-клуб «69»? — неуверенно произнесла она.

— Ну что вы! — ответствовал Рыба, проклиная латентные пристрастия семейного доктора Дягилева. — Я по гей-клубам не хожу.

— Да брось ты заливать! По гей-клубам все шляются, и грешники, и праведники. Только одни в этом признаются, а другие — нет... Погоди-погоди! Ты — стриптизер! Точно, стриптизер, в «Красной шапочке» зажигаешь! Я тебя по морде дурацкой запомнила! И по тому, что ты только швейцарские франки позволяешь себе в трусняк засовывать, прикол у тебя такой!

Сравнение со стриптизером чрезвычайно польстило Рыбе-Молоту, хотя насчет швейцарских франков в трусах он не был бы таким категоричным и принимал бы любую валюту — вплоть до южнокорейских вонов и китайских юаней.

— Вообще-то, я не стриптизер, — вздохнул Рыба. — Мы просто как-то летели с вами в Салехард... И из Салехарда тоже.

— Ну... Мало ли с кем я летаю туда-обратно...

— Вы еще передо мной раздевались в салоне бизнес-класса... Завлекали, так сказать...

— Чего-о-о?!

— Не волнуйтесь, до предосудительного дело не дошло...

— Чего-о-о-о?!!

Бортпроводница взвилась над прилавком и приблизила к Рыбе лицо, обрамленное кудряшками а la Мэри Пикфорд. В безобидных на вид волосах кишмя кишели змеи в черных фуражках с высокими тульями — давно позабытый эсесовский кошмар первого полета в Салехард снова дал знать о себе.

— Шутка, — струхнул Рыба. — Неудачная.

— Нет, ну надо же! — зашипели все змеи разом. — На регулярных рейсах покоя от идиотов нет! Пристают, глумятся и такую ахинею несут — хоть святых выноси! Думала — хоть на частном отдохну... Свежо предание...

— Свежо питание, да серится с трудом, — неожиданно изверг из себя Рыба старую ресторанную хохму для закрытого пользования. И, тотчас одумавшись, добавил: — Я дико извиняюсь!..

— Извиняется он! Сначала обхамят, а потом извиняются! Как от вас отделаться, как?

— Может, в отряд космонавтов поступить? — посоветовал Рыба. — Там только проверенные летают, высокодуховные, женатые первым браком.

И, прихватив с прилавка йогурт и карамельный десерт, отчалил вглубь салона, от греха подальше.

Больше он старался не пересекаться с ответственной за кормежку гестаповкой, хотя йогурта с десертом было явно недостаточно для насыщения исстрадавшегося организма. К тому же, пока Рыба расправлялся с йогуртом, кто-то из младших детей умыкнул десерт и выплеснул его на спину Нинели Константиновне.

Часть старших детей, сильно разочарованная тем, что Рыба-Молот не издох, а возродился, выпустила из оставшихся клеток ротвейлера и бультерьеров. Пока их ловили, ротвейлер успел цапнуть за задницу все ту же многострадальную Нинель Константиновну и за руку — никчемного кинолога, продолжавшего кемарить и пускать пузыри во сне. Бультерьеры вели себя на удивление смирно, в отличие от второй части старших детей, пытавшейся прорваться в кабину пилотов, чтобы порулить. Для этого они подожгли найденную в недрах ИЛа урну, куда были сброшены инструкции по безопасности полета, незначительное количество периодики, рвотные пакеты и несколько паспортов: четыре заграничных (горничной, няньки и двух телохранителей) и один международный ветеринарный (бультерьера по кличке Анна-Мария-Халупец-Керрер-Гудмен-Глэдис-Родольфо-Филибер-Гульельми-Ланкастер Третий). Пилоты, забаррикадировавшись в кабине, посылали проклятья по громкой связи. И прежде чем очаг пожара был ликвидирован, лексикон Рыбы-Молота обогатился несколькими специфически-летными идиомами, с упоминанием в гроба душу лонжеронов и мать их ети стабилизаторов. Пока он размышлял, к чему бы приложить вновь полученные лингвистические знания, третья группа старших детей, скооперировавшихся с младшими, всеми силами старалась раздолбать стекло одного из иллюминаторов. Как выяснилось впоследствии — для того, чтобы в салоне побыстрее наступила невесомость.

И все желающие смогли бы летать, сколько им вздумается.

Неизвестно, чем бы закончилась эпопея с распоясавшимися панибратцевскими детьми, если бы не семейный священник отец Пафнутий. Перекрестившись и сбросив с себя рясу (под ней оказались тельник и солдатский ремень с якорем на бляхе), отец Пафнутий закусил зубами края бороды. И в три минуты раскидал молодняк по креслам, перепеленал его ремнями безопасности и напялил кислородные маски — для верности.

— Цыц всем! — громогласно заявил напоследок отец Пафнутий.

И, свернув огромную козью ногу, сел перекурить. К нему на перекур подтянулась почти в полном составе мужская часть делегации: кто-то пустил слух, что во времена вьетнамской войны Пафнутий служил военным советником в Ханое, принимал участие в операциях против американских оккупационных войск и лично заколол штыком восемь морских пехотинцев. Всех, однако, интересовали не дела минувших дней (хоть бы пехотинцев оказалось и не восемь, а восемьдесят восемь), а непосредственно сам Вьетнам — что за страна такая? И вьетнамцы, как таковые, — что они за люди?

— Щедроглазые-то? Люди себе и люди, — ушел от прямого ответа священник.

— А белого человека уважают?

— Уважать-то уважают, а сдачу, если что-то прикупить решишь, давать не любят. Думают, у нас денег куры не клюют.

— А женщины там какие? — задал самый насущный для себя вопрос егерь Михей. — Белого человека м-м... уважить могут? За небольшую плату?

— Если без сдачи — то могут. Но тебя — нет.

— Почему это меня — нет?

— В промежности, прости Господи, ничего выдающегося.

Посрамленный егерь засопел, сделал пару выдохов, но так и не нашелся, что ответить. И быстренько отвалил в другой конец салона. Рыба последовал за ним, справедливо опасаясь, что любой, даже самый невинный вопрос о Вьетнаме отец Пафнутий перекрутит так, что уже его собственная, Рыбья промежность предстанет в дурном, микроскопическом свете.

Остаток полета Рыба-Молот пытался успокоить егеря, который, скрипя зубами, требовал рулетку, чтобы измерить свои достоинства и достоинства коварного Пафнутия, а потом уже делать выводы. Кроме того, Михей в запале грозился выкреститься из православия и перейти в католичество — или, хуже того, в иудаизм. А также написать подметное письмо в секретариат РПЦ, где говорилось бы о неполном служебном соответствии отца Пафнутия.

— Водку пьет? — вопрошал егерь и сам же себе отвечал: — Пьет! И эти его козьи ноги с душком!.. Не иначе как анашу туда закладывает. Хозяину миллионные счета подсовывает для оплаты церковной утвари, а потом ее же налево толкает! Пять икон вынес, кадило серебряное и три подрясника! И к нянькам приставал, под юбки к ним лез, старый черт, я сам видел... Ты, Рыба, человек культурный. Поможешь цидулку составить?

Рыба бросал взгляд на огромную косматую голову отца Пафнутия, его квадратные плечи и трехпудовые кулаки и с сомнением в голосе говорил:

— А если он нас анафеме предаст?..

— А мы письмо отправим и сразу в католичество нырнем. Или в иудаизм. Пусть потом ловит нас в Ватикане! На горе Синай!..

Нестойкий Рыба обещал подумать и в самом ближайшем времени дать ответ (сильно надеясь на то, что дальше разговоров дело у Михея не пойдет, а новые впечатления скрасят досадный инцидент с отцом Пафнутием).

Так оно впоследствии и произошло, а пока московский десант Панибратца — с весьма ощутимыми потерями в лице беспаспортных няньки, гувернантки, двух телохранителей и одного бультерьера — высадился в небольшом местечке Лонг Хай, неподалеку от курорта Вунгтау на побережье Южно-Китайского моря. Внешне спокойные телохранители, рыдающие нянька с гувернанткой и совершенно равнодушный к своей судьбе бультерьер Халупец-Ланкастер-и-прочие-Анны-Марии Третий были оставлены на борту самолета в Хошимине, остальные же погрузились на арендованный катер и отправились к месту назначения.

По дороге отец Пафнутий зорко следил, чтобы панибратцевы отпрыски не затопили плавсредство, Нинель Константиновну и ротвейлера постоянно тошнило, а приставленный к собакам кинолог продолжал кемарить и пускать пузыри во сне.

Лонг Хай оказался средоточием санаториев, отелей и вилл во французском колониальном стиле. Две из них — сообщающиеся между собой — и были арендованы Панибратцем для детского отдыха.

Рыбе-Молоту досталась комната с видом на лагуну с белым песком. Соседнюю (с видом на пальмовую рощу) занял егерь Михей. А в комнате напротив (с видом на террасу и бассейн) поселился отец Пафнутий. Не откладывая дело в долгий ящик, священник развернул на террасе походный алтарь и отслужил вечернюю.

В службе приняли участие все, за исключением гувернантки-француженки Мари-Анж, исповедовавшей экзотический культ ацтекской богини Коатликуэ. А также Михея, находящегося одной ногой в католицизме, и Нинели Константиновны, отпросившейся для ведения переговоров с хозяином об отправке во Вьетнам дополнительного контингента людей и собак, — потому что справиться с детьми имеющимися в наличии силами весьма проблематично.

По недовольному и слегка встревоженному лицу Нинели Константиновны Рыба понял: на помощь в ближайшее время рассчитывать не приходится. Но все же решил уточнить:

— Чего сказал-то?

— Спросил, не было ли человеческих жертв. Я ответила, что чудом обошлось.

— И все?

— Людей, возможно, пришлет — но только к концу следующей недели... А пока нам предписано делать упор на сбалансированное питание, водные процедуры и солнечные ванны. Они-де плодотворно повлияют на детей. А вообще...

Тут Нинель Константиновна скорбно поджала губы, сдвинула нарисованные черным карандашом брови и — после довольно продолжительной паузы — проскрежетала:

— Через два дня прилетает эта дрянь из Лондона. Суперняня, мать ее за ногу! На нее одну мы должны уповать. Она все здесь поставит на место и решит все имеющиеся проблемы. С ней мы будем, как у Христа за пазухой. И беспокоиться не о чем. Так сказал хозяин. Передаю дословно.

— Ну, это понятно. А как нам эти два дня продержаться — он не сказал?

— Нет.

— А она молодая или старая? — неожиданно для себя спросил Рыба.

— Кто? — не поняла Нинель Константиновна.

— Да суперняня же!

— Понятия не имею. Вроде не старая...

...В час, когда закат позолотил верхушки пальм, песок в лагуне приобрел розоватый оттенок, а в бассейн при вилле забрело стадо буйволов, все заинтересованные лица собрались на террасе в поисках ответа на вопрос: как на ближайшие два дня нейтрализовать отпрысков Панибратца.

— Assassiner![1] — заявила гувернантка Мари-Анж, ни слова не говорящая по-русски.

Никто из присутствующих во французском не волок, так же как Мари-Анж в русском, но все согласно закивали головами. И лишь Рыба-Молот, чей недавно вылупившийся испанский позволил смутно догадываться о значении французского слова «assassiner», едва не выронил поднос с напитками.

— «Assassiner» — это, пожалуй, чересчур, — осторожно заметил он.

— Ничего не чересчур, — вступилась за предложение Мари-Анж Нинель Константиновна. — В таком тонком деле, как воспитание, без *ассасинер* не обойтись. Это я вам авторитетно заявляю — как заслуженный учитель РСФСР с тридцатилетним стажем работы.

— Так-то оно так, — мягко возразил воспитательнице отец Пафнутий, допивающий третий стакан виски с содовой. — Но с другой стороны... чего нам антимонии разводить, педагогикой прикрываться? *Ассасинером* этих шельмецов не проймешь. Тут вожжи нужны. Розги, в соляном растворе вымоченные. И — по жопам, по жопам!.. Лупить без продыха часов пять кряду — может, тогда они в чувство придут?

— Гав! — поддержал отца Пафнутия ротвейлер.

— Гав-гав! — поддержал ротвейлера бультерьер.

---

[1] Убить! (*фр.*)

— Ну, это вы загнули, батюшка, — укоризненно покачала головой Нинель Константиновна. — Прошу не забывать, с каким человеческим материалом мы имеем дело! Они все-таки не простые смертные — дети олигарха, как-никак. А вы с розгами высунулись.

Отец Пафнутий прицелился и метнул пустой стакан из-под виски в ближайшего к террасе вьетнамского буйвола. Стакан попал животному точно промеж глаз, и оно ушло под воду, обдав всех тучей брызг.

— Мастерство не пропьешь, — удовлетворенно заметил священник. — А что касается ваших слов, матушка... Не все они — дети олигарха. Трое — приблудные.

— Это дела не меняет, — парировала Нинель Константиновна. — Нам всем приказано и к приблудным относиться, как к родным. Мать их, Марь-Сергевна, знамо дело, стервой была, но как известно...

— ...Сын за отца не отвечает! — закончил вместо воспитательницы Рыба-Молот. — А что на этот счет думает медицина, доктор?

— Насчет «сын за отца»? — Семейный доктор Дягилев снял с подноса бокал с мохито. — Вопрос не ко мне, скромному педиатру и терапевту. Вопрос к генетикам.

— Да чего генетиков приплетать? — снова вклинился отец Пафнутий. — Вспомните лучше, что народ говорит! От осинки не родятся апельсинки — и весь сказ.

— Гав! — поддержал отца Пафнутия ротвейлер.

— Гав-гав! — поддержал ротвейлера бультерьер.

— Вообще-то, я совсем не это имел в виду. — Рыба-Молот попытался уточнить свою мысль. — А то, что нам делать с шельмецами в сложившейся ситуации. Может, в пищу им что-нибудь успокоительное подкладывать? Феназепамчику там в утиный паштет... Валерьянку в рисовый пудинг. Настойку пустырника в манную кашу... Могу организовать!

— Нет, дорогой мой, — прервал Рыбу доктор. — Это было бы крайне негуманно... Я бы сказал — преступно с точки зрения врачебной заповеди «не навреди».

— А никто и не собирается вредить. А вот остудить горячие головы стоит.

— Но не таким нецивилизованным способом.

— А если пургеном их накачать? — толкнул очередное рацпредложение отец Пафнутий. — Пускай пару дней посидят на очке, шельмецы. Подумают над своим дрянным поведением.

— Где же мы столько санузлов наберем? — Нинель Константиновна, в отличие от всех остальных, уже успела ознакомиться с планом вилл.

— Вы правы, дражайшая Нинель Константиновна, — полностью солидаризовался с воспитательницей доктор Дягилев. — Предложение батюшки еще более негуманно, чем предложение нашего дорогого повара. Просто варварство какое-то. Боюсь, что единственный приемлемым вариантом остается вариант с *ассасинером*.

— Assassiner! — снова оживилась Мари-Анж. — Tuer![1] Détruire![2]

— Вот-вот! — снова откликнулась Нинель Константиновна.

— Так-так! — вставил пять копеек доктор.

— Гав-гав! — синхронно залаяли бультерьер с ротвейлером.

— Цыц! — осадил всех разом отец Пафнутий, досадуя на то, что светлая мысль об *ассасинере* пришла в голову не ему, а какой-то затрапезной француженке.

Шум моментально стих.

---

[1] Убить! (*фр.*)
[2] Уничтожить! (*фр.*)

— Так-то лучше. Лично я — сторонник жесткого подхода. Вожжи и розги. В крайнем случае — пурген и два дня на очке. А ваши мягкотелые и половинчатые *ассасинеры* оставьте для младенцев.

— Согласен, — быстро сказал Рыба, оторвавшись от созерцания буйволиного стада в бассейне: с тех пор, как он побывал в шкуре тибетского яка, нежность к полорогим то и дело настигала его.

— А я несогласна, — заупрямилась Нинель Константиновна. — Вдруг отец узнает? Он и по гораздо более ничтожным поводам уйму народа испепелил. А тут — его родные дети...

— Да он нам еще и благодарность вынесет. — В голосе отца Пафнутия, впрочем, не было прежней уверенности. — За правильное воспитание. Меня самого драли как сидорову козу. И ничего. Выжил. Прожил жизнь. И на сан был рукоположен самим митрополитом Киевским и Галицким в 1989 году...

— Exterminer![1] — неугомонная Мари-Анж дернула правым веком. — Démembrer et consumer!!![2]

— Нет, ну ты посмотри на нее. — Священник в сердцах сплюнул в четвертый по счету стакан виски и исподлобья взглянул на гувернантку. — Вот что я скажу вам, матушка-лягушатница: вы со своим свиным европейским рылом в наш российский калашный ряд не лезьте, сидите в своем Совете Европы и не пыркайтесь! А мы уж тут сами разберемся — что к чему.

— О-о, kalash!!! Oui! — Мари-Анж хихикнула и вскинула руки, изображая прицельную стрельбу из автомата Калашникова. — Та-та-та! Oui! Oui! Assassiner!..

---

[1] Истребить! (*фр.*)
[2] Расчленить и сжечь!!! (*фр.*)

— Ох, уж эти мне европейцы, — вздохнул отец Пафнутий. — Дурилки картонные! Проссут со своей толерантностью и пацифизмом все на свете, а потом к нам же и побегут. И в ноги повалятся: выручай, Расеюшка! Спасай от албанцев, спасай от муслимов, спасай от черножопых всяких-яких.

— А мы? — Рыбу чрезвычайно заинтересовала идея спасения Европы от «всяких-яких».

— Спасем, — с апломбом заявил отец Пафнутий. — Куда ж мы денемся. Впервой разве? Всегда спасали и теперь спасем. Всех арабов, муслимов и черножопых примем на себя. Сибирь заселим, Дальний Восток заселим...

— На Дальнем Востоке китайцы.

— Китайцев выселим, а этих заселим. Опять же — в Красноярском крае места навалом.

— И в Коми, — неожиданно поддакнула Нинель Константиновна.

— И туда впихнем.

— А еще — в Ямало-Ненецком автономном округе, — добавил Рыба. — Я там был и могу засвидетельствовать...

— Гав-гав! Гав-гав-гав! — откликнулись бультерьер с ротвейлером, очевидно, припомнив свои питомники в Карелии и на Кольском полуострове.

Вопрос о том, что делать с вредоносным панибратцевским потомством, никого из присутствующих больше не волновал: все переключились на глобальную геополитическую проблематику. И на общие перспективы развития человечества. А они, судя по последним данным, поступающим из разных, но заслуживающих доверия источников, были весьма неутешительны. Нинель Константиновна тут же вспомнила откровения ныне покойной болгарской прорицательницы Ванги о том, что к какому-то там году в XXI веке в Европе исчезнут леса и почва, а люди станут рождаться с жабрами и без кожи. Исчезновению почвы и лесов будет предшествовать Третья мировая, в которой погибнут почти все, за исключением людей с жабрами и некоторого количества пигмеев из Бурунди.

— И Польшу накроет? — поинтересовался отец Пафнутий.

— В первую очередь, — подтвердила Нинель Константиновна.

— И прибалтов?

— Обязательно!

— Вот счастье-то, Господи! А с хохлами как?

— Этим тоже достанется. Этим — больше всех!

— У-у, гады! Пропадите вы пропадом! Природа-то за нас, выходит!..

— А то! — Нинель Константиновна даже раскраснелась от посетившего ее вдохновения и стала загибать пальцы. — Румыны сгинут, венгры туда же, чехи со словаками, болгары опять же. В общем, все наши бывшие союзнички-предатели в тартарары полетят, мать их за ногу!

— А америкосы?

— И америкосы под нож пойдут. Упадут на них два миллиона огненных шаров из космоса, всех передавят, одни только индейцы в резервациях и останутся.

— Эти — пусть. Эти в свое время натерпелись, бедолаги.

— Ну и старую Европу тряханет, куда без этого. Португалия сместится и налезет на Испанию, так и будут лежать в два слоя. В Скандинавии разверзнется земля и все зальет лавой на пятьсот лет вперед. В Германии, напротив, вечная мерзлота приключится, все льдом затянет на семьсот пятьдесят лет вперед. А Франция вообще пополам треснет по линии Дьепп-Монпелье!..

— Слыхала, матушка-лягушатница? — Отец Пафнутий удовлетворенно потер руки и уставился на гувернантку. — Кирдык вам! Как есть капец, империалистам! Будете знать, как жировать за счет развивающихся стран! Привыкли, понимаешь, сладко кушать и пить шампанское. Скоро не до шампанского будет, помяни мое слово.

— Champagne, о-о! — согласно закивала головой Мари-Анж. — Assassiner ensuite champagne![1]

— А с нами-то что, с нами как? — Рыба взволновался не на шутку и даже отпил из бокала мохито, прежде чем передать его доктору Дягилеву.

— Мы, слава всевышнему, до этого не доживем.

— А если доживем? Что по этому поводу говорит наука, доктор?

— Наука говорит, что почва как таковая исчезнуть не может. Это, простите меня великодушно, — дичь. Что-то, да останется.

— А люди с жабрами?

— Люди с жабрами — вполне допустимая вещь. Если рассматривать их как еще одну причудливую ветвь на дереве эволюции. Но я, в данном конкретном случае, предпочел бы стать пигмеем из Бурунди...

Попугав себя и друг друга еще часок-полтора, ненавистники панибратцевского потомства разошлись, так и не решив, что с этим потомством делать.

Отправился в свою комнату и Рыба, переполненный апокалиптическими видениями и такими же апокалиптическими предчувствиями. А ведь на этот, самый первый вечер в экзотическом Лонг Хае у него были свои, далеко идущие планы! Рыба собирался пройтись по берегу, возможно, даже искупаться; посидеть в пальмовой

---

[1] Убить, потом — шампанское! (*фр.*)

роще и — если повезет — понаблюдать за крабом по кличке «пальмовый вор», о котором они с Рахилью Исааковной видели целую передачу на канале «Animal Planet». Также Рыба хотел поближе познакомиться с буйволами, неожиданно забредшими в бассейн. И с аборигенами-вьетнамцами или «щедроглазыми», как называл их отец Пафнутий. Этих нигде видно не было, но Рыба пребывал в уверенности, что они находятся где-то неподалеку. И вот теперь, вместо романтической ночи, он получил сплошную головную боль в лице Третьей мировой войны, напрочь облысевшей Европы, Португалии, налезшей на Испанию, огненных шаров из космоса и людей с жабрами!

Чтобы как-то отвлечься от тягостных мыслей, Рыба сосредоточился на связке Испания—Португалия: получилось совсем неплохо, прямо-таки гипотетический финал ЧЕ по футболу, Васкес против Криштиану Роналду, — особенно когда он представил в качестве Португалии себя, а в качестве Испании — незабвенную Веру Рашидовну.

A las mil maravillas![1] — сам себе сказал Рыба, почувствовав настоятельную потребность завалиться в койку и предаться рукоблудию.

Тем более что койка, стоявшая в его комнате, оказалась во всех отношениях выдающимся произведением мебельного искусства. Как же далеко было до нее всем койкам, на которых когда-либо спал Рыба-Молот, включая супердорогую кровать с балдахином из гостевой комнаты в Салехарде! Нынешней койке больше подходило определение «ложе». И не из-за ширины (особой ширины как раз и не наблюдалось), а из-за... Из-за ее значительности, что ли.

---

[1] Восхитительно! (*исп.*)

При свете дня значительность не выпирала, но теперь, ночью, не заметить ее было невозможно. По мере того как Рыба (на цыпочках, мелкими шажками) приближался к ложу, желание заняться банальным онанизмом угасало. А на смену ему приходили совсем другие желания — как их классифицировать Рыба-Молот понятия не имел.

Ладно, разберусь как-нибудь, — подумал он, — *вот прилягу, и все сразу станет на свои места.*

Приблизившись к изголовью вплотную, Рыба почему-то поклонился ему, затем отдал давно забытый пионерский салют, затем отдал честь — в ее российском, американском и еще бог знает каком варианте, предполагающем открытую и поднятую вверх ладонь.

После этого он, со всеми предосторожностями и максимальным почтением, откинул покрывало и край хрустящей накрахмаленной простыни.

И оторопел.

На подушке расположился целый квинтет ярко-зеленых, худощавых и голенастых лягушек с красными глазами и тремя черными полосами на спине. Лягушки сидели, плотно прижавшись друг к другу, и смотрели на Рыбу немигающим взглядом.

Нихерасе! — опешил Рыба. — *Эти здесь откуда? Наверняка не просто так! Может, у щедроглазых так принято? Может, они лягух вместо кондиционера используют? Чтоб постель всегда прохладной была в жарком климате. А спать при этом как? Прав, прав был отче — басурманская страна, прости господи!*

— Брысь отсюда! — Рыба попытался придать своему голосу полковничью (а может, даже генеральскую) твердость. — В пропасть!..

Начальственный тон не произвел на пятерку лягух никакого впечатления. Они лишь мигнули красными глазами. И Рыба решил поменять тактику.

— Уважаемые, — произнес он с максимальной почтительностью к земноводным тварям. — Не хотелось бы никого обижать, но... Этот номер мой. Проплачен на месяц вперед. Следовательно — и кровать моя. Вы согласны?

Крайняя слева лягушка квакнула, но Рыба так и не понял, что означает этот возглас: согласие с основными тезисами его речи или, наоборот, полное несогласие.

— Не хотелось бы никого обижать, но, видимо, придется обидеть...

Теперь уже квакнула крайняя лягушка справа. И не просто квакнула, а так устрашающе раздула горло, что Рыба понял: спать на замечательном и во всех отношениях выдающемся ложе ему не придется. А придется искать что-то менее удобное и не столь накрахмаленное. Можно, конечно, попроситься на постой к кому-нибудь из товарищей по панибратцевскому несчастью. Только вряд ли кто-то примет его, за исключением семейного доктора Дягилева. Но перспектива остаться один на один с ветераном фармацевтики пугала Рыбу еще больше, чем перспектива провести ночь на полу, или на голом кафеле, или в камбоджийской тюрьме. Вспомнив про камбоджийскую тюрьму, Рыба начал думать о родственной ей вьетнамской тюрьме и о том, как она может выглядеть. И есть ли там раздувающие горло лягушки. Не то чтобы он боялся лягушек, — совсем не боялся. И один раз в одном из ресторанов, где работал на испытательном сроке, даже делал лягушачьи лапки в кляре: лапки числились основным блюдом тамошней кухни. Ресторан назывался помпезно и так же глупо — «Бебер и омнибус», и владельцем его был совсем не француз, а караим из Феодосии. При чем тут омнибус к Феодосии, Рыба так и не понял, и к тому же работать с лягушачьими лапками ему активно не понравилось. В общем, Рыба свалил из «Бебера и омнибуса» после двух дней испытательного срока, а потом еще месяц трясся мелкой дрожью и ежеминутно проверял не высыпали ли у него на руках бородавки.

Конечно, живые лягушки, сидящие на наволочке, были не в пример симпатичнее серо-зеленых полуфабрикатов из караимского ресторана. И все равно — Рыба предпочел бы, чтоб они убрались куда-нибудь подальше: к морю или в пальмовую рощу. Или чтобы книжка его жизни называлась не «Чайка по имени Джонатан Ливингстон», а «Цапля по имени Джонатан Ливингстон». В этом случае можно было надеяться, что материализовавшийся Джонатан придет к нему на помощь и сожрет всех зеленых недругов. О-о, где же ты, Джонатан! И почему ты не цапля?

— Пошли, пошли отседова, — предпринял Рыба последнюю попытку избавиться от лягушек. И даже указал перстом на дверь. А потом, передумав, указал на окно.

Лягушки снова заквакали — теперь уже все разом.

— Вы на кого батон крошите, сучки? — возмутился Рыба и в ту же секунду...

В ту же секунду он услышал первые такты «Марсельезы», далекие и невероятно притягательные. Моментально забыв про лягушек, Рыба-Молот, как зомби, двинулся на зов французского революционного гимна. Для этого ему пришлось выйти в коридор, пройти по нему несколько шагов и толкнуть дверь в ванную, находящуюся между его комнатой и комнатой егеря Михея. Именно оттуда и доносилась «Марсельеза».

Зайдя в ванную, Рыба порыскал глазами в поисках источника звука. Он обнаружился в пустой корзине для белья: там лежал телефон неизвестной модификации, изрядно потрепанный, но с цветным дисплеем. Рыба понаслаждался «Марсельезой» еще секунд двадцать, после чего взял телефон в руки.

Так и есть! — таинственная сеть PGN восстала из небытия и вновь напомнила о себе.

«НУ ЧТО, ИДИОТ, ДАЖЕ С ЗЕМНОВОДНЫМИ СПРАВИТЬСЯ НЕ МОЖЕШЬ? БЫСТРО ПОШЕЛ И СКАЗАЛ ИМ: UN AUTRE HOMME, UNE AUTRE CHANCE[1]».

Интересно, на каком это языке? Что-то знакомое в тексте присутствует — вроде как название одеколона или крема после бритья...

«НА ФРАНЦУЗСКОМ, ИДИОТ! ПРИМИТИВ ПОЛОРОГИЙ!» — мигнул дисплей.

Рыба хотел было мысленно возмутиться подобной несправедливости: уж не сама ли сеть втравила его в полорогость, присоветовав экспериментальный аналог стандартной прививки от малярии? Сама! А теперь еще перекладывает с больной головы на здоровую! Но, вспомнив о фээсбэшной вездесущности и цэрэушной осведомленности сети, возмущаться передумал и даже повторил рекомендованную фразу вслух. Три раза, а потом еще пять, с разными интонациями:

— Ун атрэ хоммэ, ун атрэ чансэ!

Вернувшись в комнату, Рыба констатировал, что лягушек на ложе поприбавилось: к квинтету в изголовье прибавился октет в ногах.

Нихерасе! — остолбенел Рыба. — *Такими темпами их здесь к утру двадцать тысяч будет, как на концерте Земфиры. Или сто тысяч, как на концерте Мадонны!*

Сам Рыба ни концертов Земфиры, ни концертов Мадонны никогда не посещал, — хотя по наущению Рахили Исааковны пробивал возможность выезда в Черногорию в то самое время, когда там вовсю шли приготовления к единственному Мадонниному выступлению в

---

[1] Другой мужчина, другой шанс (*фр.*).

Подгорице, в рамках мирового турне. Выезд не состоялся по причине страшной дороговизны:

а) самой турпутевки;

б) билетов на шоу.

Рахиль Исааковна, помнится, возмущалась тем, что творят очумевшие от шальных денег акулы шоу-бизнеса вкупе с обнаглевшими туроператорами. И немедленно и показательно разлюбила Мадонну, переключившись на MP3-прослушивание покойных сестер Берри и поющей на идиш группы «ОВИР».

Переведя взгляд с квинтета на октет и обратно, Рыба-Молот набрал в легкие побольше воздуха и гаркнул:

— Ун атрэ хоммэ, ун атрэ чансэ!

Произнесенные им слова произвели на лягух неизгладимое впечатление. Они быстро-быстро замигали красными глазами, отлепились друг от друга, соскочили с ложа и, высоко задирая голенастые ноги, попрыгали в сторону окна.

— Кошка ушла — собака место заняла! — с торжеством провозгласил Рыба.

Затем он сбросил с себя порядком надоевшие гипюровую футболку и треники (танцующий Траволта остался при нем), погасил ночник и юркнул под покрывало.

Тут-то и начались странности.

Во-первых, Рыба почувствовал, что его конечности — нижние, а особенно верхние, — стали вытягиваться. Натурально расти! — сантиметров на пятнадцать как минимум. Перепуганный насмерть, он хотел встать и включить ночник, чтобы пронаблюдать за ростом при свете, но в последний момент сделать это не решился. Черт его знает, что увидишь, — лучше уж находиться подальше от хорошо освещенной правды. А там, глядишь, все и обойдется.

Минут через пять интенсивный рост конечностей прекратился.

Рыба ощупал правой рукой левую, а левой — правую. Все десять пальцев были на месте, и они не трансформировались ни в ласты, ни в клешни, ни в копыта. Разве что на безымянном пальце левой руки вдруг возникло кольцо. Обручальное, если судить по тактильным ощущениям.

Наличие кольца чрезвычайно возбудило Рыбу-Молота.

И когда это я успел? — подумал он. — И кто моя жена в таком случае?

Он тотчас вспомнил Веру Рашидовну, воздевающую руки к небесам посреди стоянки частных самолетов. Затем — декольте Кошкиной, затем — аппетитный зад Рахили Исааковны, затем — неправильный прикус сестры Рахили Исааковны Юдифи и обворожительные, самодостаточные шестеренки у нее в глотке. И только в пятую голову Рыба воскресил в памяти ИзящнуюПтицу.

Боже, боже, если бы его женой ни с того ни с сего оказалась ИзящнаяПтица Ануш Варданян! Это было бы просто прекрасно, сногсшибательно, о-о-охренительно, — **a las mil maravillas** одним словом!.. Впавший в кратковременное любовное помрачение, Рыба-Молот тут же принялся шарить руками у себя в паху — вдруг и член увеличился вместе с конечностями? Но член по закону подлости остался в прежних параметрах и даже, как показалось Рыбе, слегка съежился.

«Не с твоим еврейским счастьем», — вспомнил он слова Гоблина, сказанные синхронисту-переводчику Володарскому.

Вот именно.

И не с его, Рыбьим, тоже.

Прошло еще полчаса, но ИзящнаяПтица так и не появилась. И кратковременное любовное помрачение Рыбы сошло на нет, уступив место глубинным культу-

рологическим аллюзиям и поиску хрестоматийных ар-
хетипов.

*Лягушки здесь не просто так, — рассуждал Рыба, — и
щедроглазые с их неправильным истолкованием принципа
работы кондиционеров совершенно ни при чем. Потому
что лягушки — это... это... Это — царевны! Даже сказка
такая есть, «Царевна-лягушка» называется!*

Поднапрягшись, Рыба (с грехом пополам) восстано-
вил сюжет сказки. И даже припомнил, что Царевна-лягушка была женщиной не простой, а с экстрасенсорны-
ми, алхимическими и полупроводниковыми способнос-
тями. И могла за ночь соткать ковер, а если хорошенько
попросить — то и несколько, с видом на Исаакиевский
собор, Тауэр и Кутафью башню. А готовила она!.. Тут,
впрочем, Рыба — как профессиональный повар — сумел
бы состязаться с ней на равных. А во всем остальном,
включая алхимию и ткачество, обязательно бы проиграл.

Положительно, Царевна-лягушка могла составить
счастье любого половозрелого мужчины. Одна-единст-
венная.

А здесь... Здесь их было целых тринадцать!

Гарем! — осенило Рыбу.

А если не гарем, то брачное агентство по типу под-
метного, хотя и суперрейтингового агентства некоего
П. Листермана, мошенника и аферюги международного
масштаба. П. Листерману была посвящена целая рубри-
ка в программе под названием «Главный герой», или в
какой-то другой программе, — Рыба не запомнил точно.
Но зато запомнил, как заплевал весь экран — в самом
прямом смысле слова.

— Мразина! Сводник! — кричал Рыба, стараясь попасть слюной в искаженную экраном, мутную и слегка
крысиную физиономию Главного Героя нашего време-

ни. — Живет же такая сволочь! Сморчок пакостный, тьфу! Нет, ты только посмотри на него, кисонька!..

— Смотрю! — спокойно отвечала Рахиль Исааковна. — И что?

— Как его только земля носит, сводника такого? Сутенера и порнографа, чтоб ему ни дна ни покрышки!

— Не понимаю, почему ты так распалился, пупочка?

— Как же не распаляться, кисонька, когда сутенеров по центральным каналам показывают в самый что ни на есть прайм-тайм! И не слова осуждения, заметь! О-о, куда мы идем, куда мы заворачиваем?!!

— А что же тут осуждать? Зарабатывает человек, как может. И никого при этом не убивает, заметь. Не грабит, не насилует...

— Только... это... растлевает, — к месту вспомнил пафосное слово Рыба. — Принародно и почти что в прямом эфире.

Пожароопасную мысль о растлении Рахиль Исааковна не поддержала, более того — отнеслась к бесстыжему аферюге с плохо скрываемым одобрямсом. Раздосадованный таким поворотом дела, Рыба хотел плюнуть и в жену, но слюна, к счастью, кончилась. Все ее стратегические запасы ушли на П. Листермана, и для их восстановления потребовалось целых две недели. В течение которых Рыба то и дело возвращался к мокрогубому и плохо выбритому своднику и посылал в его адрес мысленные проклятья. По прошествии двух недель Рыба решил действовать. Он даже сочинил некое подобие плана операции, включавшее в себя семь пунктов:

1. Купить оружие (снайперскую винтовку);

2. Доехать до Рублевки на рейсовом автобусе, вычислить особняк сутенера и занять главенствующую по отношению к особняку высоту;

3. Грохнуть сутенера и оставить на его трупе заранее приготовленную записку: «Герои Шипки. Месть и Закон»;

4. Явиться в ментовскую с повинной и потребовать открытого судебного процесса с присутствием электронных и печатных СМИ;

5. Использовать открытый судебный процесс как трибуну для изложения взглядов относительно сутенерства как госидеологии. А также коррупции как госидеологии, поклонения золотому тельцу как госидеологии, гламура как госидеологии. И прочих отвратительных вещей как госидеологии;

6. Прославиться на ближайшие полгода, как Уловимый Мститель;

7. Сесть на ближайшие десять лет и освободиться условно-досрочно через девять с половиной — из колонии строгого режима.

Но от плана пришлось отказаться, поскольку уже первый пункт о снайперской винтовке оказался невыполнимым. В оружейном магазине «Левша» снайперскую винтовку Рыбе не продали. Ружье-двустволку не продали тоже, сославшись на то, что у Рыбы нет соответствующих документов вроде охотничьего билета и некоторого количества справок — от нарколога, от психиатра и из все той же ментовки, куда Рыба-Молот собирался явиться с повинной. Чтобы не уходить с пустыми руками, Рыба зачем-то купил себе газовый баллончик. Но отправляться в пасть к аферюге международного масштаба, вооружившись одним лишь баллончиком, было совсем уж глупистикой. И Рыба, вздохнув, похерил карьеру Уловимого Мстителя и, по своему обыкновению, тут же переключился на другие, столь же малоосуществимые мечты. И впоследствии, встречая П. Листермана то в одной, то в другой телепрограмме, он больше не плевался, а говорил добродушно:

414

— Повезло тебе, сукин сын Листерман! Давно бы в могиле лежал, если бы не моя доброта...

Вряд ли тринадцать вьетнамских лягушек были ставленницами Листермана. Но мысль о том, что все они — Царевны (читай — супермодели, актрисы и харизматичные прыгуньи с шестом), не давала Рыбе покоя.

— Дорогусечки! — ласково позвал он и потер обручальное кольцо. — Где вы, кисоньки? Выходите, не стесняйтесь! Дядя Рыба вас не обидит! Дядя Рыба будет вас на руках носить!

Лягушки в полном составе проигнорировали призыв Рыбы.

Надо их как-нибудь по-другому завлечь, — решил он. — Применить тактику секса по телефону, бросить несколько рискованных фраз... Женщинам это нравится, хотя они и делают вид, что это им не нравится.

Еще через сорок минут первая — рискованная, с налетом легкой непристойности — фраза была готова. И Рыба открыл рот, чтобы произнести ее. Но получился совсем не секс по телефону, а:

— Français, si vous saviez![1]

А потом:

— Marche ou crève![2]

А потом:

— Arrêtez les tambours![3]

Все эти непонятные словосочетания определенно выскользнули изо рта Рыбы. Да что там выскользнули — вышли, чеканя шаг. Рыба по привычке хотел испугаться, но куда там! — никакого страха не было в его сердце. А были лишь отвага и решительность — чувст-

---

[1] Французы, если бы вы знали! (*фр.*)
[2] Шагай или сдохни! (*фр.*)
[3] Умолкните, барабаны! (*фр.*)

ва, совсем не часто посещавшие повара Александра Бархатова.

И они были прекрасны, что и говорить!

Рыба наслаждался ими, пока не заснул под невесть откуда взявшееся потрескивание, радиопомехи и удивительную по силе воздействия колыбельную:

«Но разве сказано последнее слово? Разве нет больше надежды? Разве нанесено окончательное поражение? Нет!

Поверьте мне, ибо я знаю, что говорю: для Франции ничто не потеряно. Мы сможем в будущем одержать победу теми же средствами, которые нанесли нам поражение.

Ибо Франция не одинока! Она не одинока! Она не одинока!..

Что бы ни произошло, пламя французского сопротивления не должно погаснуть и не погаснет!..»

Заснув, Рыба увидел сон.

И это был самый удивительный сон в его жизни. Ему снились затянутый маскировочной сеткой Лондон и притихший Париж, Черчилль, Трумэн, Эдит Пиаф, Эйзенхауэр с Аденауэром, Алжир и алжирские повстанцы, ООН, Никита Хрущев, Эвианские соглашения, эскадрилья «Нормандия-Неман», праворадикальная террористическая организация «Organisation armee secrete», студенческие волнения, открытые автомобили, трансатлантические перелеты, «Европа отечеств», коллаборационист Петен в заключении — и много, много чего другого.

Рыба-Молот, как он есть, не знал и половины промелькнувших во сне персонажей, событий и мест. Но спящему — длинноногому и длиннорукому — Рыбе все они казались знакомыми и привычными, и к каждому он испытывал совершенно определенные чувства.

Сформированные изнутри, а не под воздействием внешних факторов.

Во сне он чувствовал себя облеченным властью, немного усталым, неудовлетворенным и удовлетворенным одновременно и исполненным веры, ибо...

Ибо...

Ибо Франция не одинока! Она не одинока! Она не одинока!..

С этим торжественным гимном на устах Рыба проснулся. А проснувшись, снова стал Рыбой-Молотом и даже забыл, что Аденауэра зовут Конрад, а Эйзенхауэра — Дуайт.

Его встретил легкий гул, идущий отовсюду. Гулом и странными гортанными шепотами была заполнена вся комната. Приоткрыв сначала один глаз, а потом другой, Рыба чуть не свалился с кровати:

лягушки!

Их было много больше, чем тринадцать. Много, много больше!

Не концерт Земфиры, конечно. И не концерт Мадонны. Но клубному выступлению Жанны Фриске их количество вполне соответствовало.

Лягушки поквакивали и смотрели на кровать красными немигающими глазами.

Чего им надо-то? Чего надо? — с тоской подумал Рыба.

И в ту же секунду в его голове раздались знакомое до боли покашливание и постукивание пальцем по микрофону.

Господин Володарский, отец родной, только тебя и не хватало!

— Выглядит полным идиотом, — сказал господин Володарский.

— Кто? — не понял Рыба.

— «Выглядит полным идиотом» — это дословный пе-
евод. Вы! Вы выглядите полным идиотом в их глазах.

— Чьих?

— Лягушачьих. Дальше переводить или не стоит?

— Валяйте, — обреченным голосом произнес Рыба.

— Это другой мужчина, но совсем не другой шанс.
Этот — еще хуже, чем все остальные.

— Чем кто?

— Чем все остальные. Переводить?

— Да.

— Неужели он больше не вернется в каком угодно обличье?

— Кто? — снова высунулся Рыба.

— Не мешайте работать! — прикрикнул Володарский
и продолжил перевод:

«Он должен вернуться. Мы ждем уже столько десяти-
летий, поколение сменяется поколением, а мы все ждем
и ждем».

«Но это не он!»

«А фраза на французском? Никто ее не говорил до
этого идиота».

«Вы уверены, что это именно та фраза, которая должна быть произнесена?»

«Нет. Но по смыслу она подходит, как никакая другая».

«Это не он».

«А если все же он?»

Синхронист-переводчик Володарский ненадолго замолчал, посапывая и покашливая одновременно, а потом обратился непосредственно к Рыбе:

— Ну вот, кое-что проясняется. Вы попали, уважаемый. Эти твари ждут генерала де Голля.

— Кого? — мысленно разинул варежку Рыба.

— Генерала де Голля. Героя войны и первого президента Пятой республики. Когда-то он ночевал здесь. В этой

комнате, в этой кровати. И так поразил коллективный разум предков этих тварей, что с тех пор они ждут его второго пришествия.

— А зачем?

— Откуда же мне знать — зачем?

— А они... лягухи то есть... не говорят зачем?

— Нет.

— А Генерал.. Де Голль то есть... Он ведь давно умер, так?

— Да. Умер он давненько. Году эдак в семидесятом прошлого столетия.

— И зачем тогда ждать того, кто умер?

— Возможно, их интересует новая реинкарнация Генерала.

— И что они с ней будут делать?

— Послушайте, уважаемый, — господин Володарский стал выказывать первые признаки недовольства, — откуда ж я могу знать зачем? Возможно, они хотят, чтобы Генерал возглавил их крестовый поход против человечества...

— Это уже точно известно?

— Это мои предположения. В порядке бреда, конечно. В порядке юмора.

Рыба стал судорожно соображать, говорилось ли что-либо о лягушачьей экспансии за вчерашним вечерним коктейлем. Вроде бы нет, но черт его знает...

— А у лягушек есть жабры?

— У некоторых земноводных есть, насколько мне известно, — немного подумав, сказал всезнайка Володарский. — Но насчет этого конкретного вида ничего определенного сказать не могу.

Вот оно! Что, если люди с жабрами — не плод воображения болгарской прорицательницы Ванги, а надвигающаяся мрачная реальность, в которой ему, Рыбе-Молоту, отведена не последняя роль? И именно он станет родоначальником вида?! Красноглазые лягухи прикинутся царевнами, вотрутся в доверие к Рыбе, и он попростецки удовлетворит их. В положенный срок лягухи отметают икру с человеческой начинкой — и пошло-поехало!.. От столь чудовищной перспективы Рыбу прошиб холодный пот, а левая половина ягодицы намертво приклеилась к правой.

— Вот гадины! — пожаловался он синхронисту-переводчику. — А я-то, наивный, думал, что они — царевны.

— Дешевые мужские стереотипы, — резюмировал Володарский. — Они не царевны. Они — голлистки.

— Я и сам вижу, что они голые совсем. Волосатая проехидна из влажных горных лесов Новой Гвинеи намного симпатичнее...

— Святая простота! «Голлистки» означает — сторонницы генерала де Голля. Это же азбучная истина. Знания первого порядка.

— Учту. А вы вправду думаете, что я — новая реинкарнация Генерала?

— Даже в страшном сне не мог бы себе этого представить.

— Все правильно, — немедленно согласился с Володарским Рыба. — Если уж на то пошло, то я не реинкарнация де Голля, а реинкарнация Будды...

— М-дяя... Тяжелый случай, — вздохнул господин Володарский и отключил микрофон.

Оставшись в полном одиночестве и лишенный какой бы то ни было интеллектуальной поддержки, Рыба решил пойти напролом. Он соскочил с кровати Генерала (лягушки отреагировали на это кваканьем и синхронным раздуванием горла), подхватил найденный вчера ночью телефон и футболку с трениками и, крикнув напоследок что-то вроде:

Le fric met les voiles![1]

выскочил из комнаты. И плотно прикрыл за собой дверь.

Погони не последовало.

Зато Рыба сразу же окунулся в неприятные для большинства членов делегации итоги прошедшей ночи. Оказывается, панибратцевские отпрыски и не думали спать. Под покровом темноты они проникли в комнаты взрослых — и:

— срезали ножницами полбороды отцу Пафнутию;

— вымазали невесть где раздобытым птичьим пометом лицо Нинели Константиновны;

— подожгли шерстяной покров на ногах егеря Михея;

— стащили шиньон, бандаж и бируши у Мари-Анж;

— побрили ротвейлера;

— покрасили бультерьера краской «Сияющий каштан», найденной в дорожном бауле Нинели Константиновны;

— заткнули ноздри семейного доктора Дягилева тампонами «Тампах», найденными в дорожном бауле Мари-Анж, — и тот едва не задохнулся.

Кроме того, малолетние исчадия ада втащили одного из буйволов в столовую и тот нагадил прямо на паркет.

— А тебя почему-то не тронули, рыбонька, — сказала Рыбе Нинель Константиновна. — Почему?

— Понятия не имею. — Рыба старался не смотреть на полиловевшее от разъедающего воздействия гуано лицо воспитательницы.

— Ты, наверное, дверь запер. И окна.

— Вроде бы запер, — соврал Рыба.

— Подозрительно, очень подозрительно...

---

[1] Деньги поднимают паруса! (*фр.*)

— Запер. Точно!

— Они бы открыли, если бы захотели.

— Видимо, не захотели.

— Странная избирательность, ты не находишь?

Рыбе страшно не хотелось, чтобы между ним (не пострадавшим от бесчинств) и всеми остальными (пострадавшими) пробежала черная кошка. И потому он сказал примирительно:

— Знаешь, дорогусечка... Как говорит народная мудрость — «Не стреляйте в повара. Он готовит, как умеет». Вот они и не выстрелили...

Произошедшее сломило даже видавшего виды отца Пафнутия, бывшего военного советника, собственноручно наколовшего на штык восемь американских морских пехотинцев. Что уж было говорить об остальных? Егерь Михей без перерыва стонал и прикладывал к обожженным ногам мазь «Спасатель». Нинель Константиновна читала вслух сборник стихотворений Агнии Барто «За цветами в зимний лес» и уверяла всех, что лучшего средства для успокоения измученной физическими и нравственными страданиями души не существует. Мари-Анж истово молилась на миниатюрную каменную статуэтку богини Коатликуэ (квадратной женщины с квадратным лицом, квадратными ногами и медальоном-черепом на брюхе).

— Assassiner! Tuer! Détruire! — то и дело вскрикивала она и заливалась полуплачем-полусмехом, до смерти пугая семейного доктора Дягилева.

— Нельзя же так, драгоценная моя, — увещевал Мари-Анж ветеран фармацевтики. — Так вы себя прямиком к нервному срыву приведете. К психиатрической лечебнице закрытого типа. Давайте-ка выпьем успокоительного. Ну-ну, не упрямьтесь! Ложечку за Люка Бессона! Ложечку за Николя Саркози!..

Во избежание дальнейших эксцессов на общем совете было принято решение держаться всем вместе, переселившись для этого в столовую, где до сих пор находился буйвол. Туда же перетащили запасы спиртного (три бутылки виски, одна бутылка водки и одна бутылка кубинского рома), деморализованных бультерьера с ротвейлером, походный алтарь и так и не вышедшего из летаргического сна кинолога.

Отец Пафнутий отслужил службу о здоровье, благополучии и скорейшем приезде из Лондона супер-пупер-мега-квадро-квази-нано-техно-порно-десять-в-двадцать-четвертой-степени няни, призванной спасти положение.

Рыба слушал отца Пафнутия вполуха, предаваясь своим собственным мыслям разной направленности: как положительной, так и отрицательной. С одной стороны, хорошо, что он укоренился в столовой и что ему не нужно возвращаться в комнату к лягухам-голлисткам и подвергать себя ненужным искушениям и столь же ненужным испытаниям. С другой стороны, плохо, что он так толком и не приступил к своим непосредственным обязанностям: вкусно кормить взрослых и детей.

Дети.

Бедные и наверняка голодные дети!..

На глаза Рыбы навернулись слезы, но, взглянув на изуродованную бороду батюшки, лиловое лицо Нинели Константиновны и обожженные ноги егеря Михея, он отрекся от всякой жалости. Эти исчадия не пропадут, эти — всегда добудут себе и первое, и второе, и компот. Или возьмут сухим пайком, в крайнем случае.

Затем Рыба переключился на мысли о том, как это так произошло, что, не доставлявшие особых хлопот на Родине, дети здесь — на чужбине — как с цепи сорвались. *Драконы,* — не придя ни к какому более или менее рациональному объяснению, подумал Рыба, — *драконы и есть, хоть и маленькие еще. А драконья душа – потемки.*

После молебна — чтобы скоротать время до приезда Суперняни — играли в лото (выиграл семейный доктор Дягилев), города (выиграла Нинель Константиновна), бутылочку (выиграла Мари-Анж, перецеловавшая всех, за исключением доктора, который не целовался с женщинами из принципиальных соображений) и в «Третий лишний». В «Третьем лишнем» бесспорным победителем стал Рыба-Молот. Он еще сидел на выигрышном стуле, когда в недрах черкизоновских треников заголосил мобильник: на этот раз исполнялась не всемирно известная «Марсельеза», а песня для сугубо внутрироссийского пользования — «Непогода» Максима Дунаевского.

Вытащив телефон из кармана, Рыба-Молот обнаружил одну из самых жизнеутверждающих эсэмэсок, когда-либо присланных сетью PGN:

«РАДУЙСЯ, ИДИОТ! И ПУСТЬ ДРУГИЕ ИДИОТЫ ПОРАДУЮТСЯ ТОЖЕ. ЧЕРЕЗ 2 Ч. 15 МИН. САМОЛЕТ С СУПЕРНЯНЕЙ ПРИЗЕМЛИТСЯ В АЭРОПОРТУ ГОРОДА ХОШИМИН. ВСТРЕЧАЙТЕ И ПРОЧЕЕ».

Рыба на секунду впал в ступор от такой, воистину благословенной вести. Но быстро пришел в себя и обвел торжествующим взглядом присутствующих:

— Прилетает! — выдохнул он.

— Кто? — выдохнули все.

— Да суперняня же!

— Тоже мне, новость, — поджала губы Нинель Константиновна. — Известное дело, что прилетает. Через два дня... Теперь уже через полтора.

— В том-то и дело, что нет! Не через два дня, а через два часа! Прямиком в аэропорт Хошимина, где мы приземлялись!

— И откуда ты это знаешь, рыбонька?

— Сообщение пришло.

— От кого?

— Ну-у... Из хорошо информированных источников... Э-э... близких к хозяину.

— Вот и врешь! — В голосе Нинели Константиновны послышались нотки плохо скрытой ревности. — Если бы так оно и было — хозяин бы мне в первую голову позвонил. Или отцу Пафнутию, как старейшине и религиозному деятелю. Или доктору, как... как доктору! Педиатру и терапевту. А повару-то с чего ему названивать? И уж тем более писать, время на набор букв тратить.

— Я ведь не сказал, что хозяин звонил, — обиделся Рыба. — Я сказал: «хорошо информированные источники, близкие к хозяину». Разницу понимаете? И вообще... За что купил, за то и продаю.

— Иди продавай в другом месте, — посоветовал отец Пафнутий.

— Вот-вот, — поддакнула Нинель Константиновна.

— Так-так, — поддакнул доктор.

— Гав-гав! — подвели черту бультерьер с ротвейлером.

Общий хор негодования звучал так мощно, что в нем едва не потонул звонок уже совсем другого мобильника — на этот раз принадлежавшего Нинели Константиновне. Едва взглянув на дисплей, Нинель Константиновна подняла руку, и шум моментально стих. По вытянувшемуся лицу воспитательницы младших детей, по губам, непроизвольно сложившимся в подобострастную улыбку, стало ясно — звонит хозяин.

Реплики Нинели Константиновны были достаточно односложными, но общая направленность разговора все же просматривалась.

— Да, да, — шептала воспитательница в трубку. — Не извольте беспокоиться.

— Нет, нет, — шептала воспитательница в трубку. — Человеческих жертв по-прежнему нет. Но неустанно работаем в этом направлении.

— Да нет, все в порядке, — шептала воспитательница в трубку. — Встретим, конечно же встретим... Ого! Я поняла. Все будет в лучшем виде. Повар? Пришел в себя... Волосы? А-а... Шерсть! Шерсть выпала. Жив, жив. Здоров. Передам обязательно.

Завершив разговор, Нинель Константиновна с силой захлопнула крышку мобильника и уже знакомым ревнивым взглядом уставилась на Рыбу:

— Тебе привет, рыбонька, — сказала она. — От хозяина.

— Спасибо, — смутился Рыба. — И ему не хворать...

— И насчет супер-мать-ее-за-ногу-няни ты тоже был прав. Прилетает. Через два часа. Тем же самолетом, что и мы. В тот же аэропорт.

— Значит, не через два дня? — все еще не верил своему счастью отец Пафнутий.

— Через два часа, что непонятного? Пересмотрела график в сторону более раннего прибытия...

— Благороднейшая женщина! — воскликнул доктор. — Не правда ли, отче?

— Истинно так! — Отец Пафнутий размашисто перекрестился. — Услышал-таки Господь нашу молитву!

— Ага. Услышал, — подтвердила Нинель Константиновна. — За двести пятьдесят тысяч фунтов стерлингов.

— Что же это вы такое говорите, матушка?

— Не я. А суперняня. Пересмотрела график в сторону более раннего прибытия за премиальные в размере двухсот пятидесяти тысяч фунтов стерлингов.

Озвученная сумма произвела на жертв панибратцевской хрустальной ночи неизгладимое впечатление. Доктор охнул, отец Пафнутий снова начал креститься — на

426

этот раз мелко и часто. Собаки разразились воем и поскуливанием. И лишь Мари-Анж по обыкновению дернула правым веком и произнесла сакраментальное:

— Assassiner!..

— Но это еще не все, — выдержав паузу, произнесла загробным голосом Нинель Константиновна.

— Будут доплаты? — поинтересовался Рыба.

— Насчет доплат мне ничего не известно... Но велено передать, что поскольку источником этого форс-мажора явились именно мы с вами... то эти двести пятьдесят тысяч повесят на нас.

— Как это — повесят? — доктор охнул еще раз.

— Проще самим повеситься. — Отец Пафнутий запустил пальцы в остатки бороды и стал яростно дергать ее.

— Или ее повесить! Суперняню чертову, — прорезался егерь Михей, до сих пор молча лежавший в углу, на бархатной козетке. — А деньги поделить по-братски. И скрыться в Ватикане. Или на горе Синай.

— Достанет, — тотчас же остудила пыл Михея Нинель Константиновна. — И в Ватикане, и на горе Синай, и в дальнем космосе. Достанет и испепелит! Это же Панибратец. Дракон.

Рыба хотел было сказать, что в дальнем космосе у него есть почти что дружбаны — отважные отроки со звездолета «Заря». И что на крайняк можно попросить у отроков убежища. Но, посмотрев на кислые лица товарищей по несчастью, упоминать о звездолете передумал и, по обыкновению, принялся считать: как долго придется выплачивать Панибратцу форс-мажорное бабло. И какова будет сумма выплат.

— Собаки тоже в доле? — спросил он у Нинели Константиновны.

— Думаю, что да.

— Уже легче...

Поделив деньги на общее количество должников, Рыба умножил полученную сумму на число месяцев в году, не забыв извлечь квадратный корень из сентября и кубический — из марта. Выходило, что заплатить придется никак не меньше, чем весит священный мусульманский камень Кааба (причем не в тоннах, а в килограммах). Спрессованные в неподъемную ношу килограммы не понравились Рыбе, и он позволил себе выразить недовольство:

— Эдак всю жизнь платить придется!

— Вообще-то, не одну. А три, как минимум. Исходя из наших зарплат, — бодро заявила Нинель Константиновна. — Но ничего. Подожмемся немного и выплатим!

— Скорей бы уж Третья Мировая! — мечтательно произнес семейный доктор Дягилев, а егерь Михей в голос застонал на своей козетке.

После столь сокрушительного финансового опускалова встречать супер-пупер-мега-квадро-квази-нано-техно-порно-десять-в-двадцать-четвертой-степени няню не хотелось никому. Так что пришлось тянуть жребий на спичках, и крайними оказались Рыба-Молот и семейный доктор Дягилев.

Первую половину дороги в аэропорт Рыба мучительно соображал, как бы извернуться и незаметно подменить священный камень Кааба на Царь-пушку (которая, по мнению повара, весила несколько меньше). Но, так и не придя ни к какому решению, он переключился на мысли о суперняне.

— Как вы думаете, доктор, она молодая? — через каждые три минуты спрашивал Рыба у доктора.

— Не знаю. А какая разница?

— Никакой, конечно. Но хотелось бы, чтоб молодая...

— Кому хотелось?

— Ну... Мне. А вам?

— Мне совершенно все равно.

— Ясно... А как вы думаете, доктор, она красивая?

— Не знаю. А какая разница?

— Никакой, конечно. Но хотелось бы, чтоб красивая... С эстетической точки зрения это всегда лучше. И для детей полезнее. Воспитывает чувство прекрасного и формирует вкус... В хорошем смысле этого слова.. Вот если бы она оказалась похожей на Милу Йовович — было бы здорово!

— Тогда уж лучше на Элтона Джона, — неожиданно врубился в тему ветеран фармацевтики.

— ...Или на Николь Кидман!

— Тогда уж лучше на Фредди Меркьюри...

— ...Или на Мишель Пфайфер!

— Тогда уж лучше на Бой Джорджа...

...Рыба-Молот на пару с семейный доктором Дягилевым попали пальцем в небо: суперняня не была похожа ни на Николь Кидман, ни на Фредди Меркьюри. Она оказалась вылитой Шэрон Стоун, — причем не Шэрон из фильма «Основной инстинкт», а Шэрон из фильма «Быстрый и мертвый». Когда она вышла из «Ила-86» и на несколько секунд застыла на трапе, широко расставив ноги в пыльных ковбойских сапогах, сердце у Рыбы-Молота екнуло. Очевидно, те же чувства внезапно испытал и Дягилев: он схватился за грудь и непременно бы упал, если бы Рыба не поддержал его.

— Нихерасе! — внутренности Рыбы слиплись в ком на манер подтаявших соевых конфет. — Вот это мандалэйла!

— Да уж, — булькнул доктор. — Всем мандалэйлам мандалэйла!..

Шэрон Стоун между тем громыхнула стоящим колом плащом до пят, сдвинула на затылок ковбойскую шляпу и улыбнулась, на секунду явив монолитный, без единого зазора массив ослепительно белых зубов. Ее улыбка была столь лучезарна, что весь остальной мир погрузился во тьму. И вышел из нее, как только улыбка погасла. После образцово-показательной улыбки наступил черед образцово-показательного зевка. Шэрон зевнула так сладко, что у близстоящих самолетов затряслись крылья, а одна из пальм неподалеку переломилась пополам.

— Продешевила, — пробормотал зачарованный Рыба-Молот. — Нужно было брать не двести пятьдесят тысяч, а двести пятьдесят миллионов...

— Да уж, — поддержал зачарованного Рыбу зачарованный доктор. — Однозначно!

— И что характерно — дали бы. И еще сверху пару миллионов накинули за сапоги.

— Нет. Как минимум, пять. За сапоги и шляпу.

Еще через минуту началось синхронное движение русских и англичанки навстречу друг другу. Шэрон легко сбежала с трапа, оставляя за собой проломленные ступени, а Рыба-Молот с доктором (держась друг за друга и с трудом лавируя в воздушных потоках, производимых Шэрон) едва доковыляли до середины самолетной стоянки. Здесь, в эпицентре импровизированного торнадо, обе стороны и встретились.

— Вы — это вы, — светски начал Рыба. — Суперняня, так?

— Йес! — снова улыбнулась Шэрон.

— А мы — это мы. Вэлкам!

— Поппинс! Мэри Поппинс! — Суперняня демократично протянула Рыбе руку для рукопожатия.

Несколько мгновений он раздумывал, что ему с этой рукой делать: пожать, как было предложено, или поцеловать — в порядке ненавязчивой импровизации. Выбрав последнее, Рыба склонился над мраморно-белой кожей Шэрон, а точнее «Поппинс! Мэри Поппинс!» и прижался к ней губами. И замер от изумления. Ощущение было такое, что он поцеловал то ли остывшую доменную печь, то ли прокатный стан.

— Мы... это... вэри глэд!

— Можете говорит со мной русский. Я изучать... Изучил.

— Надо же — Мэри, — задумчиво произнес доктор, ожидающий своей очереди к прокатному стану. — Вообще-то, вы очень похожи на актрису Шэрон Стоун.

— До меня доходить слухи. Но я лучше, не правда ли?

— Много, много лучше, — с жаром заверил Рыба-Молот.

— Ха-ха-ха! — от души рассмеялась «Поппинс! Мэри Поппинс!», и на всех автомобилях в округе взвыли сирены. — Вы, русски, большие хитрецы. Как это? Дамские угодники, вот.

— Ни боже мой! — Доктор Дягилев даже замахал руками. — Мы — очень честные и очень прямые люди. Об этом во всех книгах сказано.

— Я не читаю книга. Совсем нет времени, да. Но знаю, что вы, русски, весело пьете водка. Как это у вас говорится... выпьем за встреча?

— Ну... Можно, наверное. По граммульке, — нерешительно произнес Рыба.

— Накатим! — К удивлению обоих мужчин, «Поппинс! Мэри Поппинс!» продемонстрировала прямо-таки недюжинные познания в русском арго.

Распахнув полы плаща, она достала из бездонных внутренних карманов две литровые бутылки виски «Jameson»; одна перекочевала в руки Рыбы, а другую суперняня оставила себе.

— Ну! Как у вас говорить — «На здоровье»!

— Вообще-то, у нас говорят «За здоровье», — машинально поправил суперняню Рыба-Молот. — Не мешало бы стаканчики какие-нибудь организовать... А то из горла пить... Некомильфо как-то.

— О-о! — Суперняня погрозила Рыбе совершенным по форме указательным пальцем. — Хитрецы, хитрецы! Русски бе́ар... Как это — медведи! Весь мир знать, что вы пьете из горлишка. Я тоже пить из горлишка. Это гуд традишн...

Рыба с доктором и глазом моргнуть не успели, как «Поппинс! Мэри Поппинс!» лихо открутила пробку и за какие-то жалкие две минуты всосала в себя весь литр. После этого она вытерла рот тыльной стороной ладони и со всей дури шмякнула пустую бутылку о землю.

— Нихерасе! — в очередной раз восхитился Рыба-Молот. — Вот это мандалэйла! Вот это да!

— Что есть «мандалэйла»? — сдвинула брови суперняня.

— Это... Это — общее понятие. Супердевушка типа...

— Йес! Вы очень милы русски беар...

В качестве поощрения «Поппинс! Мэри Поппинс!» притянула Рыбу-Молота к себе и поцеловала взасос. От такого экспрессивного проявления чувств Рыба едва не потерял сознание. Вернее — потерял. И сразу же нашел — в пасти доменной печи: на этот раз не остывшей, а вполне рабочей, исправно выплавляющей чугун при запредельной температуре в тысячу градусов. Рыба уже приготовился сгореть дотла за шестьдесят секунд, как вдруг услышал спасительный голос доктора Дягилева:

— Может быть, отправимся к месту, так сказать, дислокации? А то ребятишки наши заждались уже... Каждые полчаса нас теребят, все спрашивают: когда же суперняня приедет?..

— О-о! Суперняня уже ехать! Лететь под парус! Она здес... Здес!..

Непринужденно оттолкнув обмякшего и бездыхан-
ного, с опаленными волосами и бровями Рыбу-Молота
(несчастный упал прямо на руки доктору), «Поппинс!
Мэри Поппинс!» достала сразу две сигары.

— Я не курю, — быстро сказал ветеран фармацевтики,
педиатр и терапевт.

— Я зналь... Русски беар не курят сигару. Русски беар
курят... как это... Ноги от коз... Эти две сигара для меня.
Ви не возражать?

— Нет-нет, что вы!..

Еще раз ослепительно улыбнувшись, суперняня оторвала безупречными зубами кончики обеих сигар, сунула их в рот и прикурила от большого пальца. И выпустила сразу двадцать колец разной геометрической
формы.

Рыба-Молот пришел в себя, когда сигары были вы-
курены ровно наполовину.

— Надо бы взять ваш багаж, —
по-деловому начал он, стараясь скрыть смущение:
надо же было так опростоволоситься перед иностран-
ной гостьей! Взял и вырубился от простого дружеского
поцелуя, не идиот ли?

Как есть идиот!..

— Май бэггэч? О-о, его очень, очень много. Не стоит
беспокойства.

— Как это — не стоит беспокойства? — удивился
Рыба.

— А вот так! — Суперняня снова рассмеялась, и бли-
жайшая к ней несущая стена аэропорта пошла трещина-
ми. — И еще — вот так!

Сказав это, она протянула руку в сторону ИЛа-86, на
котором прилетела, и быстро свела пальцы — как сводят
их, чтобы поймать бабочку. Так же быстро «Поппинс!
Мэри Поппинс!» сунула сведенные пальцы в бездонный

внутренний карман своего ковбойского плаща. А на том месте, где еще секунду назад стоял «Ил», больше не стояло ничего.

Вообще ничего.

Абсолютно.

— А самолет куда делся? — плачущим голосом спросил доктор Дягилев.

— НИХЕРАСЕ! — прошептал Рыба. — Не двести пятьдесят миллионов, а двести пятьдесят миллиардов! И неограниченный кредит в Сбербанке на триста лет вперед! Хотя нет, кредит — это фигня. Кредит — в пропасть! У меня есть одна знакомая кровать... Историческая, можно сказать. Легендарная. Вам понравится...

— Кро-вать? Что есть кро-вать?

— Э бэд... По-английски.

— Сейчас мне не нужен кро-вать. Мне нужен... хеликоптер.

— Вертолет, что ли? Какой?

— Эни... Любой. Ми лететь к нашим малюткам на хеликоптере.

— А зачем вам вертолет? — Рыбе все еще не давал покоя ИЛ-86, исчезнувший в недрах ковбойского плаща. — Может, того, — прямо по воздуху?

— О-о! Нет, нет! Ви меня переоценивать... В этом плане я обычный девушка, совсем не... как это... мандалэйла. Я не уметь летать. Это все фэри тэйлз. Сказки, да!.. Йес! Кажется, я видеть один хеликоптер. Летс гоу!..

На краю поля и вправду стоял вертолет с символикой Юнеско на борту. До недавнего времени его перекрывал ИЛ-86, но теперь, когда ИЛа не стало, несчастная винтокрылая машина оказалась совершенно беззащитной перед натиском суперняни.

— Вы предлагаете его угнать? — затрясся законопослушный доктор Дягилев.

— О-о, нет! Нет! Ми просто взять его напрокат. Долететь до места и сразу вернуть!

— Каким образом?

— Ит даз нот мэтта! Неважно... Как-нибудь.

— А если там не будет ключа в замке?

— Ит даз нот мэтта!..

И суперняня повернулась к обоим *русски беар* спиной и понеслась по полю в сторону вертолета. За ее совершенными, безупречной формы плечами висели:

- зонтик на ремне;
- шотландская волынка;
- дудочка факира;
- автомат «Узи»;
- лассо;
- елочная гирлянда;
- подствольный гранатомет М203.

Пшеничные волосы суперняни развевались подобно степному ковылю; полы ее плаща бились о сапоги со звуком приближающейся снежной лавины, а следом за ней неслось сразу посколько ветров: сухие и жаркие хамсин и сирокко, влажные и холодные сан-таш и памперо, а еще — мистраль, гармсиль и бора. При желании можно было бы разглядеть в складках ее одежды и двух пришельцев — солнечный ветер и ветер звездный, но Рыба-Молот не стал их разглядывать. Он и так был потрясен масштабами личности приближающейся к абсолюту «Поппинс! Мэри Поппинс!».

— Да-а, великая женщина, — вздохнул доктор Дягилев, сплевывая песчинки, принесенные сирокко. — Величайшая!

— Но и берет дорого, — вздохнул Рыба-Молот, сплевывая градины, принесенные памперо.

— Потому и дорого, что великая. От каждого — по способностям, каждому — по труду. Этот закон еще Карл Маркс вывел.

— А не Фридрих Энгельс?

— Может, и Энгельс, но скорее всего — Гегель.

— А я думал — Фейербах.

...Воцарение на двух виллах Лонг Хая «Поппинс! Мэри Поппинс!» изменило быт их временных постояльцев самым кардинальным образом. Особенно тогда, когда суперняня распаковала свой багаж, в котором оказались: цирк шапито, начальная школа выездки и конкура, театр индонезийских марионеток, музей восковых фигур, действующая модель электронного коллайдера в масштабе 1:100, действующая модель нейтронной бомбы, радиохимическая лаборатория, мини-обсерватория, площадка для игры в крикет и площадка для игры в конное поло.

Все девять детей Панибратца были очарованы.

Они не отходили от суперняни ни на шаг. Иначе и быть не могло, ведь у нее — такой прекрасной, такой совершенной, такой доброй (но и строгой одновременно) — была самая настоящая нейтронная бомба! А еще — автомат «Узи», не говоря уже о подствольном гранатомете! Впрочем, не только дети обожали суперняню: с некоторых пор вблизи от «Поппинс! Мэри Поппинс!» сторонние наблюдатели стали замечать ярко-зеленых голенастых лягушек с красными глазами и черными полосами на спине.

А Рыба-Молот вернулся к своим прямым обязанностям: вкусно кормить детей и взрослых. Неприятности первого дня и первой ночи забылись сами собой и впереди всех ждал целый месяц полноценного вьетнамского отдыха.

ГЛАВА ЧЕТВЕРТАЯ, САМАЯ КОРОТКАЯ, НО И САМАЯ МНОГООБЕЩАЮЩАЯ, — *в которой Рыба-Молот навсегда расстается с любовью всей его жизни — Ануш Варданян, а читатель навсегда расстается с Рыбой-Молотом, вытянувшим напоследок счастливый билет и получившим предложение, от которого нельзя отказаться*

...Была суббота, и Рыба шел по вьетнамскому рынку, выбирая фрукты, овощи, рис, лапшу «фо» и специи. На сгибе локтя у Рыбы висела корзинка. Точно такие же корзинки, только побольше, прижимали к багажникам своих велосипедов трое вьетнамцев — добровольных (за полтора доллара в день) помощников повара Бархатова.

За три недели (а именно столько времени прошло с тех пор, как самолет ИЛ-86 впервые приземлился в аэропорту Хошимина) Рыба загорел, посвежел и полностью обновил свой гардероб. Теперь в нем имелись три цветастые рубашки навыпуск, две футболки, две пары шорт, вьетнамки местного производства и того же производства традиционная соломенная шляпа «нон» с завязками под подбородком.

В правом нагрудном кармане Рыбы лежали деньги и список продуктов, которые нужно было купить к сегодняшнему торжеству: ровно на семь вечера было назначено испытание действующей модели нейтронной бомбы, после чего незамедлительно следовали праздничный ужин и выступление театра индонезийских марионеток. Сегодня в нем давали премьеру: пьесу «Резня пуговиц», сочиненную силами суперняни и старших детей.

Предвкушая семичасовый взрыв положительных эмоций, а также все последующие гиперположительные взрывы, Рыба-Молот пребывал в самом благодушном расположении духа. Он уже решил, что даст своим маленьким вьетнамским друзьям не полтора доллара, как обычно, а целых два. И что — специально для блистательной, *a las mil maravillas* «Поппинс! Мэри Поппинс!» — купит короля фруктов — плод под названием дуриан.

До сих пор Рыба обходил дуриан десятой дорогой, поскольку был наслышан о его феноменальной вонючести. Циркулировали, впрочем, и другие слухи: «дуриан дуриану рознь», «покупай дуриан до одури, пока не нападешь на хороший: тогда-то и поймешь, почему он король фруктов», и все такое прочее. Рыба на эти слухи не обращал никакого внимания, но почему-то именно сегодня решил обратить.

Он как раз подходил к фруктовой лавчонке, торгующей дурианами, когда в кармане шорт зазвонил мобильник. Поначалу Рыба удивился лишь слегка (телефон не беспокоил его все три недели), затем — удивился сильно и — почти сразу же — очень сильно. А потом и вовсе опупел и едва не врос в землю по колено: из крошечных динамиков телефона лился, казалось бы, давно и безвозвратно утерянный рефрен песни —

«прекрасна, ранима, опасна, ревнива. изящная птица, коварная львица».

Трясущимися руками Рыба пробежался по кнопкам и распечатал очередное (судьбоносное! сакральное! благословенное, с оливкой ветвью и миртовым деревцем в клюве!) сообщение сети PGN:

«ЭТО ОНА. БУДЕШЬ ИДИОТОМ, ЕСЛИ УПУСТИШЬ! 100 М ПО ПРЯМОЙ ВПЕРЕД, ЗАТЕМ ПОВОРАЧИВАЕШЬ НАПРАВО. ЕЩЕ 50 М И ПОВОРАЧИВАШЬ НАЛЕВО. ЕЩЕ 35 М — И КОНЕЦ МАРШРУТА. ТОРОПИСЬ, ИДИОТ!»

О-о! Это она — ИзящнаяПтица, которую Рыба-Молот уже и не чаял увидеть! Она, она, она!.. Затылок Рыбы заломило, все остальные подвижки в организме прошли по уже накатанной схеме: ноги свело судорогой, а левая половина ягодицы намертво приклеилась к правой. На борьбу с подвижками ушло едва ли больше минуты, после чего Рыба почувствовал, что снова может двигаться. Он выбросил тело вперед с низкого старта и помчался вдоль фруктовых рядов. Сразу же за ним стартовало трое добровольных помощников, ничего не понимающих, но исполненных решимости пробежать дистанцию до конца.

А Рыба и думать забыл о своих маленьких вьетнамских друзьях, о корзинке с продуктами, о дуриане, о премьере пьесы «Резня пуговиц» и вообще — обо всем на свете. Сто метров, пятьдесят — и вот он уже на финишной прямой! И он видит, видит в близком далеке ИзящнуюПтицу!!! Вот она — миленькая, вот она — красавица, вот она — пери! И нисколько не изменилась, нисколько: все такая же утонченная и прекрасная. Стоит себе у лотка с лиджи и индокитайской момордикой — и выбирает то, что поспелее.

Интересно, вспомнит ли она Рыбу-Молота или нет?..

Смелее, Рыба, смелее! Будешь идиотом, если упустишь! Всего-то и осталось, что шестьдесят шагов до счастья. Максимум — семьдесят.

Так сам себе сказал Рыба и сделал первый шаг. А потом еще один и еще. Он наверняка бы прошел всю дистанцию и добрался бы до ИзящнойПтицы прежде, чем та успела положить в пакет четыре лиджи. Но внезапно (еще как внезапно!) активизировался мобильник. Теперь он не выдавал никакой мелодии, а просто звонил. Как звонит самый обычный, бесхитростный звонок.

Что еще не слава богу? — со злостью и тоской подумал Рыба, но все-таки дал себе труд взглянуть на дисплей.

Лучше бы он этого не делал!

«ЭТО НЕ ОНА! КРИТИЧЕСКАЯ ОШИБКА! ЭТО НЕ ОНА!!! СБОЙ ПРОГРАММЫ! ЭТО НЕ ОНА!!! КРИТИЧЕСКАЯ ОШИБКА! ОШИБКА! НЕ ПОДХОДИ!!! БУДЕШЬ ИДИОТОМ, ЕСЛИ ПОДОЙДЕШЬ! СБОЙ ПРОГРАММЫ, СБОЙ ПРОГРАММЫ, СБОЙ ПРОГРАММЫ! НЕ ПОДХОДИ! ЭТО НЕ ОНА!» — как сумасшедшая взывала к Рыбе-Молоту сеть PGN.

А из него как будто выпустили весь воздух.

Он не сдвинулся с места даже тогда, когда Изящная Птица Ануш Варданян положила в пакет четыре спелых лиджи и отошла от лотка. И направилась в противоположную сторону. А Рыба все смотрел ей вслед: смотрел и смотрел, пока она не скрылась из глаз.

Странное дело: он ничего не чувствовал. То есть — вообще ничего. ИзящнаяПтица тихо упорхнула из Рыбьего сердца. Некоторое время ее сопровождал чайка по имени Джонатан Ливингстон, но вскоре вернулся и он. И, покружив над Рыбой-Молотом, нагадил ему на голову.

К деньгам, наверное, — меланхолично и отстраненно подумал Рыба.

Он не стал объяснять произошедшее подбежавшим добровольным помощникам за полтора доллара. Да и что объяснять, если дал себе труд выучить по-вьетнамски только одно выражение: «Тяо Домти», что вроде бы означает «Здравствуй, товарищ!». Вместо объяснений Рыба всучил им кошелек с деньгами и все, что нашел в карманах, — жевательную резинку, солнцезащитные очки, сложенный вчетверо список продуктов, нитку дешевого жемчуга, зубную нить; ключ от кухонного шкафа, где хранились пищевые эссенции; недавно купленный магнит на холодильник — с изображением двух вьетнамок, стирающих белье в Меконге. Рыба хотел отдать еще и телефон, но в последний момент передумал и оставил его при себе.

Последующие три часа он бесцельно бродил по лагуне, стараясь воскресить в памяти образы дорогих ему женщин. Но ничто не вызывало в Рыбе-Молоте энтузиазма: ни Вера Рашидовна с мумифицированной орхидеей в волосах, ни декольте Кошкиной, ни аппетитный зад Рахили Исааковны. Ни даже искрометный палец-зажигалка «Поппинс! Мэри Поппинс!» — величайшей женщины на свете. В отчаянии Рыба-Молот попытался вытащить на разговор Гоблина с господином Володарским, но те, по своему скотскому обыкновению, не откликнулись.

Мысленно обозвав их «вонючим харыпьем», Рыба устроился под пальмой и долго смотрел на волны, а потом переключился на выползшего непонятно откуда краба по имени «пальмовый вор».

Пальмового вора он видел впервые, и нельзя сказать, чтобы это беспозвоночное ракообразное потрясло его воображение: на экране телевизора «вор» смотрелся намного внушительнее.

— Сдохнуть, что ли? — обратился Рыба к беспозвоночному за неимением других собеседников.

И тут же почувствовал вибрацию в шортах: это активизировался телефон.

Ну, с приплыздом! — поприветствовал он сеть PGN. — *Чего сейчас отчебучишь?*

«РАНО, ИДИОТ! — отвечала сеть на его предыдущий вопрос. — ТЕБЯ ЖДУТ ВЕЛИКИЕ ДЕЛА! КРИТИЧЕСКАЯ ОШИБКА ИСПРАВЛЕНА! КРИТИЧЕСКАЯ ОШИБКА ИСПРАВЛЕНА!»

С чем вас и поздравляю. — Рыба, откинулся на белый песок и закрыл глаза. — *Не спятить бы от такой радости!*

Сколько он пролежал вот так, с закрытыми глазами, Рыба-Молот не знал. Наверное, не очень долго: ровно до тех пор, пока на его лицо не упала неожиданная тень. Неожиданная и тревожная. Это не была тень от пальмы и не была тень от облака. Корни ее были гораздо крепче и не подчинялись ни ветру сирокко, ни ветру памперо. Ни даже звездному ветру. И «Поппинс! Мэри Поппинс!», величайшая женщина на свете, ничего не смогла бы сделать с этой тенью, как бы ни старалась. По спине Рыбы-Молота пробежал холодок, но он все же слегка разлепил веки, чтобы исподтишка взглянуть на столь диковинное природное явление.

Рядом с ним сидел на корточках мужчина — и именно ему принадлежала тень, часть которой своевольно заползла на Рыбу. На вид мужчине было около сорока, и его бесцветная внешность ни о чем не говорила Рыбе.

Вот только сильно разветвленный шрам под подбородком... Определенно, Рыба где-то видел его! Но где?

— Чудесная страна — Вьетнам, не правда ли? — сказал мужчина, моментально ухватив взгляд Рыбы и более не отпуская его.

— Да... Ничего себе странишка. — Рыба приподнялся, сел и стал стряхивать с себя песок.

— Давно здесь?

— Три недели.

— Отдыхаете?

— Не совсем. Но стараюсь совмещать приятное с полезным.

— Получается?

— Когда как.

— Много работы?

— Людей вокруг много...

— Достает?

— Бывает.

— Хотелось бы уменьшить их количество?

— Иногда.

— Кардинально уменьшить?

— Еще бы! Хотя бы до трех.

— А до одного?

— До одного — это из области несбыточных мечтаний...

— Отнюдь.

— ...Как если бы я был личным поваром генерала де Голля. Слыхали про такого?

— Де Голль давно умер.

— Да, меня ввели в курс дела. Жаль его. Мощнейший был старикан, я вам скажу. «Ибо Франция не одинока! Она не одинока! Она не одинока...»

— Он умер, но многие другие живы. И собираются жить еще долго. И приносить исключительную пользу обществу.

— Флаг им в руки. — Рыба произнес это самым беспечным тоном.

— Я бы даже уточнил: президентский штандарт.

— А есть разница?

— Вы идиот, что ли? — не удержался от традиционного вопроса мужчина.

Теперь (только теперь!) Рыба наконец-то вспомнил его. Они вместе летели в Салехард, и тогда Рыба принял мужчину за энтомолога. Охотника за редкими видами насекомых, который никогда не попадается на контрабанде.

— Я вас знаю! Мы с вами как-то летели в одном самолете! В Салехард, помните?

— Да. — Мужчина не выказал никаких признаков удивления. — Летели. Пути господни неисповедимы, не так ли?

— Так, — задумчиво повторил Рыба. — Пути господни неисповедимы.

— Меня зовут Андрей Андреевич. Будем знакомы.

— Будем. Меня зовут...

— Александр Евгеньевич Бархатов.

— Так вы тоже меня знаете? — изумился Рыба-Молот.

— По долгу службы.

— А вы кто?

— Об этом позже...

— А я, если честно, принял вас за энтомолога. Еще когда мы в Салехард летели.

— Есть немножко, — честно признался Андрей Андреевич.

— А вы сами... За кого меня приняли?

— А то вы не знаете! За кого вас все принимают... Но вы при этом человек честный. И отменный повар. И вообще, есть в вас что-то такое. Иррационально-притягательное. Одним словом, вас нам уже давно рекомендовали. На самом верху.

— На самом? — Рыба неожиданно почувствовал сухость во рту. — Или на самом-самом? Или на самом-самом-самом?

— Наверное, все-таки на самом-самом. Потому что на самом-самом-самом — это, простите, уже небесная канцелярия.

— И что же вы от меня хотите?

— Согласия на работу.

— У кого?

— Вы идиот, что ли? — снова повторил самый популярный вопрос десятилетия Андрей Андреевич. — Я же объяснил: президентский штандарт! А у кого президентский штандарт?

— У кого?

— У первого лица.

— Того самого, который на пресс-папье?

— Не понял? — насторожился Андрей Андреевич.

— Это так, к слову. — Рыба понял, что сморозил глупость, и попытался исправить ситуацию. — Вообще-то, я не против. Но у меня уже есть работа.

— Этот вопрос мы уладим.

— И долг немаленький. Примерно столько, сколько весит священный камень Кааба. И не в тоннах, заметьте, а в килограммах.

— Пустяки.

— Ну-у... Если вы все берете на себя...

— Все.

— Тогда я готов. Когда приступать?

— Да прямо сейчас и отправимся.

— Нет, сейчас не получится. Мне нужно вернуться и попрощаться со всеми. И документы взять, паспорт хотя бы. А еще у нас сегодня премьера в индонезийском театре марионеток! Хотите посмотреть?..

— Нет.

Андрей Андреевич неожиданно придвинулся и почти по-дружески похлопал Рыбу-Молота по плечу.

— Ты хоть понимаешь, что счастливый билет вытащил? Как будто сам Господь за тебя, идиота, хлопочет, честное слово!

— Может, и хлопочет, кто знает... Кстати, — осенило Рыбу. — Счастливый билет у меня и до вас имелся! На трамвай! Семь лет не ел, берег! Как думаете, съесть его теперь или все-таки повременить?

— Тебе решать.

Рыба-Молот вздохнул и с легкой грустью посмотрел на набегающие на песок волны. Где-то там, на волнах покачивалась его с этой секунды прошлая жизнь — и совершенно неизвестно, какой будет новая. Вряд ли веселее прежней, но уж точно занимательней — с бегущей строкой внизу, где жмет на кнопки официальная хроника, орет в правозащитный мегафон неофициальная хроника, заламывают руки новости культуры и прыгают на скакалке новости спорта; где указаны курсы валют, биржевые индексы и погода в Сыктывкаре.

— Тебе решать, — снова повторил Андрей Андреевич.

— Тогда повременю.

Литературно-художественное издание

Платова Виктория Евгеньевна

ИЗ ЖИЗНИ КАРАМЕЛИ

Роман

Издано в авторской редакции

Зав. редакцией *Л.А. Захарова*
Ответственный редактор *М.В. Тимонина*
Технический редактор *Т.П. Тимошина*
Корректор *И.Н. Мокина*
Компьютерная верстка *Е.М. Илюшиной*

ООО «Издательство Астрель»
129085, г. Москва, пр-д Ольминского, 3а

ООО «Издательство АСТ»
141100, Московская обл., г. Щелково, ул. Заречная, 96

Вся информация о книгах и авторах «Издательской группы АСТ»
на сайте: www.ast.ru

Заказ книг по почте:
123022, Москва, а/я 71, «Книга — почтой», или на сайте: shop.avanta.ru

По вопросам оптовой покупки книг «Издательской группы АСТ»
обращаться по адресу:
г. Москва, Звездный бульвар, д. 21, 7-й этаж
Тел.: (495) 615-01-01, 232-17-16

Издано при участии ООО «Харвест». ЛИ № 02330/0494377 от 16.03.2009.
Республика Беларусь, 220013, Минск, ул. Кульман, д. 1, корп. 3, эт. 4, к. 42.
E-mail редакции: harvest@anitex.by

ОАО «Полиграфкомбинат им. Я. Коласа».
ЛП № 02330/0056617 от 27.03.2004.
Республика Беларусь, 220600, Минск, ул. Красная, 23.